ENGLYNION MYNWENTYDD
GWLAD LLŶN
a'r Cyffiniau

Englynion Mynwentydd Gwlad Llŷn

a'r Cyffiniau

Wedi eu casglu gan
Gwyn Neale

Argraffiad cyntaf: 2015

Cyhoeddwyd gan Wasg Carreg Gwalch,
12 Iard yr Orsaf, Llanrwst, Conwy, LL26 0EH.
Ffôn: 01492 642031
ebost: llyfrau@carreg-gwalch.com
lle ar y we: www.carreg-gwalch.com

Rhif rhyngwladol: 978-1-84527-534-1

Mae'r cyhoeddwr yn cydnabod cefnogaeth ariannol
Cyngor Llyfrau Cymru

Cynllun clawr: Eleri Owen

Dymuna'r awdur gydnabod yn ddiolchgar ei ddyled i gofnodion casglwyr cynharach a gyflwynodd eu gwaith i Gymdeithas Hanes Teuluoedd Gwynedd. Mae rhai o'r beddargraffiadau wedi mynd yn anodd eu darllen bellach.

Yr awdur

Ganwyd y casglwr/golygydd yng nghanolbarth Lloegr, a chafodd ei addysg yn King Edward VI School, Nuneaton (lle'r enillodd y wobr ddaearyddiaeth yn 1946 am draethawd ar benrhyn Llŷn) a phrifysgol Nottingham. Dysgodd Saesneg yn Llanrwst am dros 30 o flynyddoedd, cyn ymadael a symud i wlad Llŷn yn 1986. Roedd taid iddo yn un o chwarelwyr yr Eifl ac mae'i gyndadau yn gorwedd ym mynwentydd Clynnog, Carnguwch, Llithfaen a Boduan.

Cynnwys

Byrfoddau	8
Llyfryddiaeth	9
Cyflwyniad	10
Aberdaron, Eglwys Sant Hywyn	14
Aberdaron, Eglwys Newydd	30
Aber-erch	36
Boduan	50
Botwnnog, Eglwys	58
Bryncroes	64
Brynmawr	76
Bwlch, Llanengan	80
Carnguwch	100
Ceidio Eglwys	114
Ceidio Peniel	116
Clynnog Fawr	120
Chwilog	132
Dinas	160
Edern, Eglwys	168
Edern, Capel	174
Llanaelhaearn	184
Llanarmon	214
Llanbedrog, Eglwys	230
Llanbedrog	234
Llandygwnning	240
Llanengan	246
Llanfaelrhys	256
Llangïan	264
Llangwnnadl, Eglwys	272
Llangwnnadl, Hebron	278

Llangybi, Capel Helyg	284
Llangybi, Eglwys	310
Llaniestyn, Capel Rehoboth	324
Llaniestyn, Eglwys	326
Llannor	330
Llithfaen	338
Mellteyrn	346
Morfa Nefyn	352
Nefyn, Santes Fair	360
Nefyn, Mynwent Gyhoeddus	368
Nefyn, Y Fron	376
Pencaenewydd	382
Penllech	384
Penrhos, Bethel	388
Penrhos, Eglwys	400
Pentreuchaf	402
Pistyll	406
Pwllheli, Deneio	410
Pwllheli	442
Pwllheli, Penlan	444
Y Rhiw, Capel Nebo	446
Y Rhiw, Capel Pisgah	448
Y Rhiw, Eglwys	450
Rhos-fawr, Tyddyn Shon	452
Rhoshirwaun, Bethesda	458
Rhydyclafdy	462
Tudweiliog	464
Trefor	472
Ynys Enlli	476
Nodiadau Bywgraffyddol ar yr Englynwyr	478

Byrfoddau

YBC – *Y Bywgraffiadur Cymreig* (1953, 1970, 1997)
GC – *Gwyddoniadur Cymru* (2008)
OCLW – *The Oxford Companion to the Literature of Wales* (1986)
EPLL – *Hanes Eglwysi a Phlwyfi Lleyn*, Gol. Y Parch. D. T. Davies, Ficer Tudweiliog (Pwllheli, 1910)
SJW – *Robert ap Gwilym Ddu – Detholion o'i Weithiau*, Gol. Stephen J. Williams (Gwasg Prifysgol Cymru, 1948)

?? – annarllenadwy
[sic] – felly'n union

Os yw enw awdur yr englyn rhwng cromfachau, mewn llythrennau italig, e.e. *[Robert ap Gwilym Ddu*]*, y casglwr sydd wedi cyflenwi'r enw.

Os oes seren ar ôl enw bardd, e.e. TUDWAL*, ceir gwybodaeth amdano yn yr adran 'Nodiadau Bywgraffyddol' ar ddiwedd y gyfrol.

Mae enw neu fanylion rhwng cromfachau ar waelod englyn yn dangos ffynhonnell, e.e.:

[Daron01] – cyfeirnod y ffotograff gwreiddiol
[CHTG] – Cymdeithas Hanes Teuluoedd Gwynedd
[Arvon] – *Lloffion Llŷn* gan W. Arvon Roberts

Wrth baratoi'r casgliad hwn ar gyfer y wasg, penderfynias adael yr arysgrifau heb eu newid na'u cywiro, er bod ynddynt rai ffurfiau llafar neu wallau sillafu amlwg megis 'anwyl', 'mlynadd', 'monwent', 'wyras', 'gwneyd', 'Nevin', 'Edeyrn', 'Llangwnnadle' a 'Pwllhelly'. Nid wyf ychwaith wedi cywiro camgymeriadau'r naddwyr cerrig a'r seiri maen, e.e. 'claddywd', 'gwrag', 'Gorffehaf'.

Llyfryddiaeth

AWDURON AMRYWIOL: *Meini wrth droed y Mynydd: Dathlu ailadeiladu Capel Llwyndyrys 1902-2002* (Gwasg Carreg Gwalch)
Y BYWGRAFFIADUR CYMREIG (Y Cymmrodorion, Llundain, 1953, 1970, 1997)
Cyhoeddiadau Cymdeithas Hanes Teuluoedd Gwynedd
DAVIES, J., BAINES, M., JENKINS, J., LYNCH, P.: *Gwyddoniadur Cymru* (Gwasg Prifysgol Cymru, 2008)
DAVIES, D. T. (Gol.): *Hanes Eglwysi a Phlwyfi Lleyn* (Pwllheli, 1910)
EVANS, ROBERT (Cybi): *Beirdd Gwerin Eifionydd a'u Gwaith* (1914)
GEIRIADUR PRIFYSGOL CYMRU (Gwasg Prifysgol Cymru, 1950-2002)
HUGHES, D. G. LLOYD: *Hanes Tref Pwllheli* (Gomer, 1986)
JONES, IVOR WYNNE: *Shipwrecks of North Wales* (Landmark Publishing, 2001)
LLWYD, ALAN: *Y Flodeugerdd Englynion Newydd* (Barddas, 2009)
MILLWARD, E. G. (Gol.): *Detholion o Ddyddiadur Eben Fardd* (Gwasg Prifysgol Cymru, 1968)
PARRY, GRUFFUDD: *Crwydro Llŷn ac Eifionydd* (Llyfrau'r Dryw, 1960)
PARRY, THOMAS: *Hanes Llenyddiaeth Gymraeg hyd 1900* (GPC, 1944)
PRICHARD, THOMAS J. *Hen Feini'n Llefain yn Llŷn* (Cyhoeddwyd gan yr awdur, 1998)
ROBERTS, MAI: *Ardal Boduan, 1865-1965* (Cyhoeddwyd gan yr awdures, 1990)
ROBERTS, W. ARVON: *Lloffion Llŷn* (Gwasg Carreg Gwalch, 2009)
ROBERTS, W. ARVON: *Lloffion Eifionydd* (Gwasg Carreg Gwalch, 2010)
ROWLANDS, JOHN: *Olwynion Aflonydd – Englynion a Cherddi* (Gwasg Tŷ ar y Graig, 1970)
STEPHENS, MEIC (Gol.): *The Oxford Companion to the Literature of Wales* (Rhydychen, 1986)
THOMAS, DAVID: *Hen Longau Sir Gaernarfon* (Cymdeithas Hanes Sir Gaernarfon, 1952, 2007)
WILLIAMS, STEPHEN J.: *Robert ap Gwilym Ddu – Detholion o'i Weithiau* (GPC, 1948)

Ffynonellau rhyngrwyd: *ancestry.com, rhiw.com*

Cyflwyniad

Un diwrnod yn ystod gwanwyn 2010 euthum am dro ar fy meic ar hyd y lonydd bach y tu hwnt i Fryn Cynan, ac wrth fynd heibio Eglwys Ceidio, dyma oedi i dynnu llun. Ar ôl dewis y lle gorau i dynnu'r llun, digwyddais gymryd cipolwg ar arysgrif ar fedd gerllaw a darllen yr englyn ar y garreg:

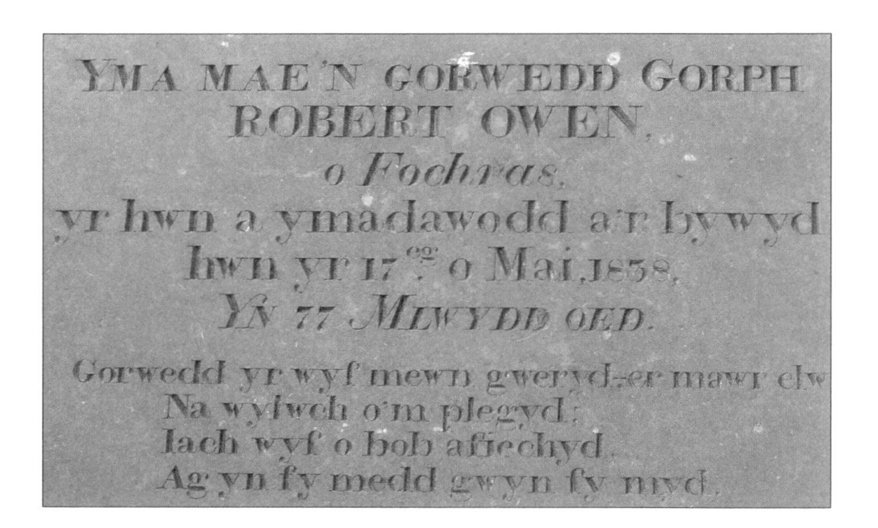

Doedd yr englyn ddim yn gyfarwydd i mi ond fe adawodd yr esgyll (llinellau 3 a 4) eu hargraff arnaf yn syth, gan fy atgoffa o ymadroddion megis *'Free from the bondage you are in'* sy'n cyhoeddi marwolaeth Brutus yn *Julius Caesar*. Penderfynais geisio dysgu'r englyn ar fy nghof yn y fan a'r lle, er mwyn medru ei ysgrifennu ar ôl cyrraedd adref. A dyna ddechrau arni, er fy mod yn gwybod yn iawn mai cof gwael sydd gen i. Yna meddyliais pa mor hawdd ydi hi heddiw i dynnu peth wmbredd o luniau â chamera digidol, a bod modd cael gwared â'r lluniau diangen yn ddigon didrafferth. Dyna pryd y tynnais y llun a welir uchod. Ffrwyth y syniad hwnnw oedd y penderfyniad i gasglu englynion. Yn ddiweddarach y flwyddyn honno ac yn ystod yr haf dilynol, euthum i ymweld â phob un o fynwentydd penrhyn Llŷn, gan gymryd Clynnog Fawr yn y gogledd a Chwilog yn y de fel ffiniau.

Rwy'n siŵr fy mod wedi darganfod rhyw ddau i dri chant o englynion pan ddeallais fod y gwaith eisoes wedi cael ei wneud gan Gymdeithas Hanes Teuluoedd Gwynedd oddeutu ugain mlynedd yn ôl. Roeddwn yn hynod siomedig pan glywais hyn ond yna euthum ati i ddefnyddio casgliad y Gymdeithas fel ychwanegiad i'r hyn oedd gen i. Doedden nhw ddim wedi ymweld â phob mynwent yn Llŷn, ac yn achos Nefyn, roedden nhw wedi cofnodi'r arysgrifau gan hepgor yr englynion a'r penillion eraill.

Mae'n rhaid talu teyrnged i waith y Gymdeithas yn

cofnodi arysgrifau eglwysi'r sir; byddai llawer ohonynt wedi mynd i ebargofiant oni bai am eu gwaith diflino nhw. Tybiaf na fu'n waith hawdd gan mai dim ond dyrnaid o'r arysgrifau sydd mor hawdd i'w darllen â'r un a welir uchod. Mae'n anodd cyrraedd at gerrig beddau weithiau gan fod planhigion gwyllt a chwyn yn rhwystr, a'r arysgrifau wedyn yn annarllenadwy oherwydd bod cen dros y garreg; ambell dro bydd rhan o air neu air cyfan wedi erydu; a phan fo heulwen lachar yn tywynnu o'r tu ôl i garreg fedd unionsyth, nid oes modd darllen y geiriau ar wyneb y garreg yr ochr arall. Mae'n bur debygol fod y cofnodwyr gwreiddiol wedi wynebu'r holl anawsterau hyn yn eu tro. Nid yw'n syndod felly bod cofnodion y Gymdeithas yn cynnwys mân wallau a thrwy astudio fy ffotograffau ar y cyfrifiadur, gallwn gywiro rhai o'r camgymeriadau hyn. Ambell waith dim ond cywiro '3' yn '5' oedd ei angen; droeon eraill gallwn newid 'Harriet' yn 'Hannah' a 'Gorweddaf' yn 'Gorweddfa'.

Hoffwn ddiolch yn arbennig i Jan, fy ngwraig, a fu'n gydymaith ar bron bob un o'r teithiau tynnu lluniau ac a ddatblygodd y grefft o adnabod englyn o bell, gan gefnogi fy holl ymdrechion brwd.

(I should like in particular to thank Jan, my wife, who accompanied me on nearly all of the photographic

expeditions, developed the ability to spot an englyn *from yards away and has supported me in all my enthusiasms.)*

Gwyn Neale

ABERDARON

Eglwys Sant Hywyn

1

Er coffadwriaeth am MARY, gwraig Hugh GRIFFITH Bodwrdda, yr hon a fu farw Tachwedd 21ain 1817 yn 50 oed. HUGH GRIFFITH, fu farw 1848 yn 72 oed.

A Mair a ddewisodd y rhan dda
Yr hon ni ddygir oddi arni

Luc X.42

Hawddgar ar ddaear ryw ddydd – cyfodaf
Caf adwedd ysblenydd:
Agorir marwol geurydd
Yna y rhoir finau yn rhydd.

[Daron01]

2

Etto am JANE, ail wraig i'r dywededig Hugh GRIFFITH, yr hon a fu farw Ionawr 3ydd 1858 yn 65 oed.

Dygwyd i lygredigaeth – yr hoffus
Siân Gruffudd er hiraeth:
Cadw gwyl ei noswyl wnaeth
Ei mawr elw yw marwolaeth.

[Daron02]

3

Er cof am Jane gwraig David Jones Morfa Mawr yr hon a fu farw Mawrth 17, 1860 yn 66 oed. Hefyd am y dywededig David Jones yr hwn a fu farw Ionawr 14 1870 yn 84 oed. Hefyd am THOMAS JONES, eu mab, Shop Aberdaron, yr hwn a fu farw Mawrth 5, 1883, yn 61 oed.

Ow! Thomas gynes galon – callaf wr
Un tawel a ffyddlon,
Ni chaf ddydd heb bruddaidd fron
'Nol colli'th wyneb gwiwlon.

[Daron03, 03a]

4, 5

Er cof am ELLEN, gwraig Richard GRIFFITHS Cefn Ynysoedd Llanfaglan, gynt o'r Bryn Mawr Aberdaron, yr hon a fu farw Tachwedd 12ed 1870 yn 46 oed.

Wir gywir dïargyhoedd – y graffus
ELEN GRIFFITH ydoedd;
Draw nofiai hyd i'r nefoedd
Yn dawel iawn duwiol oedd.

Er i afiach awr ryfedd – drwy alwad
Roi Ellen i orwedd;
Da i'r enaid a'i rinwedd,
Ydyw mwynhau Duw mewn hedd.

ROBIN DDU ERYRI* [Daron04]

6
Hefyd am y dywededig Capt. RICHARD GRIFFITHS, yr hwn a fu farw Mai 29ain 1895 yn 74 mlwydd oed.

Er i afiach awr ryfedd – drwy alwad
Roi Risiart i orwedd;
Da i'r enaid a'i rinwedd,
Ydyw mwynhau DUW mewn hedd.

[Daron05]

7
Er coffadwriaeth am ANNE, gwraig James OWEN o Benycaerau a gladdwyd y 30 o Dachwedd yn 44 oed, 1812.

Deu-saith o flwyddau'n cydoesi – union
I anedd roed iddi;
Mudwyd hi er ammodi
I dŷ'r nef o'n daear ni.

[Daron06]

8
Er coffadwriaeth am CATHERINE, merch Richard ac Ellen ROBERTS, Tir Glyn, yr hon a fu farw Mehefin 12fed 1875, yn 9 mlwydd oed. Hefyd CATHERINE, eu merch, yr hon a fu farw Ebrill 8fed 1883, yn 5 mlwydd oed.

Di gyngor y dwg angau – bob oedran
I bydru, fel ninnau:
Ystyr hyn, o briddyn brau,
Gwel dy daith, gwael doi dithau.

[Daron07, 07a]

9
Er coffadwriaeth am JOHN MICHAEL, Rhydlios, yr hwn a fu farw Rhagr 30ain 1847 yn 46 mlwydd oed.

Athronydd llythyrenau – cywir fu
Yn cerfio Bedd-lechau;
Och hynt! wele'i lech yntau
E gaiff hon ei hir goffau.

[Daron08]

10
Er cof am ROBERT JONES, Pencaerau, Aberdaron, yr hwn a fu farw Awst 4ydd 1882 yn 64 mlwydd oed.

Gwawr a dyr pan egyr dorau – ei fedd
Daw'n fyw o byrth angau;
Goruwch oer bridd, garchar brau
Y gwel fyd heb glefydau.

[Daron09]

11, 12

Er coffadwriaeth am ANNE, gwraig John JONES, Factory, yr hon a fu farw Hydr 28ain 1859 yn 35 mlwydd oed.

Gwraig addas Dorcas ei dydd – o wir sel
        I'r Saint oedd Ann beunydd
    A thawel yn ei thywydd;
    Ddi absen a pherchen ffydd.

Yr unig wael oer annedd – yw ty Ann
Er maint oedd ei rhinwedd
Yn loew bur daw'n ol o'i bedd;
Ryw foreu mewn gwir fawredd.

[Daron10]

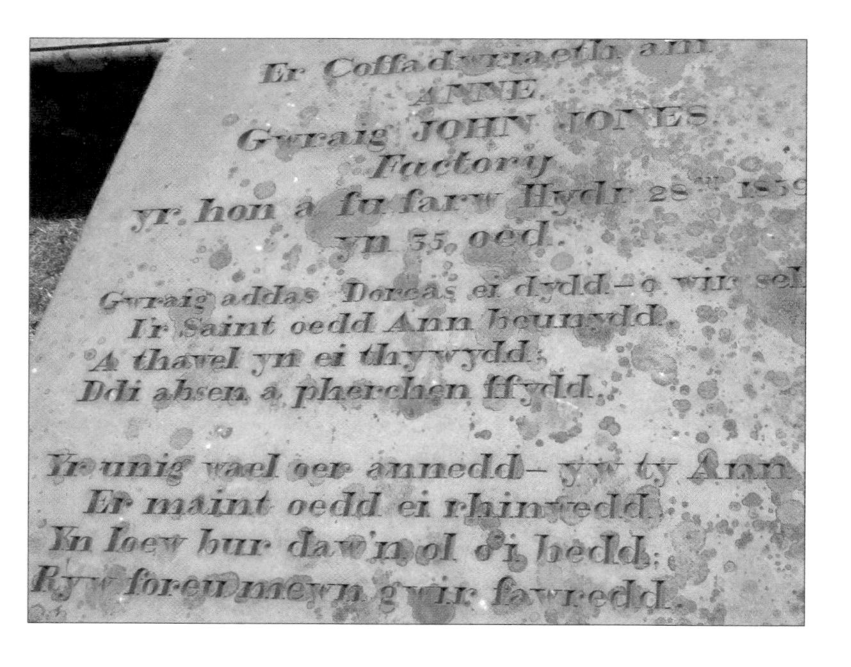

13
Underneath are interred the remains of two Infant Children of Griffith JONES, Shop Penycaerau by Catherine his wife

VIZ

JOHN, died July 16th 1817 aged 4 months
OWEN, died Feby 5th 1833 aged 2 years.

In memory of JOHN, son of the above named Griffith and Catherine JONES, who unfortunately drowned by the melancholy shipwreck of the *Monk Steamer* on the Carnarvon Bar the 7th day of Jany 1843 aged 13 years.

Pob hedyn a fyn efe, - o'r dulawr
A'r dylif i'r frawdle;
Cywir gesglir o'r gysgle,
Lychyn at lychyn i'w le.

[Robert ap Gwilym Ddu]*

[Daron11]

(Roedd y Monk Steamer *ar fordaith o Borth Dinllaen i Lerpwl, gyda llwyth o foch, dwy fuwch, a thros 4,000 pwys o fenyn ar ei bwrdd. Pan aeth y llong yn sownd y tu allan i Gaernarfon, llwyddodd dau ddyn i gyrraedd y lan. Achubodd bad achub Llanddwyn ddau arall a oedd yn dal yn fyw yn y rhaffau y bore wedyn, ond collodd pedwar ar ddeg eu bywydau, gan gynnwys y Capten. Gwelodd Eben Fardd* rywfaint o'r trychineb o Glynnog Fawr ac fe ysgrifennodd yn ei ddyddiadur y noson honno: 'A steamer called* "The Monk", *which*

sailed from Portin-llaen at 3 p.m., went down on the north bank in Caernarfon Bar abt. 7 p.m. Observed lights in her riggings about 8, when I went to the well for water. All except 6 perished.')

14

JANE EVANS, Tremydon, Pwllheli, hunodd yn yr Iesu, Tach. 10, 1925, yn 77 mlwydd oed.

Y wraig dda, rywiog, ddiwyd – caredig
O rodiad iselfryd;
Oedd ddoe'n wych gan ddawn iechyd
Yng nghil bedd ma'n angel byd.

[Daron12]

15

Er serchog gof am JOHN RICHARD JONES, Shop, Aberdaron, bu farw Chwefror 11, 1890 yn 54 mlwydd oed.

Llawn o hoen, a llon ei anian – ydoedd
A hudawl hyd raian;
Ac'n ro 'i yn gu wiw ran
Er noddi yr annyddan.

HYWYN

[Daron13]

16
Er côf am ELIZABETH HUGHES, o'r Tŷ Cerrig yn y Plwyf hwn, yr hon a fu farw Mawrth 20fed 1842 yn 63 mlwydd oed.

Yn y llwch hwn, y llechaf – i aros
Hyd oriau'r farn olaf:
Geilw'r ION – o'm gwely yr âf
Yn y bêdd mwy ni byddaf.

[Daron14]

17
Underneath are interred the remains of GRIFFITH JONES, Shop Penycaera [sic] who departed this life on the 8th day of May, 1844 aged 49 years.

Poen eiriol Pen y caerau – colli Gwr
Call a gwych ei foddau:-
Gryffydd ab Ion, bon ei bau,
Heb ei werth yn ei barthau.

[Daron15]

18
I gofio'n dyner am ABRAM JONES WILLIAMS, annwyl briod Ann Willliams, Penrhyn Mawr, Aberdaron, hunodd yn yr Iesu Medi 4, 1937 yn 44 mlwydd oed.

‘E ddilynod ddylanwad – mab y dyn
Ymhob dim heb eithriad;
Rhy gynnar o’i gu uniad
Galwad ef i gôl ei dad.

L.O.G.*

[Daron16]

19
RICHARD G. JONES, anwyl fab Griffith ac Elizabeth Jones, Efail Rhos, Rhoshirwaun, yr hwn a hunodd Ionawr 8, 1917 yn 23 oed.

Hunaf yn nhir gwahaniad – yn hollol
Wrth wyllys fy ngheidwad;
Ond ar ôl y didoliad
Eto’n hyf a’i at fy nhad.

Ei gyfaill J. HUGHES*

[CHTG]

20
OWEN, mab Richard a Mary PARRY, Bodwyddog, Rhiw, fu farw Tach. 27, 1878 yn 21 mlwydd oed.

Wedi agor ei degwch – o ganol
Ei gyner brydferthwch;
A wywodd, llithrodd i'r llwch
Yn ôl ni ddaw, na wylwch.

[CHTG]

21
Er serchog gof am ELLEN, priod cyntaf Hugh EVANS, Talcan-y-Foel, Aberdaron bu farw Awst 7, 1856 yn 38 mlwydd oed. Hefyd ei mherch JANE EVANS, Trem-y-Don, Pwllheli, hunodd yn yr Iesu Tachwedd 10, 1925 yn 77 mlwydd oed.

Y wraig dda, rywiog, diwyd – caredig
O rodiad iselfryd;
Oedd ddoe'n wych gan ddawn iechyd
Yng nghil bedd ma'n angel byd.

[Daron17a, b]

22
MARY, gwraig William GRIFFITH, Brychdir, Aberdaron, fu farw Ebrill 14, 1847 yn 49 oed.

Gwyn eu byd ar gau'n bedd – mae iddynt
Gael maddeu'u hanwiredd;
Dyma fwy na dim a fedd
Difyrwch byd a'i fawredd

[CHTG]

23
JOHN PARRY, anwyl briod Margery PARRY, Pensarn, Aberdaron, bu farw Mawrth 4, 1910 yn 63 mlwydd oed.
"Trwy ffydd eheda gweddi'r gwael ac yntau gyda hi"
Hefyd ei briod MARGERY PARRY bu farw 9 Hydref 1917 yn 61 mlwydd oed. Hefyd eu hanwyl ferch CATHERINE PARRY bu farw 1 Tachwedd 1918 yn 19 mlwydd oed.

Y tri ar fin y Traeth – a ddiosgodd
Wyw wisgiad marwolaeth;
Iesu'n uwch, eu tywys wnaeth
I galon buddugoliaeth.

[CHTG]

24
JANE DAVIES, annwyl briod William Davies, Top-Rhos, Bryncroes, bu farw Gorffenaf 15, 1903 yn 76 mlwydd oed. Hefyd y dywededig WILLIAM DAVIES fu farw Gorffenaf 1, 1909 yn 82 mlwydd oed.

Y goleuedig wladwr – ac angel
Cyngor gwlad a'i ddeddfwr;
Ac mewn oes cymwynaswr
Cefnu wan fu'r cyfiawn ŵr.

[CHTG]

25
RICHARD GRIFFITH, Tŷ Mawr, Aberdaron, fu farw Meh. 8 1892 yn 93 mlwydd oed.

Ar ras ei brynwr Iesu – ei hyder oedd
Wrth ei draed gwnai lynu;
Hyd ei fedd diwyd y bu
Wedi addas anrhydeddu.

[CHTG]

26
HUMPHREY JONES, Pensarn, Aberdaron fu farw Mehefin 26, 1908 yn 57 mlwydd oed.

Hynawsaf gymwynaswr – efe fu
I'w fedd yn gyfranwr;
Gwywai fyd gwanaf ŵr
Dan ei gur fel dyngarwr.

[CHTG]

27
GAYNOR ELLEN JONES, anwyl ferch Thomas a Mary Jones, 3 Pensarn Aberdaron fu farw Medi 30, 1917 yn 13 mlwydd oed.

Awr anodd fy rhieni – i'w haros
Mewn hiraeth a thewi;
Ond hyfryd awr fy awr i,
Awr anwyl y coroni.

[CHTG]

Englyn treftadaeth a welir hefyd ym mynwent Aberdaron

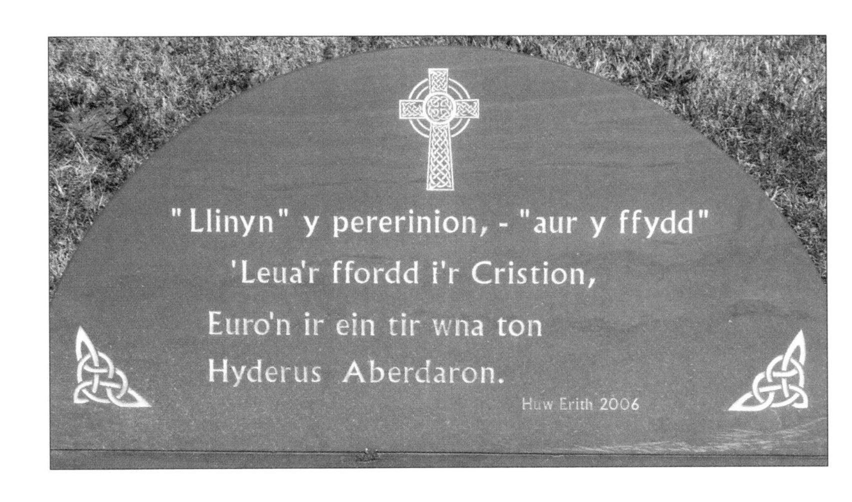

ABERDARON

Yr Eglwys Newydd

28

In memory of THOMAS, son of GRIFFITH JONES, of Tirdyrys in the Parish of Bryncroes, by ELIZABETH his wife, who died March 6th 1848 aged 29 years.

O'i flodau borau bwriwyd – i oerfedd
        A'i yrfa orphenwyd:
    Teg loywddyn a'i ti gladdywd, [sic]
    Ameu'r ym ai yma'r wyd!

[Robert ap Gwilym Ddu]*   G.J.

[Hywyn1]

29

Er cof annwyl am GRIFFITH ROBERTS, Tir Topyn, Rhoshirwaun, 1919-2000. Hefyd ei briod JANET ELLEN, 1922-2002

Heulwen ar hyd a glennydd – a haul hwyr
        A'i liw ar y Mynydd;
    Felly Llŷn ar derfyn dydd –
    Lle i enaid cael llonydd.

[J. Glyn Davies]*

[Hywyn2]

30
Er cof annwyl am priod, tad a thaid hoff WILLIAM THOMAS (GWILYM), Bryniog, Uwchmynydd, 1927-2003

Her ei oes fu byw prysur – gŵr y ffydd
â gair ffeind yn gysur
yn ddeifiol ei chwedl ddifyr
ac â'i wên mygai pob cur.

B.R.*

[Hywyn3]

31
Er cof annwyl am OWEN GRIFFITH JONES, Bryn Deufor, Anelog, 1925-2004

Wedi'r tawel ffarwelio, - a'r cefnu
A'r cyfnod o huno,
Ein Hiôr a ddaw i'w gario'n
Ufudd was iw Nefoedd O.

R. J. Penmorfa*

[Hywyn4]

32

Er cof annwyl am EVAN LLEWELYN HUGHES, Bodermyd Uchaf, Uwchmynydd, 1927-2009

Gŵr a gofleidiodd nodded – Y Geiriau,
gŵr a fynnodd glywed;
Gŵr oedd a fu'n byw ei gred
y gŵr â'i llaw agored.

B.R.*

[Hywyn5]

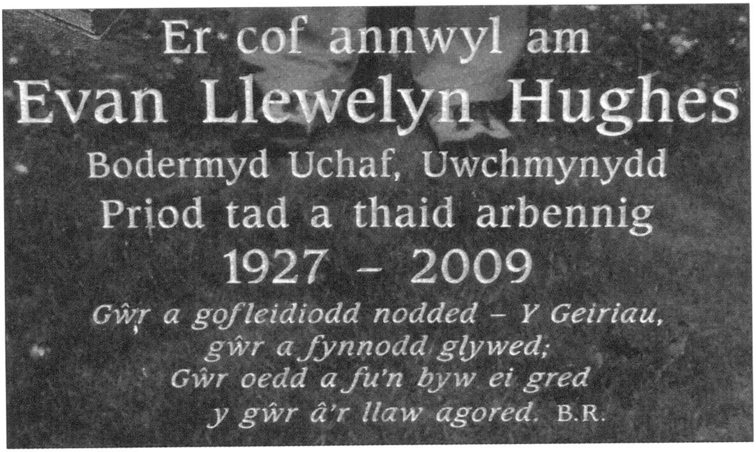

33

JOHN EVANS, Fronoleu Aberdaron, fu farw Awst 20, 1882 yn 51 mlwydd oed. Hefyd am JOHN, mab y dywededig John Evans a Mary ei wraig, fu farw Medi 8ed 1891 yn 14 mlwydd oed. Bu [?] yn bregethwr cymeradwy gyda'r Wesleyaid am 30 o flynyddoedd.

Ochain na llais afiechyd – mwy nid oes
Mewn distaw fedd priddlyd
Ac wele ddau anwylyd
Dan un gwys o bwys y byd.

[CHTG]

34

LOURA, gwraig William EDWARDS, gynt o Gwthrian, fu farw Mawrth 24, 1852 yn 53 oed. Hefyd WILLIAM EDWARDS ei gwr fu farw Awst 27, 1873 yn 80 oed. "Gwyn eu byd y meirw sydd yn marw yn yr Arglwydd, o hyn allan hedd yr yspryd fel y gorphwysant oddi wrth ei llafur".

Wele dau anwylyd – yn y llwch
Yn llechi enyd
Daw llef a'i cyfyd
Yn nydd braint mewn newydd bryd.

[CHTG]

35

Er serchog gof am Capt. WILLIAM WILLIAMS, Morawel, Aberdaron a fu farw Ebrill 30, 1929 yn 64 mlwydd oed.

Darfu ei deithiau dirfawr – dros foroedd;
        Drwy ferw blin tryst fawr,
    Yr olaf daith ar i lawr
    Oedd i wely lletty'r llawr.

[CHTG]

ABER-ERCH

Eglwys Sant Cawrdaf

36

Er cof am THEOPHILUS WILLIAMS, Tai newyddion, Rhos fawr, fu farw Ebrill 3, 1883 yn 54 mlwydd oed. Hefyd JANE ei briod fu farw Mehefin 27, 1899 yn 66 mlwydd oed.

Fwyngu wraig bu'n golofn gref – a harddwch
Ei gerddi – ei chartref;
Ond heddyw, uwch pob dioddef
Addurn yw i erddi nef.

[Erch01]

37

ELLEN, gwraig Owen WILLIAMS, Penrhynhiddyg, yr hon a fu farw Ebrill 16, 1879 yn 40 oed. Hefyd am dri o'u plant:

Rebecca bu farw Mai 9, 1866 4 mlwydd oed
Eliza En bu farw Ebr. 28, 1876 8 mis oed
Evan bu farw Mai 15, 1879 11 wythnos oed

Huna yma wraig dyner – un a fu
Yn fam dda'n ei hamser:
Ar Dduwdod rhôdd ei hyder,
A doeth fu'n ei hymdaith fer.
TUDWAL*

Hefyd y dywededig Owen Williams, bu farw Mehefin 22, 1893 yn 59 mlwydd oed.

[Erch02]

38
In memory of HUGH son of Evan and Jane HUGHES, Ty Uchaf, Abererch, who Died the 10th day of February 1853 [?] aged 4 months. Also of the above named EVAN HUGHES, who Died the 6th day of June 1855 aged 44 years. Also of JANE wife of Evan Hughes, who Died the 9th day May 1861 aged 34 years.

Evan Hughes a'i fynwesol – wiw briod
Wobrwya'u Tad nefol:
Eu dwyn a gânt yn ei gôl
I baradwys ysbrydol.

[Erch03]

39, 40
Sacred to the memory of ELLEN, daughter of John & Ann JONES, Abererch Mill, who Died November 10th 1859 aged 30 years.

Er cri Rhieni hynod, - er curio
Ceraint a Chydnabod;
Gwywai gwedd mewn bedd mae'n bod
Rosyn y ddaear isod.

Rhyw foreu anarferol, - er gwyro
I'r gweryd yn farwol,
Gyda nerth hi gwyd yn ol
Ar wedd IESU'n urddasol.

[Erch04]

41
Sacred to the memory of LEWIS HUMPHREYS, Pwllhely, Gent. who died the 7th day of Decr 1821 aged 51 years.

'R Archangel uchel achos – o'm gwaeledd
A'm geilw yn ddiaros:
Ni ddiengir rhaid ymddangos
O'm cleiog a'm niwliog nôs.

[Erch05]

42
Here are depoſited the Mortal Remains of EVAN JONES, Late at Penychain, who Departed this life the 18th Day of May A.D.1815 aged 87 years.

Y bedd yw fy annedd i, yn gwbl,
Mewn gobaith cyfodi,
O garchar y ddaear ddifri
I ddydd y farn mi a ddof i.

[Erch06]

43

Coffadwriaeth am ROBERT GRIFFITH, gynt o'r Tŷ'n y nant yr hwn a fu farw Ionawr 9ed 1843 yn 26 mlwydd oed.

Trwm yw'r tro wywo ei wedd! – gwr ydoedd
O gariadus nodwedd,
Anwyl i'w deulu'n unwedd –
Colled ei fyned i fedd.

Hefyd Laura, ei briod, fu farw Chwefror 4, 1866 yn 56 oed.

[Erch07]

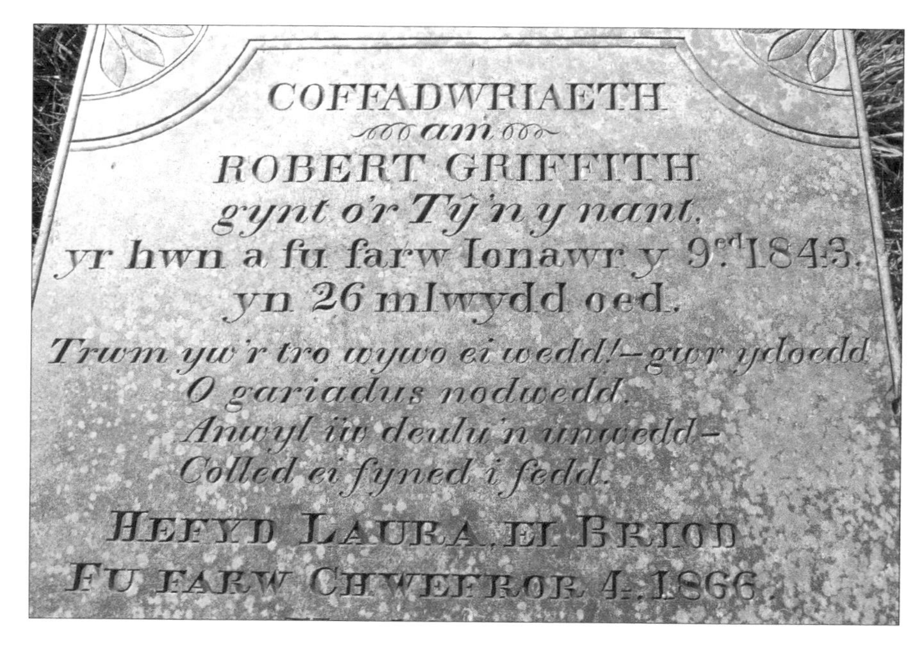

44

Er cof am THOMAS, mab Thomas a Jane GRIFFITH Tŷ'n nant, fu farw Hydref 21ain 1853 yn 35 oed. Hefyd am JANE, gwraig y dywededig Thomas GRIFFITH, fu farw Mawrth 5ed 1855 yn 63 oed. Hefyd am y dywededig THOMAS GRIFFITH fu farw Chwefror 5ed 1864 yn 76 oed. Wedi bod yn Ddiacon yn Capel isaf 35 o flyndd.

Wele ni gwedi pob gwaith, - yn dri llesg
Wnaed o'r llwch unwaith,
Mewn bedd – ond dyrnfedd fu'n taith:
Lle chwelir ni'n llwch eilwaith.

[Erch08]

45

Er cof am MARY WILLIAMS, Ty'ncoed Abererch, yr hon a fu farw Chwefror 20ed 1872 yn 70 oed.

Egwyddor ymarferol
Ei hoes oedd gair ei Duw;
A chynulleidfa'r Arglwydd
A hoffodd tra bu byw:
Ei chystudd hir ddioddefodd
Yn dawel megis ef
Ai hymborth yn wastadol
Oedd mana pur y nef.

Hefyd am JANE, gwraig William ROBERTS New Row

Abererch, yr hon a fu farw Awst 24ain 1879 yn 49 oed.

Y gareg hon uwch gwraig hynod – roddwyd
        I arwyddo ei beddrod
    Ond gwel ffydd y dydd yn dod – pan ddaw'n gu
    Ar ddull ei Hiesu or briddell isod.

TUDWAL*

Hefyd am y dywededig William Roberts a fu farw Gorph. 24ain 1905 yn 78 oed.

[Erch09]

46

Er cof am JOHN ROWLAND JONES, mab hynaf Rowland ac Ellen Jones, Shop Abererch a Four Crosses yr hwn a hunodd yn yr Iesu Chwefror 12, 1874 yn 15 mlwydd o. Hefyd am MARY JONES ei chwaer yr hon a hunodd yn yr Iesu Ebrill 24, 1874 yn 10 mlwydd o.

Dau oedd ieuangc ond 'od o dduwiol – aeth
        I'r nef yn gynarol,
    Gan ado'n daear gnawdol
    Cyn troi i fyrdd o'i ffyrdd ffol.

        TUDWAL*

[Erch10]

47

I gofio'n dyner am Briod, Tad a Thaid annwyl GLYN DAVIES, Gelliwig, Lôn Abererch, Pwllheli, a hunodd Gorffennaf 3ydd 1986 yn 59 mlwydd oed.

Carodd ardd a blodau pêr – yr adar
A'u miwsig melusber
Huned mwy yn mynwes mer
uwch cûr a phob cyfyngder.

[Erch11]

48

Er cof am Mr ROBERT WILLIAMS, Mynachdy-bach, Llangybi; Gynt Robt ab Gwilym ddu*, Bettws fawr, a fu farw Gorphenhaf 11, 1850 yn 83 oed.

Y bedd lle gorwedd gwron – hynodol
Iawn; awdwr "Gardd Eifion".
Y Bardd fu fardd i feirddion
Oedd y gwr sydd gorîs hon.

[Ellis Owen Cefn-y-Meysydd]*

(‘Gardd Eifion’ *oedd enw casgliad o farddoniaeth gan Robert ap Gwilym Ddu a gyhoeddwyd yn 1841, wedi ei olygu gan William Williams ‘Caledfryn’.)*

[Erch12]

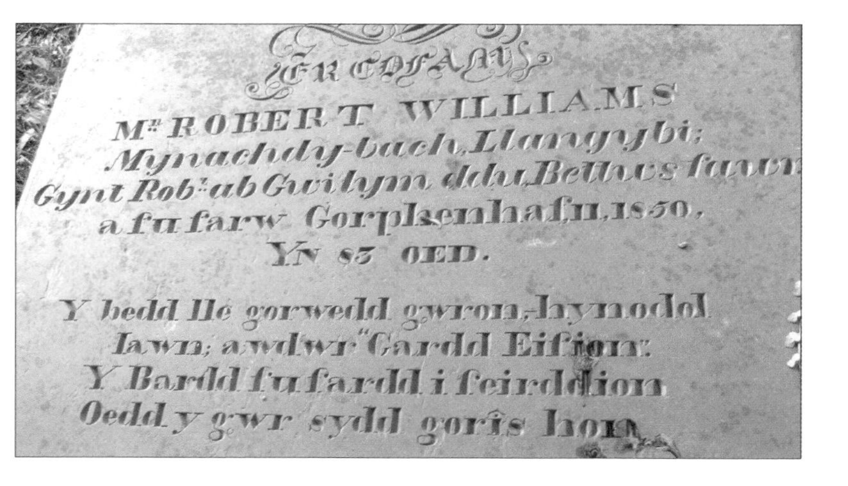

49, 50, 51

To the memory of ELIZABETH Daughter of Evan EVANS of Pwllheli, Tanner, by Margaret his Wife. She departed this Life April 18th 1810 aged 3 years and 5 months.

Yr Iôn pan ddelo'r enyd, - ar ddiwedd
O'r Ddaear a'm cyfyd;
Bydd dorau Beddau y Byd,
Ar un gair yn agoryd.

[Robert ap Gwilym Ddu]*

Also, to the memory of JANE, Daughter of the above named Evan EVANS by Margaret his Wife was buried March 3rd 1820 aged 14.

Doe'n gynnes ein Dyn ganaid – lân, ai delw
Yn hydoli'r lygaid,
Heddyw'n syn, gorphyn a gaid
Plwm oer iawn, ple mae'r enaid?

Drwy'r llawr pan darawo'r llef, - a gwŷs gerdd
Gosgorddau'r oleunef,
Duw a'i hedryd iw hadref
Mewn dim, ar ei amnaid ef.

[Erch13]

52
Sacred to the memory of three of the beloved children of LEWIS & ANNE WILLIAMS, of Bryngoleu in this Parish.

ELLIS OWEN born May 27th 1842 died May 1st 1847
OWEN born July 12th 1835 died Nov. 16th 1854
MARY ANNE born April 30th 1848 died May 10th 1856

Also the above named LEWIS WILLIAMS who departed this life Novr 25th 1859 aged 78 years.

Ni ddaw'n ol i'r Bryngoleu, - i anedd
Ei enwog hen dadau;
Daw o fedd wedi fywhau,
I'w dynged o dy angau.

E.O.*

Also of John, son of the above Lewis & Anne Williams, Officer on board the Ship "Aerolite" of Liverpool who was drowned near the Cape of Good Hope on his passage from Liverpool to Shanghai in China, on Christmas day 1862 aged 30. Also the above named Anne Williams who died May 6th 1877 aged 69 years. Also of Lieutenant John Williams, R. N. Brother of said Lewis Williams who died 3 December 1837 aged 58 years and was buried inside the church. He took part in the battle of TRAFALGAR.

[Erch14, 14a]

53, 54
Er serchus gof am LAURA, priod Robert JONES, Tyddyn Meilir, Abererch, yr hon a fu farw Mawrth 28ain 1866 yn 76 oed.

"Gwel isel fedd gwraig lesol fu, - drwy'i oes
Yn drysor iw theulu
Pa orchest ydoedd parchu,
A mawrhau un mor gu."

EMRYS*

Hefyd am y dywededig ROBERT JONES, yr hwn a fu farw Ionawr 23ain 1869 yn 84 mlwydd oed.

"Wedi oes faith deuais i fedd – gwelwch
Mai gwael iawn yw'r diwedd;
Yn Tyddyn Meilir hir fu'r hedd
O ragorol drugaredd."

GUTYN EBRILL*

[Erch15]

55
Er cof am MARY, Gwraig Lewis HUGHES Cae'r gof, yr hon a fu farw Rhagfyr 14eg 1846 yn 75 mlwydd oed. Ac hefyd am y dywededig LEWIS HUGHES yr hwn a fu farw Medi 26ain 1847 yn 63 mlwydd oed.

Wele fi a'm hanwylyd – yn isel
Fu'n oesi'n dra hyfryd:
Ddau feddianodd fodd ennyd:
Ddau mewn bedd heb ddim'n y byd.

[Erch16]

56

Er anwyl a chysegredig goffadwriaeth am HYWEL OWEN o'r Gwyndy, Abererch, yr hwn a fu farw Ion. 11eg 1880 yn 63 mlwydd oed.

Gwr anwyl mewn gwirionedd – oedd efe,
Hardd ei foes o'i nodwedd;
Llawer iawn a barcha'r bedd – oblegid
Mae un a gerid yma'n gorwedd.

[Ancestry.com]

ER COF AM
MARY.
Gwraig Lewis Hughes, *Cae'r gôf.*
yr hon a fu farw Rhagfyr 14eg 1846.
yn 75 mlwydd oed.
Ac hefyd am y dywededig
LEWIS HUGHES
yr hwn a fu farw Medi 26ain 1847.
yn 65 mlwydd oed.

Wele fi a'm hanwylyd — yn isel
Fu'n oes'n dra hyfryd:
Ddau feddianodd fodd ennyd:
Ddau mewn bedd heb ddim 'n y byd.

BODUAN

Eglwys Sant Buan

57
Er cof am HUGH J. JONES, M.M., Coed Bodfel, Llannor, 1898-1942
Hefyd am ROBERT JONES WILLIAMS, 1890-1971
Hefyd am JENNIE WILLIAMS, 1903-1974

Yn yr un bedd mewn heddwch – yr unwyd
Tri annwyl heb dristwch,
Gwae nid oes na loes i lwch,
Ein teulu mewn tawelwch.

R.G.J.*

[Boduan1]

58

Er serchog gof am JOHN JONES, anwyl briod Anne Jones, Ty Cam, Rhydyclafdy, gynt o Glanydon, Abererch, fu farw Rhagfyr 9, 1913 yn 85 mlwydd oed.

Gorphwys ffyddlawn Eglwyswr – yn y bedd
Lle bu ein Gwaredwr;
Pur hyd dy oes, parod ŵr,
Mewn eisiau'n gymwynaswr.

AP GWALLTER*

[Boduan2]

59

Er cof am FRANCIS PARRY, Glanrafon Bach, Plwyf Llanbeblig, yr hwn a fu farw Mehefin 23ain 1869 yn 67 mlwydd o.

Yr Iôn pan ddelo'r enyd, - ar ddiwedd
O'r ddaiar am cyfyd;
Bydd dorau beddau'r byd,
Ar un gair yn agoryd.

[Robert ap Gwilym Ddu]*

[CHTG]

60
Er cof am RICHARD, mab David a Sarah ROWLANDS, Bryntirion, Bodfean, fu farw Mai 25ain 1859 yn 5 mis oed. Hefyd eu mab DAVID EDWARD ROWLANDS fu farw Gorphenaf 13eg 1872 yn ei 20fed mlwydd oed.

Cry' heddyw wyf 'rol cyrhaeddyd – y nef
Ac yn ifanc hefyd
Rwy'n byw ar Bren y Bywyd
Mi ganaf mwy – Gwyn fy myd.

[CHTG]

61
In memory of ELLINOR, wife of Robert OWEN of Tŷ'n y Pant in this parish who died Septr 30th 1839 aged 70 years.

Cyfyd o'r cweryd er gorwedd – yn lân
Ail unir ei sylwedd;
Hi elwir mewn gorfoledd,
I wlad bur o waelod bedd.

[CHTG]

62
Er serchog gof am JAMES JONES, Saddler, Bodfean, fu farw Gorphenaf 13, 1893 yn 73 mlwydd oed.

Gwas grasol drwy gysegr Iesu – roes swyn
Ar wasanaeth canu
Cai yma fedd – gem a fu
Dan rinwedd Duw'n ei rannu.

PEDROG*

[CHTG]

63, 64
Er serchog gof am Anne Rowlands, Tŷ Mawr, Morfa Nefyn yr hon a fu farw Mai 6ed 1882 yn 85 mlwydd oed. Hefyd ei mhab DAVID ROWLANDS, Bryntirion Villa, Bodfean, yr hwn a hunodd yn yr Iesu Medi 1af 1896 yn 69 mlwydd oed.

Y duwiol ŵr dawel orwedd – mewn hun
Yn mynwent unigedd
Lle'i huno dywyll annedd
Dinodd fan – dyna dy fedd.

AP GWALLTER*

Hefyd am SARAH, anwyl briod y dywededig DAVID ROWLANDS, yr hon a hunodd yn yr Iesu, Gorphenaf 17eg 1907 yn 80 mlwydd oed.

Ni welwyd mam anwylach – hon i'w gŵr
Fu'n goron cyfrinach
O'n gwydd i fro ddedwyddach,
Ddoe yn wael – ond heddyw'n iach.

AP GWALLTER*

[CHTG]

65
Er serchog gof am MARGARET, anwyl briod Jabez WILLIAMS, Tŷ Newydd, Bodfean, yr hon a fu farw Mai 15fed 1889 yn 66 mlwydd oed.

Mangre gaf mewn gro gell – yn egwyl fan
Unigawl fedd dywell;
Nes esgyn ar dlos asgell
I olud bur y wlad bell.

AP GWALLTER*

[CHTG]

66
Dengys hwn y ffordd i farw
Dengys hwn y ffordd i fyw
Er serchog gof am ROBERT DAVIES, Allt Goch, Bodvean a fu farw Mehefin 27ain 1852 yn 46 mlwydd

oed. Hefyd ELIZABETH ei wraig a fu farw Ebrill 19eg 1895 yn 90 mlwydd oed. Hefyd eu mab ROBERT DAVIES a fu farw Ebrill 8fed 1904 yn 59 mlwydd oed. Bu yn ddiacon yn Bodvean M.C. am 29 mlynedd.

Adre'r ehedodd dryw'r adwy – a'i gân
Yn gynhes i'r arlwy;
Rhodiodd yn gymeradwy
I fyd mawl – uwch gofid mwy.

[CHTG]

67
Er coffadwriaeth am MARGARET merch Robt. WILLIAMS o'r Tyddyn y Coed, Gof, yr hon a fu farw Mai 17eg 1834 yn 20 mlwydd oed.

Och, o lawn iechyd – Marg'ret gadd archoll
Mor erchyll, gan ergyd;
Buan yr aeth a'i bywyd,
Ffarwel bawb fforddolion byd.

[Mai Roberts, *Ardal Boduan 1865-1965*]

('...'roedd gefail yn Nhyddyn-y-Coed a Robert Williams yn of yno. Ym mis Mai 1834 cafodd ei ferch Margaret ei saethu'n farw mewn damwain ar ben bryn Bryniau lle 'roedd y plwyfolion wedi ymgynnull i ddathlu priodas Spencer Bulkeley, 3ydd Arglwydd Niwbwrch, â Frances Maria, merch Walter de Winton o Gastell y Gelli,

Aberhonddu ... Does dim sôn am farwolaeth Margaret mewn unrhyw bapur newydd ond cofnodir y digwyddiad ar ei charreg fedd ym mynwent Boduan.' Mai Roberts, Ardal Boduan 1865-1965 *(1990).)*

Botwnnog

BOTWNNOG

Eglwys Sant Beuno

69

Er coffadwriaeth am WILLIAM JONES, Pont-y-Gof, yr hwn a fu farw Mawrth 15, 1841 yn 41 mlwydd oed. Hefyd am JANE gwraig y dywededig uchod yr hon a fu farw Hydref 19eg 1881 yn 84 mlwydd oed.

Myned oedd raid i minnau – ar alwad
　　　　Rheolwr fy nyddiau;
　Gysgod yw dyn briddyn brau,
　Yn oer ingawl awr angau.

[Botwnnog1]

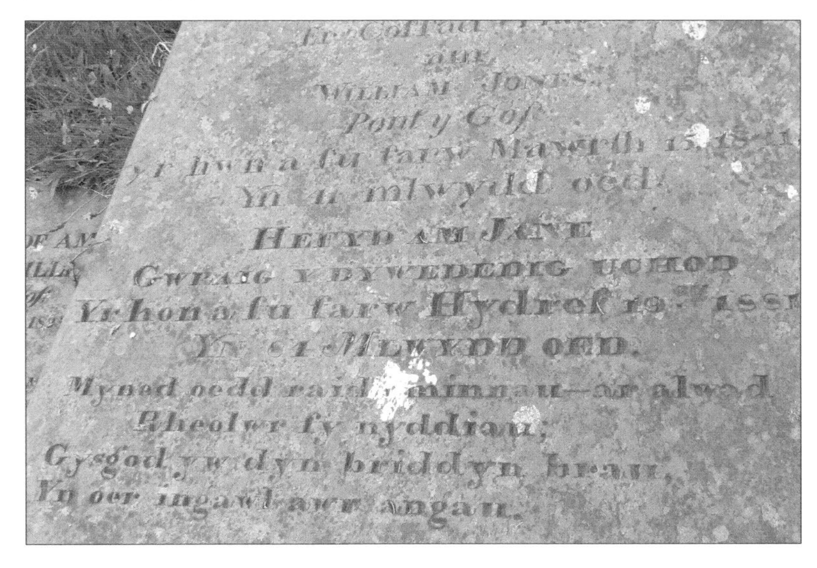

70

Er cof am Mr. OWEN OWEN (Ywain Lleyn†), Bodnithoedd, yr hwn a fu farw Awst 21 1867 yn 81 mlwydd oed.

Dyma fedd diwedd Bardd da, - Ywain Lleyn
Yn y llawr sydd yma;
Er a geffir o'i goffa
Bythol – dod yn ol ni wna.

E.O.*

[Botwnnog2]

(†Gweler y nodyn bywgraffyddol am Owain Lleyn.)

71

Er cof am DOROTHEA, anwyl briod Mr Owen Owen, Bodnithoedd yr hon a fu farw Rhagfyr 1, 1864 yn 69 mlwydd o. Y gofadail hon a osodwyd i fynu er coffadwriaeth serchog am fam rinweddol.

Dorothy fu gu ei gwedd – i'w chanmol
A chymwys ymgeledd;
Yr hon aeth er ei rhinwedd,
O le'r byw i lawr y bedd.

[Botwnnog4]

72
Er serchog gof am LEWIS GRIFFITH LEWIS, Bodlas, Llanfihangel, a hunodd yn yr Iesu Meh. 2, 1918 yn 63 oed.

Aeth o'r byd a'i waith ar ben – nos Sadwrn;
        Yr hedodd yn llawen
    I fwynhau "gorphwysfa'n ol"
    I ganol Sabboth gwiwnen.

        ISLWYN*

[Botwnnog3]

73
Er serchog gof am Robert Humphreys, Pentre, Bottwnog, yr hwn a fu farw Ionawr 13, 1869 yn 59 oed. Hefyd am Mary ei wraig, yr hon a fu farw Gorph. 6, 1879 yn 74 oed.

'Mae'r gwaed a lifodd ar y groes
O oes i oes i'w gofio.'

Hefyd eu hwyres ANNE, anwyl eneth Robert ac Anne THOMAS, Gladstone Row, Penygroes, a fu farw Hyd. 28, 1880 yn 6 mlwydd a 3 mis oed.

Ei llais a'r llygaid byw, llon – ei phryd
A'i ffraeth bert atebion;
A gyfyd fyw adgofion,
Oes hir am y lodes hon.

[CHTG]

74
Er cof am RICHARD GRIFFITH, Tŷ Gwyn, Llaniestyn, fu farw Mehefin 25, 1875 yn 73 oed. Hefyd ELLEN ei wraig, a fu farw Rhagfyr 8, 1869 yn 69 oed.

O dan hon mae 'nhad yn huno – a mam
'R un modd yn gorffwyso;
Ac yn fuan tan 'r un to,
Finnau geir – 'rwyf yn gwyro.

[CHTG]

75

Er cof am JANE JONES, anwyl briod WILLIAM JONES, Pencoed, Bryncroes, bu farw Gorphenaf 16, 1903 yn 64 mlwydd oed. Hefyd am y dywededig WILLIAM JONES, bu farw Tachwedd 15, 1906 yn 69 mlwydd oed.

Eu hiôr da hyd hwyr eu dydd – oedd eu nawdd
A'u nerth ym mhob tywydd;
Adref ffoes y ddau drwy ffydd;
I fwyniant Seion Fynydd.

[CHTG]

76

Er serchog gof am WILLIAM ROBERTS, Tŷ Uchaf, Rhydyclafdy, fu farw Ionawr 31, 1898 yn 83 mlwydd o.

Gwir dawel, hawddgar diwyd – yma
Oedd William Roberts hefyd;
Da ei air fu drwy'i fywyd
Ac hyd arch ca'dd barch y byd.

[CHTG]

Bryncroes

BRYNCROES

Eglwys Fair

77
Er serchus gof am ROBERT GWILYM, annwyl fab Robert a Laura PRITCHARD, Trosyrafon, Bryncroes, 1920-1939.

Galar am Robert Gwilym – a erys
        A brath hiraeth blaenllym
    Colli llanc o'i allu llym
    Yn hir a gwynir genym.

        BODFAN*

[Bryn01]

78
Er cof am WILLIAM, mab William a Laura ROBERTS, Rhent, Bryncroes, yr hwn a fu farw Mehefin 21ain 1876 yn 21 mlwydd o.

Yma yr huna mewn hedd – y diwyd
Dan floda ei rinwedd:
Er ingoedd angau a'i gledd,
Diangodd i dangnefedd.

J. (HEBER) WILLIAMS

'Wele Israeliad yn wir, yn yr hwn nid oes dwyll.'

[Bryn02]

(Daw'r dyfyniad o Ioan i:47)

79, 80
Er serchus gof am MARY ELLEN, merch William a Jane JONES, Ty Fair, fu farw Ebrill 16ed 1885 yn 25 mlwydd o.

Mwy, i wynfyd y Gymanfa – nefol,
Y nofiodd – cadd noddfa:
Yn llu y nef y llawenha,
O ganfod mwyniannau Gwynfa.

Hefyd am y ddywededig JANE JONES, yr hon a fu farw Ionawr 20fed 1898 yn 65 mlwydd o.

Gorwedd mae'n chwaer mewn gweryd, - yn isel
Hon, Iesu'i hanwylyd,
Yn gain o'i bedd, - (Gwyn ei byd!)
Eilw Ef i ail fywyd.

[Bryn03]

81

Er coffadwriaeth am JOHN WILLIAMS, Shop Sarn, yr hwn a fu farw Gorphenaf 19eg 1864 yn 28 mlwydd o.

Ai byw wyt? Ie gyda Christ mewn hedd.
Onid wyt farw? Ydwyf yn y bedd:
Bum fyw i farw o angeuol glwy
Bum farw i fyw heb ofni marw mwy.

Hefyd SARAH THOMAS, Shop Sarn, yr hon a hunodd yn yr Iesu Mai 31, 1886 yn 75 mlwydd oed.

Un fawr a hael gan farwolion – oedd hi
        Dduwiol, lan ei chalon;
    Un fawr yn Ngwynfa yw hon,
    Un o fil o'r nefolion.

        TREBOR MAI*

[Bryn04,5]

82
Er cof annwyl am DAVID JOHN DAVIES, Gelliwig, Bryncroes, 1904-1941

Carodd ardd a blodau pêr – yr adar
A'u miwsig melusber
Huned mwy ym mynwes nêr,
Uwch cûr a phôb cyfyngder.

[Bryn06]

83, 84
Er coffadwriaeth am IEUAN AP RHISIARD, 'Bardd Bryncroes,' a fu farw Awst 14eg 1832 yn 62 mlwydd oed:

Rhag awr ein dirfawr derfyn – er y byd,
Ni arbedir undyn:
Gwely bardd yw gwael briddyn,
O fewn llwch mae Ifan Lleyn.

[Owain Lleyn*]

[Gruffudd Parry, Crwydro Llŷn ac Eifionydd, *tud.151]*

Tra bod Leyn a dyn adwaeno – fedrus
Iawn fydrwaith y Cymro:
Y ceir Ieuan Fardd mewn co',
A mawl addas mil iddo.

[Ellis Owen*]

[Arvon: Lloffion Llŷn *t. 79]*

('Ieuan ap Rhisiard' oedd Evan Pritchard, ŵyr i Siarl Marc, gweler rhif 95 isod. 'Bu'n cadw ysgol ym Mryncroes am flynyddoedd, a barddoni a llenydda a mynd i'r Sarn i yfed cwrw.' – Gruffudd Parry, Crwydro Llŷn ac Eifionydd, *tud. 150.)*

85, 86, 87, 88
Er coffadwriaeth am CATHERINE, gwraig Thomas MORRIS, Pen y Bont, Plwyf Bryncroes, yr hon a fu farw Awst 19eg 1849, yn 39 oed. Hefyd y dywededig THOMAS MORRIS, Bodhyfryd, Llanllyfni, yr hwn a hunodd Hydref 31, 1882 yn 73 oed.

Mis mawr i Tomos Morys – fu'r Hydref,
Ond o'i frwydrau dyrys
Gwelai'r lan a'r disglair lys,
Yn iach ŵr mwyach erys.

[Arvon: Lloffion Llŷn *t. 79]*

Mewn oes, gwell cymwynaswr – ni chollwyd,
Na challach siaradwr;
Rhaid yw d'weyd na roed i dwr
Daear Llan well darllenwr

GWILYM BERW

Sêl Oesol ei bwysleisiad – gofunai
A gofynion teimlad;
Hen byrth fy nghalon, heb wâd,
Ddrylliai hwn a'i ddarlleniad.

TREMLYN

Gwirir y bydd er gorwedd – is oer gwys,
Ar gael yn y diwedd;
Ei Dduw wylia ddialedd
Rhag rhwygo'i bur garreg hedd.

ALAWN

[Ancestry.com]

89

Er coffadwriaeth am WILLIAM, mab William WILLIAMS, Gof, Sarn Mellteyrn, a Ruth, ei wraig, yr hwn a fu farw Ebrill y 25, 1838 yn 3 oed. Hefyd OWEN, ei mab hwy a fu farw 24 o Fai, 1838 yn 1 mlwydd oed.

Nid oes naws oerloes na sen – annifyr
Yn y nefoedd lawen;
Poen y corff wedi gorffen
Heb fraw a chur, heb frechwen.

[CHTG]

90
Er serchog gof am Henry, mab Richard a Jane Griffith, Bodgaua Uchaf, a fu farw Chwefror 2ail 1882 yn 36 oed.

E roddwyd er ein galar dwys
Ei farwol ran o dan y gwys;
Ond boreu'r adgyfodiad mawr
Caiff eto adnewyddiad gwawr.

Hefyd am y dywededig JANE GRIFFITH, a fu farw Mawrth 12ed 1885 yn 73 oed.

Uwch pob croes, loes na chlwy – daw Jane
O du lawr llygradwy;
Yn ddedwydd wahoddadwy
I fro y mawl heb farw mwy.

[CHTG]

91, 92
Er coffadwriaeth am JOHN, mab Robert ac Ann WILLIAMS, Melin Ganol, yr hwn a fu farw Chwefror 12, 1868 yn 22 oed.

Yn ei oes fer hynaws fu – ei wên bur
Ddenai bawb i'w garu;
Blinodd ar y ddaear ddu
Aeth i lys bythol Iesu.

Hefyd eu mab Parch. Wm. R. WILLIAMS, yr hwn fu yn weinidog defnyddiol a llwyddianus gyda'r Annibynwyr yn Llanelltyd, Ganllwyd a Llanfachreth, Meirion. Hunodd yn yr Iesu Gorph. 24, 1883 yn 32 oed.

Un ydoedd fel gweinidog – a'i ddoniau
Yn ddenawl a gwlithog;
Hedd i'r trist, trwy Grist a'i grog
O ras bregethai'n wresog.

[CHTG]

93

Er serchog goffadwriaeth am RAHEL, anwyl briod Henry JONES, Tŷ'n Rhos, Bryncroes, yr hon a fu farw Mai 17, 1900 yn 43 mlwydd oed.

Gwaig dyner, gall, ddiwallau – a fwriwyd
I fôr o gystyddiau;
A nôd y gwir, nid y gau,
Hi dynodd drwy ei donau.

[CHTG]

94

Gorweddle ROBERT RICHARD (Gynt o Shop Llwyd), bu farw Mawrth 28ain 1865 yn 69 oed. Hefyd gorweddle THOMAS RICHARD, brawd y dywededig, bu farw Awst 2, 1878 yn 83 oed.

Mynent arddel mewn urddas – is y groes
Iesu Grist a'i deyrnas;
Da oedd eu bywyd addas
Hyd eu bedd trwy ryfedd ras.

[CHTG]

95

This stone erected to the memory of CHARLES MARK of Tŷ Mawr in this parish who died May the 17th in the year 1795 aged 75 years.

Angau i gaerau gweryd – a'm gyrrodd
O'm gerwin afiechyd;
Cofiwch, llais Crist a'm cyfyd
Ar ddydd barn; mawr ddiwedd byd.

(Yn ôl Y Bywgraffiadur Cymreig, *Siarl Marc 'oedd y pennaf o gryn lawer o "gynghorwyr" ei wlad wedi ei dröedigaeth tua'r flwyddyn 1741. ... Er ei natur hynaws cafodd brofi erledigaeth, ond daliodd yn gadarn i diysgog i bregethu ac arolygu'r seiadau yng gwlad Llŷn.' Bu'n ddall am flynyddoedd yn niwedd ei oes, ond daliodd i bregethu o hyd a'r Beibl yn agored o'i flaen,*

meddai Gruffudd Parry yn ei gyfrol Crwydro Llŷn ac Eifionydd.*)*

[Gruffudd Parry, Crwydro Llŷn ac Eifionydd*, tud. 149]*

1877
BRYNMAWR

BRYNMAWR

Capel (MC)

96, 97

Er serchus gof am JANE JONES, gwraig Griffith Jones, Cefnnen, yr hon a hunodd yn yr Iesu Chwefror 18, 1883 yn 59 mlwydd o. Hefyd am y dywededig GRIFFITH JONES, yr hwn a hunodd yn yr Iesu Ionawr 10fed 1893 yn 79 mlwydd o. Gwasanaethodd swydd Diacon yn ffyddlon yn Nghapel Brynmawr am 27 mlynedd.

Gŵr annwyl mewn gwirionedd – "henadur"
Hynodawl, llawn puredd;
Mawr ei bwyll, a'i ddidwylledd
Hyfwyn barch hyd fîn bedd.

I'r un bêdd rhoed "gwraig rinweddol" – a fu
Dyner "fam" ddarbodol
Canfyddir yn hir o'u hôl
Adwy fawr, – anadferol!

BEREN*

[Brynmawr1]

98
Er cof am y Parch. JOHN THOMAS MORRIS, Caedu, Llaniestyn, a hunodd yn yr Iesu Ebrill 11eg 1888 yn 29ain mlwydd oed. Bu yn pregethu gyda'r Methodistiaid Calfinaidd am 6 blynedd. Yr oedd iddo "air da gan bawb" a "chan y gwirionedd ei hun."

Isel yw gwas yr Iesu – yn y bedd
O sŵn y byd mae'n cysgu;
Ei enaid aeth i fynu
Yn lân at y nefol lu.

IEUAN O LEYN*

Hefyd am ei frawd Owen Morris, Caedu, bu farw Ebrill 11eg 1930 yn 73 mlwydd oed. Blaenor yn Eglwys M.C. Brymawr am 25 mlynedd. "Ac ni bydd nos yno."

[Brynmawr2]

Y Parch.
JOHN THOMAS MORRIS.
METHODISTIAID CALFINAIDD
am 6 blynedd.
O sŵn y byd mae'n cysgu.
Ei enaid aeth i fyny,
Yn lân at y nefol lu.
Hefyd am ei frawd
OWEN MORRIS.
Caedu,
Bu farw Ebrill 11eg 1930,
Yn 78 mlwydd oed.
"Ac ni bydd nos yno".

BWLCH

Capel (MC) ger Llanengan

99

Er serchog gof am Moses John Griffith, annwyl briod J. E. Griffith, Fron Heulog, Cilan. A'u hun, mor dawel yw. Hefyd eu hannwyl fab ROBERT GRIFFITH a fu farw o'i glwyfau ac a gladdwyd yn Agroma War Cemetery, Libya, 1915-1944

Ei aberth nid â heibio – ei wyneb
Annwyl nid â'n ango
Er ir Almaen ystagio
Ei dwrn dur yn ei waed o.

[Hedd Wyn]*

[Bwlch01]

(Ymddengys yr englyn hwn ar y plinth o dan gerflun y bardd yn Nhrawsfynydd. Camgymeriad amlwg ar y bedd hwn yw'r gair 'ystagio' yn lle 'ystaenio' yn yr esgyll.)

100

Er coffadwriaeth am GRIFFITH THOMAS, Deucoch, yr hwn a fu farw Rhag. 23ain 1892 yn 71 mlwydd oed.

Wele fan graian a gro – gorweddfa,
        Gwr addfwyn roed ynddo:
    Bu dan sêr brudd-der drwy'n bro,
    Y diwrnod caewyd arno.

[Bwlch02]

101
Er cof annwyl am briod, tad a brawd hoff EVAN GRIFFITH JONES, Craig-y-Don, Abersoch, 1900-1972

Er i'r garreg frawddegu, - i'w annwyl
        Gwmpeini derfynu,
    Mae ail daith heb gwmwl du
    I rasol wlad yr Iesu.

        A.T.H.*
[Bwlch03]

102
Er cof Annwyl am IWAN MEDI ROBERTS, Rhydgaled, Nanhoron, 1959-1976

Y macwy del, penfelyn, - y gwylaidd
        Ysgolor di-elyn;
    A hwn, yn oed bachgennyn
    Oedd braffach, doethach na dyn.
        D.G.*
[Bwlch04]

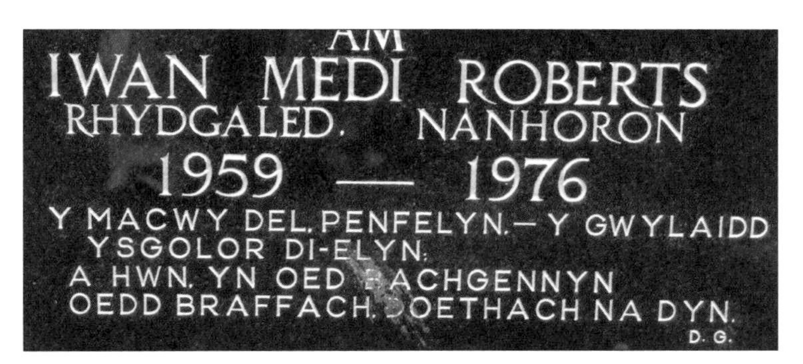

103

Er cof am WILLIAM ERIC HUGHES, priod, tad a thaid caredig, Garnedd, Sarn Bach, 1913-1983

Un annwyl aeth o'i annedd, - i'w weryd
Aeth Eric i orwedd;
Mae darn o deulu'r 'Garnedd'
Heno yn huno mewn hedd.

H.I.H.*

[Bwlch05]

WILLIAM ERIC HUGHES
PRIOD. TAD A THAID CAREDIG
GARNEDD. SARN BACH
1913 —— 1983
UN ANNWYL AETH OI ANNEDD-IW WERYD
AETH ERIC I ORWEDD.
MAE DARN O DEULU R GARNEDD
HENO YN HUNO MEWN HEDD.
H. I. H.

104
Er cof annwyl am briod, tad a thaid hoffus ARTHUR ROY JONES, Henryd Cottage, Cilan, 1918-1985

Dewr ydoedd yn doredig; - er chwifio'i
Oruchafiaeth, ysig;
Yn ŵr heb rym ar y brig,
Yn gadarn orchfygedig.

ALAN LLWYD*

[Bwlch06]

105
Er cof am JOHN TECWYN JONES (TEC), Tŷ Fry (Sarn Villa), 1909-1987

Hen gyfaill hawdd ei gofio – a'i eirf oll
Ar ei fainc yn gweithio;
Ar hyd ei ddydd rhodiodd o
Yn deg, onest, digwyno.

HEDD WYN*

[Bwlch07]

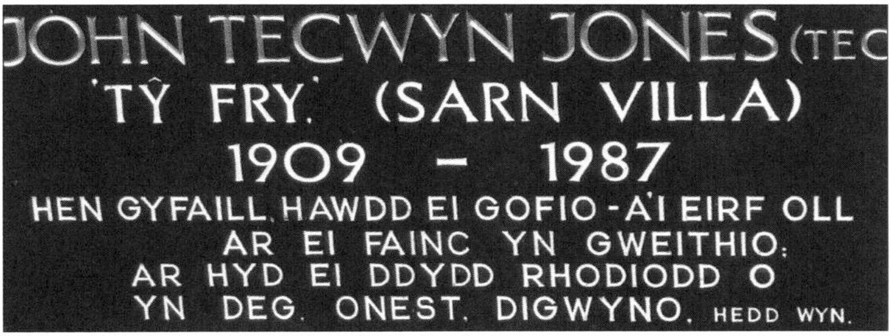

JOHN TECWYN JONES (TEC
'TŶ FRY' (SARN VILLA)
1909 - 1987
HEN GYFAILL. HAWDD EI GOFIO - A'I EIRF OLL
AR EI FAINC YN GWEITHIO:
AR HYD EI DDYDD RHODIODD O
YN DEG. ONEST. DIGWYNO. HEDD WYN.

106

I gofio'n annwyl am HARRY ISFRYN HUGHES, Trigfa, Sarn Bach, 1918-1987. Priod, tad a thaid caredig.

Efallai mai'r Afallon – yw gorffwys
A gorffen blinderon;
Caf loches yn anwes hon:
Af fi yno ar f'union?

HARRI*

[Bwlch08]

107

ALICE LLOYD JONES, Nant y Big, Cilan, 1918-1993

Er cau'r arch ni chaeir craith – ein hiraeth,
Na lliniaru'n hartaith,
Ni chudd y priddyn ychwaith
Haelioni'r galon lanwaith.
A.Ll.*

[Bwlch09]

108
RICHARD TREVOR ROBERTS - Dic – Priod, Tad a Thaid Annwyl, Brig y Don, Bwlchtocyn, 1919-2000

Bu'n selog i'w gymdogaeth – a diwyd,
i'w deulu'n gynhaliaeth,
Heb ffrwd ei ymateb ffraeth
Aros yn fud wna'n hiraeth.

ARFON*

[Bwlch10]

109
Er cof annwyl am MARGARET HUGHES, Coed Helyg, Abersoch, 1934-2007

Ar ôl nôs ffarwelio ni – mae hiraeth
Am oriau maith "Maggie"
Yno yng ngwlad goleuni,
Hefo Duw y gwelaf di.

ALUN*

[Bwlch11]

110, 111
Er coffadwriaeth am MARY GRIFFITH, gwraig Hugh Griffith, Cregir Uchaf, yr hon a hunodd yn yr Iesu

Chwefror 1af 1883 yn 76 mlwydd oed.

Wele gorff un wael ei gwedd – un gafodd
Mewn gofid hir orwedd:
Yr enaid aeth o'r annedd
At IESU mad i wlad y wledd.

Hefyd am y dywededig HUGH GRIFFITH, yr hwn a fu farw Ionawr 11eg, 1888 yn 83 mlwydd o.

O bu raid i'r Briodas – ddaearol
Droi'n ddirym ei hurddas,
Digryn yw'r Cyfammod Gras;
Byw wrth hwn yw'r berthynas.

EBEN FARDD*

In affectionate remembrance of Richard Griffith (the youngest son of the above Hugh & Mary Griffith), Master of the Ill-fated ss "Mohegan" who lost his life, with 105 others, on the MANACLE ROCKS off Cornwall, October 14th 1898, aged 46 years.

[Bwlch12, 12b]

112

Er cof am MARY, gwraig Griffith JONES, Brynteg, Llangïan, bu farw Medi 26, 1881 yn 75 oed. Hefyd ANNE JONES, merch Griffith a Mary Jones a enwyd uchod, yr hon a fu farw Ebrill 27ain 1890 yn 43 mlwydd oed. Hefyd côf anwyl am y dywededig GRIFFITH

JONES a fu farw Tachwedd 29ain 1893 yn Fab [sic] 84 mlwydd oed.

Ni ddel enaid ffyddlonach – i Leyn fyth
Na chalon fawr burach
Orweddodd neb llareiddiach
Yn nhywod bedd na 'Nhaid bach.

GWYLFA*

[Bwlch13, 13a, 13c]

113, 114

Er cof serchog am Mrs JONES EVANS, anwyl briod R. J. Evans, Pen y Bont Llangïan, ganwyd Awst 13eg 1845, bu farw Chwefror 19eg 1900

Heb rybudd i'w phrudd hoff rai, - heb yngan
Gair, heb ing a brofai,
Am ei Duw ymadawai
O "Ben y Bont" heb un bai.

HYWEL TUDUR*

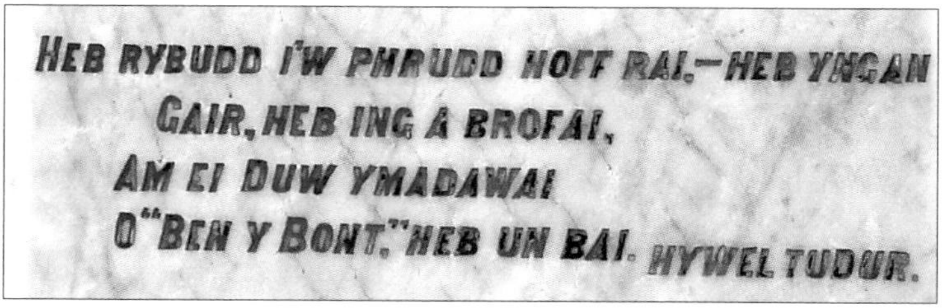

Er cof serchog am ROBERT JONES EVANS, ganwyd Gorphenaf 15, 1838, bu farw Mai 2 1903.

Bu'n brysur heb segur swydd, - i'r ddeufyd
Rho'dd Evans ei ysgwydd:
Er obry ddod mor ebrwydd, – cwyd eto
Fry'n ddiwrido i Farn ddiwaradwydd.

[Bwlch14,15]

115, 116, 117

Er coffadwriaeth am ROWLAND PRICHARD, Bryncethin, yr hwn a fu farw Awst 21, 1878 yn 72 mlwydd oed.

Yma am hir amod – rhaid llechu
Yn llwch oer y beddrod;
Ond codi gaf o'i geudod,
Yn hoew a rhydd y dydd sy'n dod.

GANDDO EF EI HUN

Hefyd am ei fab RICHARD PRICHARD, *Barque Barbara*, yr hwn a fu farw ar ei fordaith i Rangoon, Mai 12fed 1881 yn 38 mlwydd oed.

Fry hedodd yn adferadwy, o'r môr
A'r marw ofnadwy,
Ni wêl nerth na rhyferthwy,
Un môr mawr na marw mwy.
W.N.

Hefyd am JANE PRICHARD, gwraig y dywededig Rowland Prichard, yr hon a fu farw Medi 28ain 1893 yn 81 mlwydd oed.

Jane dan y gwys a orwedd, - yma
Mewn anmharch a llygredd;
Ond daw allan mewn dull wedd
Cadarn, foreu barn o'r bedd.

M.E.

(Roedd Richard Pritchard yn feistr ar y Barque Barbara *pan fu farw o salwch naturiol, yn ôl pob golwg. Collodd y Meistr nesaf ei fywyd pan suddodd y llong y tu allan i Freshwater East, Sir Benfro ar Dachwedd 22ain 1881. Gwybodaeth oddi ar wefan rhiw.com)*

[Bwlch16a,b,c]

118, 119

Er cof am CATHERINE, merch John a Margaret Evans, Brynbychan, fu farw Tachwedd 27ain 1878 yn 4 blwydd oed. Hefyd am y ddywededig MARGARET EVANS, yr hon a fu farw Tachwedd 25ain 1897 yn 59 mlwydd oed.

Yr Iôn pan ddelo'r enyd, - ar ddiwedd
O'r ddaear a'm cyfyd;
Bydd dorau beddau'r byd,
Ar un gair yn agoryd.
[Robert ap Gwilym Ddu]*

Hefyd am y dywededig JOHN EVANS, yr hwn a fu farw Gorphenaf 21ain 1900 yn 69 mlwydd oed.

Gorphwyswn, hunwn ryw hyd – yn dawel
Ein dau, yn y gweryd,
Yn ddiboen ar ddiwedd byd
O'n ceufedd Duw a'n cyfyd.

[Bwlch17]

120

Er Serchog Goffadwriaeth am Capt. WILLIAM JONES, Caereglwys, yr hwn a fu farw Medi 20fed 1884 yn 33 mlwydd oed.

Gwr ifangc teg arafwedd – un parchus
Yn perchen haelfrydedd,
Elusenawl lwys annedd;
Gwyl yw'n byd o'i glo'n y bedd.

Hefyd am ei fab, Capt. James Jones, yr hwn a fu farw Medi 6, 1919 yn 35 mlwydd oed.

[Bwlch18]

121

Er coffadwriaeth am ddwy ferch Morris ac Elizabeth ROBERTS, Post Office, Abersoch: LIZZIE, a fu farw Hydref 7fed 1876 yn 5 mlwydd oed. ANNIE, a fu farw Ebrill 14eg 1887 yn 19 mlwydd oed.

Er yr hen Iorddonen ddu, - a difrod
Ei dyfroedd wrth drengu;
Aethant i'r lan i'r Ganaan gu,
Eu dwy yn gynar dan ganu.

[Bwlch19]

122

Er cof Annwyl am OWEN MORRIS JONES, Betris, Llaniestyn, a hunodd Ionawr 12fed 1967 yn 63 oed.

I'r pridd y daeth amaethwr – un a fu
Yn ei faes yn weithiwr;
Yn nydd gwae yr oedd y gwr
Isod, yn gymwynaswr.

R.G.J.*

[Bwlch20]

123
Er cof annwyl am briod a thad caredig BILLY NADEN, 1932-1970

Glaniaist i'r teg oleuni – yn ifanc
O'r afon sy'n croesi,
Lle mae'r lan a'i hafan hi
Heb waeledd mwyach 'Billy'.

[CHTG]

124
Er cof serchog am JOHN THOMAS, Castell, Abersoch, yr hwn a fu farw Mehefin 28fed, 1897 yn 64 mlwydd oed.

Môr heli mawr a hwyliais – a mynwent
Yw'r man yr angorais;
Uwch y don, llon cwyd fy llais,
Tawel, man yma tewais.

[CHTG]

125
Er serchus goffadwriaeth am Cadben SOLOMON JONES, anwyl fab Cadben John a Mary Jones, Bryngoleu, yr hwn a fu farw Ebrill 11eg, 1897 yn 33 mlwydd oed.

O wydd angeu a'i ddu ingoedd, - fe aeth
        I fyd yr Ysbrydoedd,
    Hynod fachgen addien oedd
    A llawer o alluoedd.

[CHTG]

126

Er serchog gof am Robert Wiliams, Penygongl, Llannor, a fu farw Gorphenaf 26, 1915 yn 65 mlwydd oed. Hefyd ei annwyl briod JANE LOUISA WILLIAMS, 34 Station Rd., Talysarn, hunodd Mawrth 22, 1949 yn 73 mlwydd o.

Am wenau y fam Annwyl – mae hiraeth
    Rhwng muriau'r hen breswyl;
    Ei heinioes oedd lednais ŵyl
    Yn Iesu hyd ei noswyl.

        LLYFNI HUGHES*

[CHTG]

127

Er serchog gof am THOMAS O. GRIFFITH, anwyl fab D. a J. GRIFFITH, Bwlch Clawdd, Cilan, bu farw Chwefror 23, 1919 yn 37 mlwydd o.

O dan y garreg, distaw gorwedd – yn anwyl
Angel wylia dy fedd;
Yr hwn a geraist a'th gwyd yn unwedd
Y bore clear i fythol hedd.

[CHTG]

128
Er coffadwriaeth am DAVID JONES, Tyddyndon, yr hwn a fu farw Mai 13eg, 1880 yn 71 mlwydd oed. Hefyd am ei briod JANE JONES, yr hon a fu farw Tachwedd 20fed, 1898 yn 83 mlwydd oed.

Gorphwyswn, hunwn ryw hyd – yn dawel
Ein dau, yn y gweryd,
Yn ddiboen ar ddiwedd byd
O'n ceufedd Duw a'n cyfyd.

[CHTG]

129
Er serchog gof am JANE, anwyl briod Cornelius WILLIAMS, Pen y groes, sef merch Richard ac Ellen Ellis, Felin Soch, bu farw Ionawr 1, 1882 yn 23 oed.

Yn dair ar hugain oed rhoed fy rhan – i'r ddaear
Yn ddu oer wael drigfan;
Mewn pryd ar fynyd o'r fan,
Gallu Duw a'm dwg allan.
[CHTG]

130
Er serchog gof am fy annwyl briod HUGH JOHN JONES, Glasfryn, Abersoch, 1907-1969.

Fe rodiodd yn frwdfrydig – i labrith
Gwâr lwybrau'r dysgedig;
Ar ei daith, hen eiriau dig,
Yn wladwr goleuedig.

R.G.J.*

[CHTG]

131
Er coffadwriaeh am SARAH JONES, Trwyn-y-Garreg (gynt o Danybryn yn y plwyf hwn) yr hon a fu farw Medi 9fed, 1885 yn 73 mlwydd oed.

Canys i Iesu isod – a ddenodd
Ei dawn a'i myfyrdod;
Yn y glyn tan ganu ei chlod
Hunodd yn dawel hynod.

[CHTG]

132
Er cof am Griffith Jones, Tŷ'n Lôn, yr hwn a fu farw Ebrill 16eg, 1889 yn 82 mlwydd o.

Coffadwriaeth y cyfiawn sydd bendigedig.

Hefyd am John Jones, mab Griffith a Margaret Jones o'r lle uchod yr hwn a fu farw Mawrth 27ain 1898 yn 46 mlwydd oed. Ac iddo air da gan bawb a chan y gwirionedd ei hun. III Ioan, 12. Hefyd am y ddywededig MARGARET JONES, yr hon a fu farw Chwefror 7fed 1904 yn 82 mlwydd o.

Mal y boreu gwmwl boreuol – y bu
Eu bywyd daearol;
Draw y ffoesant – dri hoffusol
Yn fuan i'r nef yn ôl.

[CHTG]

133

Er cof serchog am JOHN EVANS, annwyl briod Catherine Evans, Caupwllhaulog, Llanengan, yr hwn a gyfarfod â'i ddiwedd yn y danchwa ddinistriol yn Nglofa yr Albion, Cilfynydd, ger Pontypridd, Mehefin 23, 1894 yn 25 mlwydd oed.

O'r pwll glo deffro gan dân – bro ddu bell
I bridd Bwlch, Llanengan;
Fe'i dygwyd, gyrrwyd y gân
Yn elorgerdd alargan.

HYWEL TUDUR*

[CHTG]

134

Er cof annwyl am ELLEN WILLIAMS, Creigir Isaf, Abersoch, a hunodd Mehefin 11, 1971 yn 63 mlwydd oed. 1907-1971

Yno caiff meddyginiaeth – ei hestyn
'Rol cystudd marwolaeth;
Ni bydd cur hwnt i'r bedd caeth,
Yn aros fel ein hiraeth.

A.T.H.*

[CHTG]

135

Er cof annwyl am briod a thad caredig GRIFFITH JOHN ROBERTS, Awel-y-Môr, Bwlchtocyn, 1920-1977.

Un di-ail ydoedd i'w deulu – a gŵr
A garodd yr Iesu
I'w oror o'i ddaeru
Yn y Bwlch y fath fwlch fu.

D.O.*

[CHTG]

136

Er cof Annwyl am EVAN JOHN EVANS, Heddfan, Sarn (Craig Fryn gynt), priod annwyl Nell, a thad a thaid caredig, 1905-1979.

O'r saer a'r tenor swynol – driniai gŷn
Driniai goed yn ddyddiol;
Nid oes ond gosteg oesol,
A rhwd ei arfau ar ôl.

D.G.*

[CHTG]

CARNGUWCH

Eglwys Beuno Sant

137
Er serchog gof am OWEN ROBERTS, Penfras Isaf, yr hwn a fu farw Tachwedd 24, 1922 yn 78 mlwydd oed.

Yr hwylusa i ro elusen – fu
Drwy ei fywyd llawen;
Wrth wywo f'ewyrth Owen
Obry o'i waith, ca'dd wybr wen.

ISEIFION*

[Carnguwch1]

138, 139
I gofio'n anwyl am GRIFFITH PRITCHARD, priod hoff Hannah Pritchard, Penfras Uchaf, a hunodd Mehefin 4, 1950 yn 86 mlwydd oed. Blaenor yn Eglwys Llwyndyrys.

Hardded ei ddiwyd hirddydd – o aberth
Diball dros wir grefydd,
A'r unol farn o'i ôl fydd –
Gŵr a hoffid oedd Gruffydd.

CYBI*

Hefyd ei briod Hannah Pritchard a hunodd Hydref 24, 1968 yn 91 mlwydd oed. 'Hi a wêl fod ei marsiandiaeth yn fuddiol; ni ddiffyd ei chanwyll ar hyd y nos.'

Hefyd eu meibion ROBERT PRITCHARD bu farw Mai 20fed 1968 yn 63 mlwydd oed.

Nychodd ac olion iechyd – a hen hoen
Yn ei hardd wynepryd;
A sirioldeb ei febyd
Mynnai Bob cael mwynhau byd.

JOHN ROWLAND, FOURCROSSES*

Richard Owen Pritchard, bu farw Mai 17ain 1997 yn 88 mlwydd oed.

(Daw'r adnod o Diarhebion, XXI: 18)

[Carnguwch2, 5]

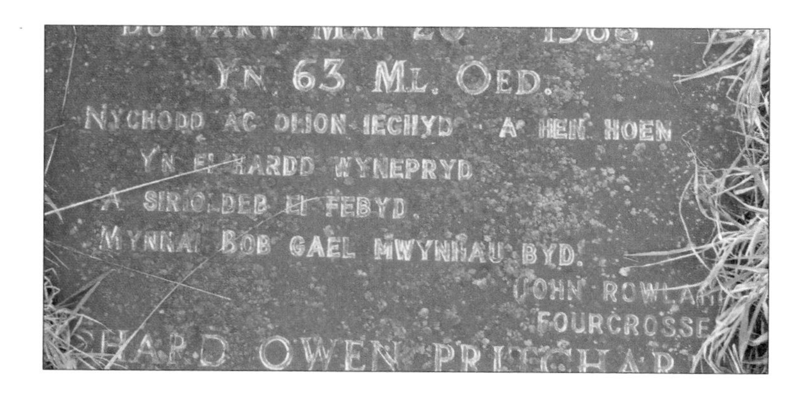

140, 141
Er serchog gof am JOHN JONES, Llithfaen Isaf, yr hwn a fu farw Mehefin 19, 1887 yn 78 oed. Hefyd ei anwyl briod ELLEN JONES, yr hon a fu farw Mawrth 2, 1892 yn 80 oed.

Mae ein hoff John Jones mewn hedd – un didwyll
Nodedig ei nawsedd:
Mawrhau'i enw mae rhinwedd,
A'i hardd foes ga urddo'i fedd.

A'i Ellen lawen wiwlwys, - y gu fam
O'i gofal gadd orphwys:
'Nawr mae'r ddau uwch dagrau dwys,
Pur ydynt mewn Paradwys.

J.R.

[Carnguwch3, 3a]

142
Er serchus gof am KATE PRITCHARD, annwyl briod Humphrey Pritchard, Plas Newydd, Llwyndyrus, bu farw Ebrill 1, 1927 yn 61 mlwydd oed. Hefyd HUMPHREY PRITCHARD, Diacon ffyddlon Eglwys M.C. Llwyndyrus, bu farw Tachwedd 25, 1927 yn 65 mlwydd oed.

Ior bioedd rhoi eu bywyd, – Ior hefyd
A'i rhifodd i'r mynyd;

Ac Ef i'r lan a'u cyfyd,
O allu bedd i well byd.

[Carnguwch4]

143
Er cof am WILLIAM JONES, Pennant, Pistyll, yr hwn a fu farw Ionawr 9, 1912 yn 90 mlwydd oed.

O chaf hwyl cyn noswylio – i eistedd
Ger y Pistyll eto,
Fy nhelyn a fyn wylo,
Ar raean aur yr "Hen O".

Hefyd am ei Briod Margaret Jones, bu farw 31, Ionawr, 1916, yn 92 mlwydd oed.
'Yn ddioddefgar mewn cystydd yn dyfalbarhad mewn gweddi.'

[Carnguwch6, 6a]

144
Er serchog goffadwriaeth am ELLIS ROBERTS, Police Constable, Tregarth, ger Bangor, mab Henry ac Elizabeth Roberts, Hafod, Carnguwch, yr hwn a fu farw yn Tregarth, Awst 4ydd, 1901 yn 39 mlwydd oed. Hefyd am y dywededig HENRY ROBERTS (gynt o Plas yn Ngharnguwch) a fu farw Rhagfyr 20fed 1902 yn 82 mlwydd oed. Hefyd am ELIZABETH, priod y

dywededig Henry Roberts, yr hon a fu farw Medi 5ed 1912 yn 78 mlwydd oed.

Mewn pridd trwch trillwch sy'n lechu – isod,
Am noswaith i gysgu;
Hwy hunasant yn Iesu,
Efe a'u cwyd yn fwy cu.

ISEIFION*

[Carnguwch7, 7a]

145

Er cof am ELLIS ROBERTS, 1 Eifion Terrace, Fourcrosses, 1862-1900. Hefyd ei briod Catherine Roberts, 1865-1933.

Dyn distaw a phryd llawen – oedd Ellis
Ca'dd alwad uwch heulwen:
Adre i'r llys, draw i'r llen,
I ail fyw yn ei elfen.

ISEIFION*

[Carnguwch8]

146, 147
Er cof am ELLIS JOHN ROBERTS, Penfras Isaf, 1894-1966

Wrth glywed yr ehedydd – â'i fyw gân
        Cofia gu ddarllenydd,
    Mae Ellis John is hon sydd
    Gŵr y miwsig a'r meysydd.

        JOHN ROWLANDS*

Hefyd ei annwyl briod MAGGIE ROBERTS 1895-1981

Ei haelwyd, fel ei chalon, - agorodd
        Hi garai'i chymdogion,
    Gafael y bydd atgofion,
    Yma o hyd am y fam hon.

        M.H.*

[Carnguwch9]

148, 149

Er serchog gof am ELLIS ROBERTS, Penfras Isaf, Llangybi, yr hwn a fu farw Ionawr 17, 1886 yn 74 mlwydd oed.

I'r ddau fyd drwy fywyd dewr fu – Ellis,
  Anwylaf ben teulu;
Ceir o lŵch Carnguwch, wr cu – ar alwad,
  Adeg ei uniad, wedi ei ganu.

Ei wŷr ISEIFION

Hefyd am CATHERINE, priod y dywededig Ellis ROBERTS, a fu farw Mawrth 8fed 1906 yn 90 mlwydd oed.

Ymorol am dda gymeriad – wnaeth hon,
  Un weithiodd yn wastad;
Gair ei Duw oedd nôd ei rhodiad - i hedd,
  Ei wirionedd, fu iddi'n arweiniad.

[Carnguwch10, 10a]

150

Er serchog gof am KATE, merch hynaf Henry ac Elizath ROBERTS, Plas-newydd, Llannor, yr hon a hunodd yn yr Iesu Medi 17, 1885 yn 28 mlwydd oed.

Yn y lle unig a llonydd – man oer -
Mae'n aros llawenydd;
Yn llaw Ion Kate ddaw, ryw ddydd,
I'n gŵydd ni mewn gwedd newydd.

W.H.ROBERTS*

[Carnguwch11]

151
Er cof am MAGDALEN, gwraig David CADWALADER, Tyddyn Ffynnon, Abererch, bu farw Gorphenaf 14eg 1854 yn 30 oed.

Y gywiraf fam sy'n gorwedd, - yma
Mor anwyl ei rhinwedd,
Ei galwyd er ei glouwedd,
O swn y byd yn syn iw bedd.

Hefyd am y dywededig David Cadwalader, bu farw Tachwedd 22ain 1890 yn 69 oed.

'Eu henwau'n perarogli sydd,
A'u hûn mor dawel yw!'

[Carnguwch12]

152

Er coffadwriaeth am ELIZABETH gwraig William ROBERTS o'r Gadlis, Plwyf Llanor, yr hon a fu farw Tachwedd 12ved 1850 yn 31bl oed.

'Danaf mae llwch mam dyner – a phriod
Hoff rywiog ei thymer:
'Hedodd yn ei hoywder:
Ei hoes gu ni bu ond ber.

[Carnguwch13]

153

Er cof am GRIFFITH JONES, Rival Quarry Office, Llanaelhaiarn, yr hwn a fu farw Mawrth 9ed 1864 yn 40 mlwydd o.

Hawddgar hoff ydoedd Gruffydd, - Swyddog Iôr
Roes wedd gu ar grefydd:
A thra bo Gosen ysblenydd,
Ar ei sail, ei gôfadail fydd.

DEWI ARFON*

[Carnguwch14]

154

Er serchog goffadwriaeth am y diweddar JOHN PARRY, Cefn Pentre, Abererch, yr hwn a fu farw Mai

28ain 1881 yn 63 mlwydd oed.

O fewn hwn rhoed llwch fy nhad – i aros
Boreu'r Adgyfodiad:-
Boreu ddwg i bawb rhyddhad
Yn awr Duw'n ol Ordeiniad.

MADRYN*

[Carnguwch15]

155
Er cof am ELIZABETH WILLIAMS, Ty'n y Mynydd, Carnguwch, yr hon a fu farw Ebrill 18fed 1880 yn 65 mlwydd oed.

Rangau y borau barodd – a doi gwawl
A'i dwr y glyn gorodd,
I hon tra'n myned trwodd,
Aeth i bur wlad, wrth ei bodd.

R. O. JONES

[Carnguwch16]

156
Here lieth the Body of EVAN JONES of Caernarfon, died Jan. 7, 1848 aged 33.

Fy nghyfeillion wawlon wedd - wylwch
Pan Weloch fy Anedd,
Chwi yn fud o'r byd i'r bedd
Attai dowch yn y diwedd.

[CHTG]

157
Er cof am ROBERT H. ROBERTS, Tynlon, Llangybi, gynt o Carnguwch Fawr, bu farw Chwef. 28, 1889 yn 40 mlwydd oed.

Gwr hynaws oedd, graenus iawn – ei waith oll
Priod a Thad ffyddlawn,
Egyr Ion i'r gwr uniawn;
Daw o'r llwch mewn gwychder llawn.

ALAFON*

[CHTG]

158
Er serchog gof am EVAN LEWIS, Tyddyn Cestyll, Abererch, yr hwn a hunodd Tachwedd 24, 1904 yn 77 mlwydd oed.

Dyma nod bedd lle gorwedd un garwyd
Yn ei Eglwys a'i Ardal ni welwyd,
A chawn ar ei ol fwlch yn yr Aelwyd,
Mewn glaisi'w tro – trom yw'r Eglwys friwiwyd,
I fwynach gan Ifan fynwyd – Diau
I gywir swyddau'n uwch fe'i gorseddwyd.

ISEIFION*

Bu yn swyddog am 30ain o flynyddoedd ac yn flaenor y gân am 40 mlynedd yn Nghapel Llwyndyrus. Hefyd ELLEN ei wraig bu farw Ebrill 16 [?] yn 74. oed.

Glân fel y teg oleuni – trwy einioes
Tra anwyl ei theithi
Ei hanian a'i hangen ni
A'i dawn oedd gwneud daeioni

[CHTG]

159

Er cof am Gwen, merch John a Gwen Jones, Hendyrnpike, Rhosfawr, bu farw Awst 22, 1864 yn 23 oed. Hefyd am GRIFFITH JONES, eu mab yr hwn a fu farw Mawrth 10fed 1885 yn 36 oed.

Llanc llawn swyn a mwyn dymynol - ym mhob cylch
Mab coeth call rhinweddol;
Teimla'i wlad ymddifadol,
A'i Eglwys Ef glais o'i ol.

[CHTG]

CEIDIO

Eglwys Ceidio Sant

160
Yma mae'n gorwedd gorph ROBERT OWEN o Fochras yr hwn ymadawodd a'r bywyd hwn, yr 17eg o Mai 1838, yn 77 mlwydd oed.

Gorwedd yr wyf mewn gweryd, – er mawr elw
Na wylwch o'm plegyd:
Iach wyf o bob afiechyd,
Ac yn fy medd gwyn fy myd.

[Edward Richard]*

[Ceidio1]

161
Er serchog gof am OWEN HUGHES, anwyl blentyn T. a J. Hughes, Nanney Place, Pwllheli, hunodd Mawrth 30, 1887 yn 5 mlwydd oed.

Buan a'i Owen i ben tymor – oes,
Ni wêl ddrwg yn rhagor,
Mewn hyfrydwch mae'n frodor
Mewn gwlad well, trwy alwad Ior.

[Ceidio2]

CEIDIO

Peniel (A)

162
Er coffadwriaeth am MARGARET, merch Robert ROBERTS, Ty Newydd, Bwlch Bridin, yr hon a fu farw Ionawr 2, 1833 yn 8 oed.

Awelon Oerion a yrai – Marged
Ei mawr gur adawai;
Trwy'r Llen ar aden yr âi.
I nef y nef y nofiai.

[CeidioB1]

163, 164
Er coffadwriaeth am GAENOR, gwraig Robert ROBERTS, Tŷ Newydd, Bwlch Bridin, yr hon a fu farw Hydref 17, 1843 yn 57 oed.

Pw [sic] lais a glywais yn glir – "Y wraig hon
O'i bro gaeth a ddygir:
Hon mewn dagrau fu'n hau'n hir:
I fedi hi gyfodir."

[CeidioB2]

Hefyd am y dywededig ROBERT ROBERTS, yr hwn a fu farw Mawrth 18fed 1862 yn 80 oed.

Fel union Gristion gwir wastad – y bu
A'i bwys ar ei Geidwad;
A thêg wên aeth a'i ganiad,
Uwch y glyn i burach gwlad.

SARPEDON*

[CeidioB3]

165

Er serchog gof am THOMAS WILLIAMS, Tyddyn Bach, Ceidio, yr hwn a fu farw Medi 30ain 1877 yn 75 mlwydd oed.

Hir y cofir gwr cyfiawn – yn mawredd
Ei gymeriad ffyddlawn;
O hanes Thomas uniawn
Ceir oes o les grasol iawn.

B – DD

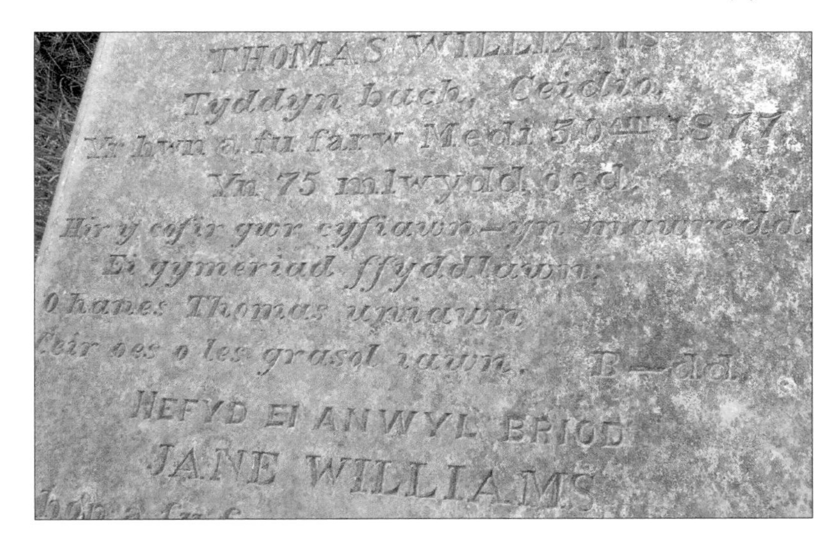

Hefyd ei anwyl briod JANE WILLIAMS, yr hon a fu farw Ebrill 16eg 1893 yn 90 mlwydd oed.

'Nid y dyfnder fydd fy nhrigfan
Gwn y deuaf yn y man,
Wedi ngolchi gan y tonnau
Yn ddihangol byth i'r lan.'

[CeidioB4 & 4a]

CLYNNOG FAWR

Eglwys Beuno Sant

166

Er coffadwriaeth am ELLIN, merch John OWEN Penybont a Jane ei Wraig, a fu farw Tachwedd 19eg 1849 yn 9 mlwydd oed. Hefyd CATHERINE eu merch, a fu farw Hydref 26ain 1850 yn 22 oed.

Byr fu ein boreu fywyd – y Teithiwr
Tithau cais ddychwelyd
Myn allan brawf maen llawn bryd
A wyt o elfen at eilfyd.

EBEN FARDD*

[Clynnog01]

167

Coffadwriaeth am ROBERT ROBERTS, Pregethwr yr Efengyl, yr hwn a fu farw Tach. 28, 1802. Ei oed 40.

Yn noniau yr Eneiniad – rhagorol
Fu'r Gŵr mewn dylanwad:
Seraph, o'r Nêf yn siarad.
Oedd ei lûn yn ngwydd y wlad.

[Clynnog02]

168, 169
JOHN GRIFFITH yr hwn a fu farw Mai 7, 1872 yn 80 mlwydd oed.

Blaenor di-dderbyn wyneb – geir yma,
        Grymus mewn duwioldeb;
    Mewn profiad yn anad neb
    O fendith i'w Gyfundeb.

Ing hiraeth am gynghorwr – sy'n aros,
        Synwyrol henafgwr:
    Ar ei Dduw taer weddiwr
    Yn ei waith bu'n ffyddlon wr.

        HYWEL TUDUR*

[Clynnog03]

170, 171
To the memory of ROBERT GRIFFITH, late of Bodvan died the 9th day of November 1800 aged 73.

Gorfoledd ryfedd ar hyd – yw marw
        Moreyddudd y bywyd,
    Pasio poen pwysa penyd
    Ag yn y farn gwyn ei fyd.

Yn y farn hynod yw hon – yn canu
        Cynas gerddi seion
    Yngolwg yr Angylion
    Hynod iw lle'r Enaid llon.

[Clynnog05]

172

Isod y gorphwys corph BARBARA, gwraig THOMAS OWEN Tanrwylfa, Llanddona, Mon, a merch Evan a Jane Pritchard, Coetyno, yr hon a ymadawodd a'r bywyd hwn Mawrth 29ain 1840 yn 29 mlwydd o.

Bu rhyngof dynion rwymau – gyda'm gwr
        Ond ysgarodd angau;
    Gwanodd datododd ni'n dau,
    Er dibrin golli dagrau.
        R.O.W

[Clynnog06]

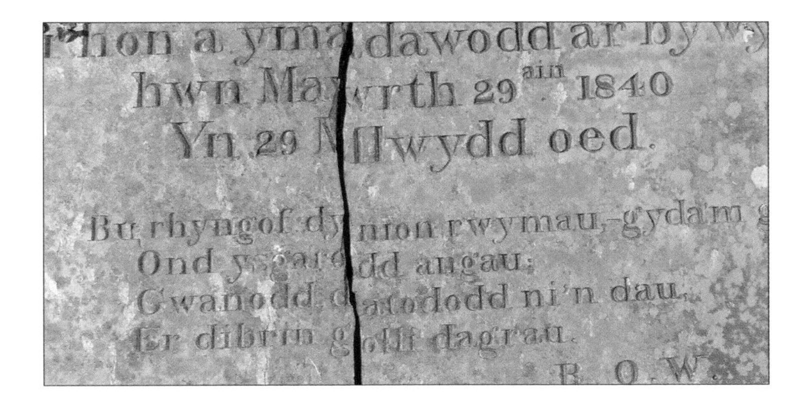

173
In memory of CATHERINE, the infant daughter of Owen ROBERTS of Ty Mawr in this parish, by Catherine his wife, born Novr 21 1838, died Jany 28 1840.

Egyr dy fedd, gariad fach – doi allan
Mewn dull mil perffeithiach;
Ai adref ir nef yn iach
Yn rhyw gerub rhagorach.

[Clynnog07]

174
THOMAS, son of DAVID DAVIES Newborough Arms Inn by CATHERINE his wife who died May 14th 1844 aged 9 years. Also the above named CATHERINE wife of DAVID DAVIES who died 20th May 1845 aged 50.

Mam a'i Mab yma ym mêdd – wywasant
Eisoes megys gwagedd!
Oesola etto eu Sylwedd
Mynnir eu Llŵch mewn arall wedd.

[Clynnog08]

175
Er cof am WILLIAM JONES, Embankment Tollgate, Portmadoc, yr hwn a fu farw Ebrill 8fed 1873 yn 65

mlwydd oed. "Coffadwriaeth y cyfiawn sydd fendigedig"

Un distaw, od o wastad – oedd William
Wrth ddilyn ei enwad: -
Hyfrydwch fu ei rodiad,
A'i fawl dwys i'w nefol Dad.

IOAN MADOG*

[Clynnog09]

176, 177, 178

EVAN EVANS, Shop Gurn Goch, Clynnog, ganwyd Chwef. 20 1811, bu farw Ebrill 11 1880.

Ni siglai, - rho'es ei oglud – yn gadarn
Ar Geidwad bob munud;
Eithaf siom, chwith, fu symud
Per lais mawl trwy'r parlys mud.

Mawl seiniau hen donau da – fu nefoedd
Evan Evans yma:
Yn y Nef byth ni wanha
Ei lawen Haleluwia.

HYWEL TUDUR*

Hefyd CATHERINE ei wraig, yr hon a fu farw Tach.10fed 1884, yn 80 mlwydd oed.

Digyffraw ddystaw ddwysder – fu elfen
Nefol-fyg ei thymer;
Aeth am y byth Anthem bêr
I Baradwys ddi-bryder.

H.T.*

[Clynnog10]

179
Er cof annwyl am MARY JANE HUGHES, 6 Rallt Clynnog, a fu farw Chwef 23,1929 yn 53 mlwydd oed.

Gorffwys yn dawel heno – yn ngro
Mynwent eglwys Beuno,
Cwsg dy hun, cwsg am enyd,
Yn dy fedd o dwrf y byd.

[Phillip Hughes ei gŵr oedd awdur y pennill.]

[Clynnog12]

180

I gofio'n dyner am NANSI WYNNE, Carmel, Treffynnon, a fu farw Mai 30, 1961 yn 28 mlwydd oed.

Y gwael gad ei hymgeledd – a gweiniaid
Ei gwên a'i thrugaredd;
Bu'r rhaid er pob anrhydedd
Roi y fwyn i gynnar fedd.

R.G.R.

[Clynnog13]

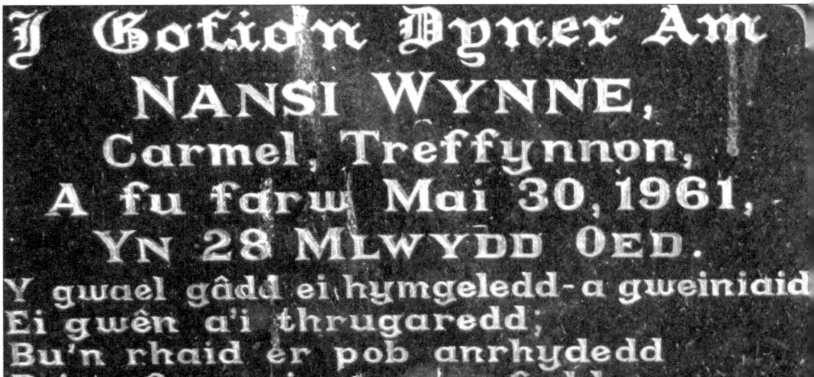

181
Er côf annwyl am EVAN T. JONES, Cwrt, Clynnog, a hunodd Hydref 6, 1967 yn 72 mlwydd oed. "Wedi dyletswydd gorphwys mewn hedd"

Hefyd ei annwyl briod JANE JONES a hunodd Chwefror 10, 1980 yn 84 mlwydd o.

Yma daearwyd mam dirion – a mam
        Wir, mam law a chalon
    Aelwyd ei holl ofalon
    A wybu werth aberth hon.

[Clynnog14]

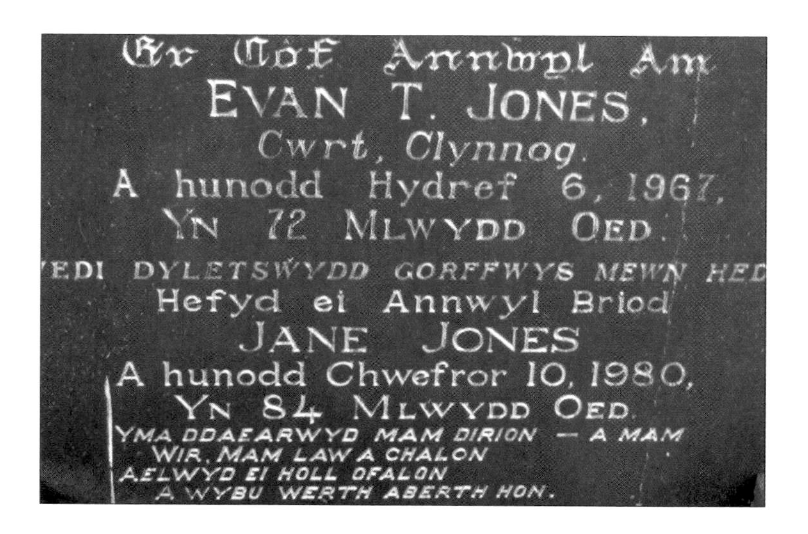

182
WILLIAM WILLIAMS, yr hwn a fu farw 6ed Tachwedd 1916 yn 67 mlwydd o.

O'i Nos yn Ebenezer – Hwn i dôn,
        Gwlad y Dydd bob amser,
    Oedd ddidwyll ffydd i hyder
    Gwlad yn Nawdd Golud ei Nêr.

[Clynnog15]

183
JANE JONES, hunodd Gorffennaf 10, 1949 yn 59 mlwydd oed.

Ni fu'r un fwy ei rhinwedd – na menyw
        Mwy annwyl ei buchedd;
    E draetha byd wrth ei bedd
    Wers amlwg ar ei symledd.

[Clynnog16]

184
[Ar gofgolofn EBEN FARDD:]*

'Dinistr Caersalem' dynion – a welaist
        A'u rhyfeloedd creulon:
    Gei fyd dianrhaith weithion
    A'r bwys yr hen eglwys hon.
        TOM BOWEN JONES,* 1954 [Clynnog18]

185, 186

Er serchog gof am JAMES WILLIAMS, Penrhiwiau, yr hwn a fu farw Rhagfyr 24ain 1882 yn 83 mlwydd oed.

Colli'r gwr call rhagorol – o'r Eglwys
        Bair wagle difrifol:
    Onid chwith fyned o'i chol
    Dawn a gwersi'r dyn grasol.

Swyddog a th'wysog a thad – ini oedd
        I'n dwyn at ei geidwad
    I'w fawl Ef mewn nefol wlad
    Rhydd Iago rhyw ddiwygiad.

        HYWEL TUDUR*

[Clynnog19]

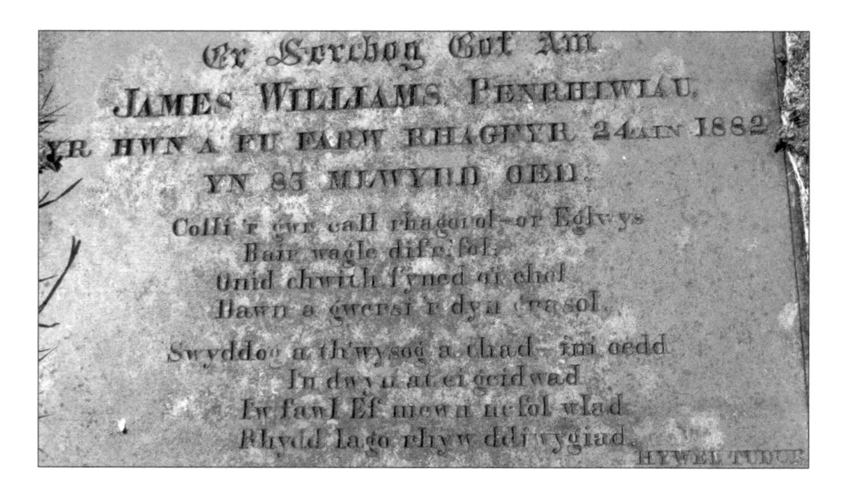

187
Er coffadwriaeth am RICHARD WILLIAMS, yr hwn a fu farw yn y Newborough Arms, Clynnog, Mai 26ain 1844 yn 26 oed.

Ty'r ieuanc Odydd trancedig – yr hwn
Mae'n hynod o unig;
Ni wêl ei Frodyr haelfrydig
Ni fyn dda ni ofna ddig.

[Clynnog21]

('Odydd' - Aelod o gymdeithas ddyngarol a brawdgarol a sefydlwyd yn Lloegr yn y ddeunawfed ganrif. 'Oddfellow' – Geiriadur Prifysgol Cymru.*)*

"MYNWENT RYDD
AC ANENWADOL
CHWILOG." 1886.

CHWILOG

Mynwent Rydd ac Anenwadol

188

Er cof annwyl am CHARLES WILLIAMS, Llety, Chwilog, hunodd Mehefin 22, 1985 yn 81 mlwydd oed.

I'r gorau drwy'i oes, y gwron – a fu,
Do o'i fodd, yn ffyddlon:
Medrodd ddal pob treialon
Yn llaw yr Iesu, yn llon.

H. GARRISON WILLIAMS*

[Chwil01]

189

Er hoffus gof am IDRIS OWEN, priod Gwen Owen, Y Gorlan, Pencaenewydd, 1912-1986.

Dyn y bladur. Dyn blodau. - Ei arddio
Oedd harddwch ei actau:
Artist gwell y priddellau.
Yn y gwyrdd a'i liwiau'n gwau.

H. GARRISON WILLIAMS*

[Chwil02]

190
I gofio'n dyner am briod a thad annwyl JOHN RICHARD JONES, Trygarn, Chwilog, 1913-1977

Ŵr da hir gofir ei dôn, - a'i leisio
        Mor lwyswedd yn Seion;
    O'i hoen aeth ar ei union
    I'w nef i foliannu Iôn.

        R.W.J.*

[Chwil03]

191
I gofio'n dyner am briod a thad hoff JOHN HUGHES, Rhedynog Ganol, Chwilog, a hunodd Mawrth 19, 1969 yn 67 mlwydd oed.

Gwladwr glân, diddan a dwys – un a'i farn
        Fel ei fyw yn gytbwys;
    Un a gadd ar union gwys,
    Aroglau gerddi'r Eglwys.

        R.W.J.*

[Chwil04]

192
Er cof tyner am briod a thad annwyl GRIFFITH T. HUGHES, Bryn Derwin, Chwilog, hunodd Rhagfyr 26, 1966 yn 57 mlwydd o.

Wrth gofio, hiraeth gyfyd, - am ei wit
        Am ei wên mewn bywyd
    Aeth drwy'r daith a'r gwaith i gyd,
    Yn dawel iawn a diwyd.

        JOHN ROWLANDS*

[Chwil05]

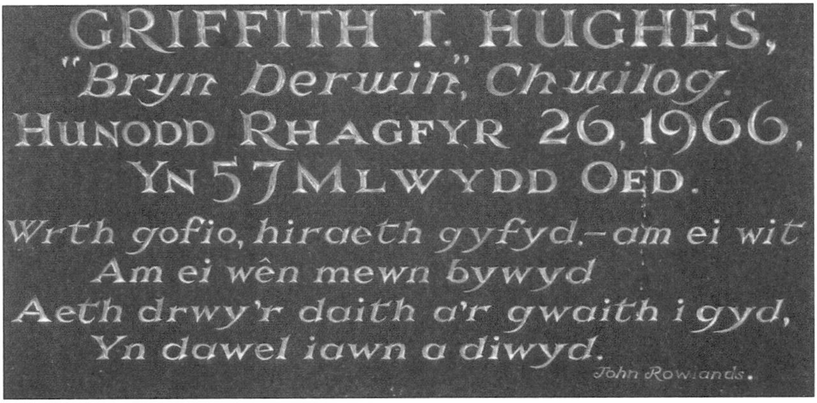

193

Atgofion Melys Iawn am EDWIN PRITCHARD, Bryn Eifion, Garn Dolbenmaen. Priod, Tad a Thaid annwyl, bu farw Ionawr 22, 1989 yn 56 mlwydd oed.

Ni fynnai nef wahanol; Eifionydd
        A fynnai'n wastadol,
    Ac yma ynghwsg mae yng nghôl
    Eifionydd yn derfynol.

        G.LL.O.*

[Chwil06]

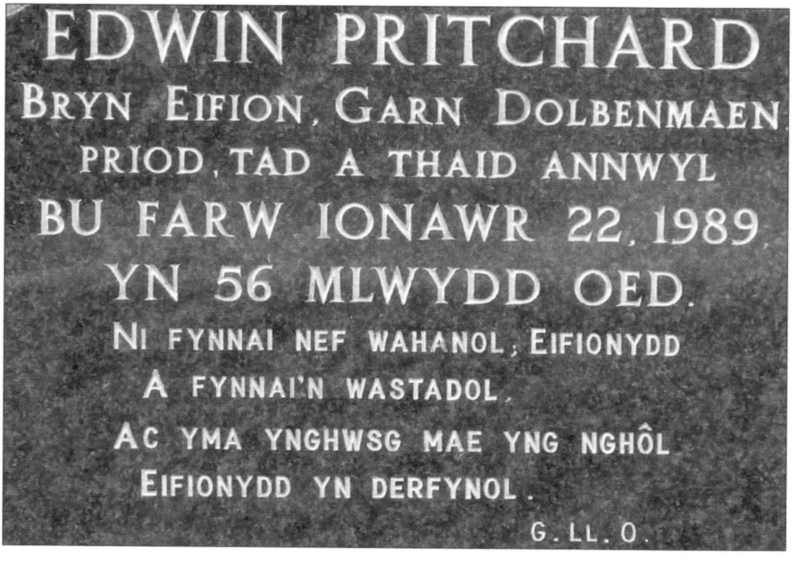

194
Erys cof annwyl am GRIFFITH R. JONES, Porthmadog a Llundain, 1905-1976

I'w hir hedd dewisodd ro ei annwyl
Eifionydd i huno:
Ond draw y bu'r hyfryd dro,
A'i enaid yn di huno.

ELIS AETHWY*

[Chwil07]

195
Er cof am Jane, anwyl briod John Jones, Tai'r Efail, Chwilog, 1870-1931. Hyn a allodd hon hi a'i gwnaeth. Hefyd ei phriod, JOHN JONES y Celfyddydwr, 1865-1943.

Diofal y naddwr difai – ym mhoen
Naddwr mwy, wynebai:
Gwae lafur drud, ar gelf ar drai,
Os un o fath Sion, a fethai.

CYBI*

[Chwil08]

196

Er cof anwyl am CHARLOTTE ANN, merch G. ac M.A. ROBERTS, Wernol, Chwilog, a fu farw Mehefin 24, 1914 yn 13 mlwydd o. Hefyd eu merch ELLEN MARY, a fu farw Gorphenaf 24, 1940 yn 40 mlwydd o.

Ein dwy eneth wedi huno – gosteg
Gan gystudd gânt heno;
Ar eu hol ofer wylo,
Duw a'u cyfyd o grud gro.

[Chwil09]

197

Er serchog gof am ELLIS OWEN, anwyl briod Winifred Owen, Belle Vue, Llanystumdwy, gorphwysodd Ebrill 21, 1927 yn 63 mlwydd oed.

Ym Melle Vue trwm wylo fydd – ar ei ol,
A'i fawrhau wna'r broydd;
Addfwyn oedd ef yn ei ddydd,
Goreu'i ofal o'i grefydd.

[Chwil10]

198

Er cof anwyl am Pte. EVAN JONES, anwyl fab Evan ac Ann Jones, Ty'n Rhos, Chwilog, bu farw mewn Ysbyty yn Bristol, Mawrth 28, 1918 yn 22 mlwydd o.

Uwch amheuol chwa mwyach – yn iengwr
Dihangodd yn holliach;
Mewn hun well o'r drin bellach
Yn ddi-ofn bydd "Evan bach".

[Chwil11]

199
Er serchog gof am Jane Jones, anwyl briod Morris Jones, Murcwtlloer, Chwilog, fu farw Chwefror 7, 1901, yn 82 mlwydd o. Hefyd Mary eu merch hynaf, fu farw Mai 31, 1903 yn 59 mlwydd o. Hefyd y dywededig MORRIS JONES, fu farw Ebrill 13, 1905 yn 93 mlwydd oed.

Er rhoi hon ar ei wyneb – i nodi
Mynediad dynoldeb,
E ddaw'n ol gan hoywed a neb,
Fry i wel'd anfarwoldeb.

[Chwil12]

200
Er Cof am GRIFFITH EVANS, Mur-cwt-lloer o'r Plwyf Yma, yr hwn oedd yn ddyn cywir, diwyd a deallus, bu farw Tachwedd 24ain 1886 yn 62 mlwydd o.

"Gwyn eu byd y tangnefeddwyr, canys hwy a elwir yn blant i Dduw."

I graff ddwfn fedd Gruffydd Evan fwyn – roed,
Gan raib marwol gynllwyn!
Ei orweddfa, wr addfwyn,
Blaenfedd yw! – Blin fu ei ddwyn!

MEIRIADOG*

(Efe oedd y cyntaf a gladdwyd yn y fynwent hon.)

[Chwil13]

201
Er serchus gof am MARGARET ROBERTS, anwyl briod Griffith Roberts, Tanyrallt, Afonwen, fu farw Mehefin 22, 1923 yn 71 mlwydd oed.

Hoff wraig fwyn na fu ei mwynach, – ni chaf
Ond ei chofio bellach:
Mynd i fedd am enyd fach,
Daw allan i fyd holliach.

WYN WILLIAMS

[Chwil14]

202
Er Coffadwriaeth am J.A.Roberts, anwyl briod Samuel Roberts, Talavon Shop, Llanystumdwy, ganwyd Tachwedd 27ain 1853, bu farw Mehefin 16eg 1908.

Ei gair yn ddeddf, ei byw yn lân
Lili dlos a'i gwên yn gân
Ond ciliodd gwên yn min y glyn
I wenu'n well ar Seion Fryn.

Ei Phriod

Hefyd am KATIE ROBERTS, merch i'r uchod, bu farw Tachwedd 27, 1926 yn 38 mlwydd oed.

O mor brydferth, a daw Cathrien – allan
O ddyfnder y dyffryn,
I chwareu tanau ei thelyn;
Ai phryd fel yr eira gwyn.

[Chwil15]

203

Er serchog gof am JANE JONES, anwyl briod Hugh Jones, Pen y Bryn, Fourcrosses, fu farw Awst 20, 1924 yn 68 mlwydd oed.

Hir wylais uwch oer wely – ei henw
Mor annwyl ni wrendy:
Ar hunell hon er hynny,
Tanau serch yn tynnu sy.

[Chwil16]

204, 205

Er cof am JANE DAVIES, anwyl briod Owen Davies, Rhydygwystl, Four Crosses, 1865-1922.

Ac i'r "Meddyg Gwell," bellach y cân hi
Uwch cwyn, yn amgenach;
A nefoedd, os bu'n afiach,
Yma'n wir, gaiff mwy, yn iach.

CYBI*

Hefyd am OWEN DAVIES, 1862-1940

Gwr grymus, medrus am waith, - oedd Owen
Ddiwyd drwy yr ymdaith;
Hynaws wr mewn graenus iaith
Hir lefara'i lafurwaith.
CYBI*

[Chwil17]

206
Er serchog gof am JANE GRIFFITH, anwyl briod Daniel Griffith, Ty Capel Uchaf, Chwilog, fu farw Chwefror 28, 1894 yn 33 mlwydd o.

Un garai wneyd rhagorion, - ei hyder
Yn ddidwyll a ffyddlon
Ar Dduw o hyd, roddai hon
Nes cyraedd dinas coron.

CENIN*

[Chwil18]

207
Er serchog gof am OWEN MORRIS, anwyl fab Owen a Jane Morris, Afonwen Terrace, Chwilog, yr hwn a fu farw Medi 3, 1893 yn 23 mlwydd oed.

I'r gweryd oer gyrwyd ef, - un ieuangc
Mewn awydd gwneyd cartref;
A rhoed iddo rhaid addef,
Un gwell fry yn nhy y nef.

CENIN*

[Chwil21]

208
Er cof anwyl am JOHN EVANS, Glyddyn Mawr, Ysgolfeistr, Four Crosses, bu farw Gorff. 29, 1943 yn 53 mlwydd oed.

Clir dy wybren ysblennydd – diosteg
Uwch dwyster dy glodydd;
Ac yn ieuanc, can newydd
Gan dy ddawn, a gwyn dy ddydd.

CYBI*

[Chwil22]

209
Er serchus gof am HUGH GRIFFITHS, mab John ac Ellen Griffiths, Glanaber, Chwilog, yr hwn a fu farw Mai 16eg 1913 yn 30 mlwydd oed.

Corph ysig Hugh orphwysa – o'i ofid
Cafodd lwyr ddiangfa;
Heb nychdod y cyfoda,
O'i hûn i dragwyddol ha'.

CELYN*

[Chwil23]

210
Er serchog gof am ROBERT JOHN WILLIAMS, anwyl fab y diweddar John ac Ellen Williams, Bodalaw, Chwilog, fu farw Rhagfyr 7, 1918 yn 17 mlwydd oed.

Robert John îs hon y sydd – dduwiol lanc
Na, i eiddil lwch llonydd:
I uwch harddwch a hirddydd,
Ei fawredd aeth, o'i fyr ddydd.

CYBI*

[Chwil24]]

211
Er serchus goffadwriaeth am LIZZIE, anwyl briod Thomas P. ELIAS, Post Office, Llanystumdwy, yr hon a hunodd foreu yr 17eg o Fawrth 1926 yn 36 mlwydd oed.

Addfwynach un ni hunodd – na Lisi,
Wedi'r loes gorphwysodd.
Och! Wylwn, ni ddychwelodd
O'i thy oer mwy, gwaetha'r modd.

WYN

[Chwil25]

212

Er hiraethus gof am ROBERT ISAAC HUGHES, priod a thad annwyl, Pencaenewydd Farm, Pencaenewydd, a hunodd Ebrill 13, 1986 yn 67 mlwydd oed. "Ei hun, mor dawel yw."

Gŵr di-hafal, tad gofalus – annwyl
        Un hynod o ddawnus
    A rodiodd i'w baradwys
    I haf gwyn yr olaf gŵys.

        H. GARRISON WILLIAMS*

[Chwil26]

213

Er cof anwyl am JOHN ROWLANDS*, Awelon, Fourcrosses, 1911-1969

Nyddodd ei gynganeddion – â llaw ffein
        Ar droëll y ffyrdd ceimion:
    A ni'n brudd, rhoes ger ein bron
    Lawenydd o'r olwynion.

        R.G.J.*

[Chwil27]

JOHN ROWLANDS
AWELON, FOURCROSSES
1911 - 1969
NYDDODD EI GYNGANEDDION — Â LLAW FFEIN
AR DROËLL Y FFYRDD CEIMION:
A NI'N BRUDD, RHOES GER EIN BRON
LAWENYDD O'R OLWYNION.
R.G.J.

214

Atgofion Tyner am CHARLES ARFON PARRY, Argraig, Y Ffôr, priod, tad a thaid caredig a fu farw Ebrill 22, 1983 yn 64 mlwydd oed.

Ni heneiddia'r blynyddoedd – ei fonedd
Na'i fynych weithredoedd.
Un didwyll a ffeind ydoedd
Yn fwy na hyn, Arfon oedd.

GERAINT LL. OWEN*

[Chwil28]

215

Er cof annwyl am gwraig, mam a nain gariadus MARGARET H. ROBERTS (MEGAN), 8 Bron y De, Pwllheli 22.9.1939 – 26.7.2006

A ninnau ddoe'n ddiwahân, roedd fy myw,
Roedd fy myd yn gyfan;
Heno mae yn ddarnau mân
Yn wag heb gwmni Megan.

ALAN LLWYD*

[Chwil30]

216

Er cof anwyl am HANNAH JANE, unig ac anwyl ferch Richard a C.M. ROBERTS, 2 Salem Terrace, Fourcrosses, a hunodd Mawrth 26, 1926 yn 21 mlwydd oed.

Unig angyles annedd – o dalent
Yn y dulawr orwedd;
Eiriana blodeu'i rhinwedd
Yn llwyn byw uwch llain ei bedd.

PERTHOG

Hefyd ei thad Richard Roberts (Pencerdd Lleyn) a hunodd Mehefin 2, 1957 yn 76 mlwydd oed. Cwsg a gwyn eich byd. Hefyd ei mham Catherine Mary

Roberts a hunodd Medi 2, 1963 yn 86 mlwydd o. "Yn dawel gyda'r Iesu."

[Chwil32]

217

Er serchog gof am Pte. GRIFFITH JONES, R.W.F. anwyl fab Griffith ac Ellen Jones, Rhydygwystl, collodd ei fywyd yn Ffrainc, Gorph 10, 1916 yn 23 oed. Hefyd eu mab LLEWELYN, a fu farw yn ysbyty Lerpwl Hydref 7, 1927 yn 21 oed.

Ymorol am gymeriad – a wnai'r ddau,
Byw'n hardd iawn yn wastad:
O'u hol hwy ar hyd y wlad
Ail-enir eu dylanwad.

[Chwil33]

218

Er serchog gof am HUGH JONES, West View, Fourcrosses, a hunodd yn yr Arglwydd Awst 1, 1944 yn 34 mlwydd o.

O West View i ddistaw fedd – yr ifanc,
Er afiaith a bonedd:
Ond daw'r dyn o hun o hedd,
I'w ddinas heb ddihoenedd.
CYBI*

[Chwil34]

219
Er serchog gof am WILLIAM EDWARD JONES, priod Elizabeth Ann, 3 Eifion Terrace, Fourcrosses, a hunodd yn yr Iesu, Ebrill 8fed 1959 yn 86 mlwydd oed.

Tonnau oedd wedi eu tanio – â grâs
Ei Grist gafwyd ganddo:
Er yn fud yn ei grud gro,
Ei seiniau ddeil i swyno.

[Chwil36]

220
Er serchog gof am JOHN PLAS JONES, Eastfield, Pwllheli, yr hwn a fu farw Mawrth 15, 1921 yn 52 mlwydd o.

Dyn a nodweddid yn addas – a doniau
Denol i gymdeithas
Neb mor fwyn yn ei gymwynas
Yn ei plith na John y Plas.

CENNIN*

[CHTG]

221

Er serchus gof am EVAN JONES (Ieuan Eifion), Plas, Chwilog, ganwyd yn y flwyddyn 1837, bu farw Mawrth 1af 1913.

Ni fu mewn gymanfaoedd – un a'i gof
Yn gyfoeth mwy cyhoedd
Lenor a blaenor abl oedd – Bardd Dillyn
Un a'i aur delyn swyna'n hardaloedd.

EIFIONYDD*

[CHTG]

222

Er serchus gof am GRIFFITH W. HUGHES, Bodlondeb, fu farw 23ain 1905 yn 34 mlwydd oed.

Os ofer fu dy serch
A'th fywyd, er ei rinwedd
Ni'th siomwyd yn y gŵr
Sy'n caru hyd y diwedd.

Eifion Wyn*

Hefyd ei chwaer ELZABETH HUGHES, fu farw Meh. 8fed 1931 yn 61 mlwydd oed.

Mwyn gofion am hon gyfyd – a'u gemau
Yn gymysg a'n tristyd
Annwyl i bawb, ni wel byd
Chwaer gywirach i'r gweryd.

M.P.

[CHTG]

223
Sacred to the memory of May, the dearly loved daughter of Capt. and Mrs John P. Morgan, Bodlondeb, Chwilog, who was washed overboard from the deck of the HMS "Pretorian" in Mid Atlantic, Aug 30th 1911 in her sixteenth year.

He given his beloved sleep
And calm and peaceful is thy sleep
Rocked in the cradle of the deep.

Er serchog gof am Capt. JOHN P. MORGAN, priod hoff MARY MORGAN, Bodlondeb, Chwilog, ganwyd Hydref 19, 1861, bu farw'n aberth dros ei wlad Mehefin 25, 1917, tra'n cyflawni ei Ddyledswyddau suddwyd ei long (SS "Guildhall") gan un o longau tanforol yr Almaen. Adnabyddid ef fel dyn dirodres, cwmniwr diddan, a chymeriad gwir grefyddol. "A phwy bynnag a gollo ei fywyd ai ceidw." Hefyd am y ddywededig MARY MORGAN, ganwyd Tachwedd 23, 1864, bu farw Mehefin 4, 1926. "Fel Mair Bethania gynt, eisteddodd hithau wrth draed yr Iesu."

Ar wys ei Duw aeth dros y don – am fyd
May bach a'i gwr dirion
Gwedi rhwygiad yr eigion
Ar troen llym, mae'r tri'n llon.

M.P.

[CHTG]

(Adeiladwyd y Guildhall *yn South Shields ym 1898 ac ym mis Mehefin 1917 roedd hi ar daith o Valencia i Gaerdydd gyda llwyth o fwyn ac orenau. Disgrifiwyd hi fel 'defensively armed cargo transport'. Fe'i trawyd yn ddirybydd gan dorpido o long danfor Almaenig ddeugain milltir o Gernyw, a chollodd dwsin eu bywydau. Ffynhonnell:* www.wrecksite.eu*)*

224
Er serchog gof am SARAH ELLIS, anwyl briod Robert Ellis, 3 Afonwen Terrace, Chwilog, yr hon a hunodd Medi 11, 1937 yn 74 mlwydd oed.

Mam ddiwyd, o hyd fu hon – a thawel
Ei thuedd, ac uniawn
O gynni'r byd a'i gwynion
Aeth i fwynhad y wlad Iôn.

[CHTG]

225
Er serchog gof am Capt. OWEN W. JONES, Bodeuron, yr hwn a fu farw Hydref 14, 1908 yn 38 mlwydd oed. 'Cu iawn oeddit gennyf i.' Hefyd ei annwyl briod Elizabeth C. Jones, ganwyd Mawrth 15, 1869, hunodd Hydref 21, 1935. Mam annwylaf a ffyddlonaf.

Hwyliodd y dyfn for heli – a deuoedd
I dawel angori
O fawrion beryglon ri
Glaniodd yn mro'r goleuni.

[CHTG]

226
Er cof annwylaf am MARGARET ANN JONES, priod ffyddlon John Jones, Feathers, Llanystumdwy, Criccieth, hunodd Awst 26ain 1921 yn 56 mlwydd oed.

Hir y dioeddef roed iddi – er hyn
Cafodd ras i dewi
Wedi'r boen a'r dihoeni
Per yw ei chan, burach hi.

EIFION WYN*

[CHTG]

227
Coffadwriaeth am ROBERT ROBERTS, annwyl fab John a Margaret Roberts, Tyn Ddol, Llanystumdwy, hunodd Rhag. 3, 1946 yn 31 mlwydd o.

Yn anwyl mae yn huno – na wylwn
Wele da yw cofio
Gwylaidd angel sy'n gwylio
Ystafell ei hunell o.

[CHTG]

228
Er serchog gof am ROBERT PARRY, anwyl briod Sydna Parry, Pant y Rhos, Rhoslan, a fu farw Medi 21, 1923 yn 63 mlwydd o.

Gŵr diwyd, hawddgar ei duedd – selog
Tros hawliau'r Gwirionedd
Ei wir barch, uwch dôr y bedd
A eirianir â rhinwedd.

[CHTG]

229, 230
Er serchog gof am ELEANOR MAUD, anwyl ferch Capt. William a Dora ROBERTS, 25 Ala Road, Pwllheli, fu farw Medi 19, 1909 yn 17 mlwydd o.

Ein Nel anwyl a'i enyd – iw daearfedd
Wyneb hoff, daw'r bywyd
Ond daw'n nwylaw'r anwylyd
I oriel fawr yr ail fyd.

Hefyd am Capt. WILLIAM a DORA ROBERTS. Collasant eu bywyd yn suddiad y 'Kate Thomas' yn yr English Channel, Ebrill 4, 1910 y naill yn 55 a'r llall yn 38 mlwydd o. Cafwyd ei chorff hi yn Hartland a chladdwyd yma.

O'r weilgi daeth hi i'w hedd – eithr efe
Dan ruthr fôr ymorwedd
Duw eilw uwch dialedd
A'r ddau gwyd yn hardd ei gwedd.

[CHTG]

(Pan ddigwyddodd y trychineb, roedd y barc hwyliau Kate Thomas *(heb lwyth) yn cael ei thynnu o Antwerp i Borth Talbot gan dynfad, gyda chriw o 18, y rhan fwyaf ohonynt o Wlad Belg. Roedd y llong o dan reolaeth Capt. Williams, tra oedd Capt. William Roberts yn Brif Swyddog; roedd y ddwy wraig gyda nhw.* 'At about 4 a.m. on April 4th, between the Longships and Pendeen lighthouses, off Land´s End, the Kate Thomas was run into by the Penzance steamship India, 364 tons, Capt.T. F. Mitchell, and struck on the starboard side. The night was dark but clear and the lights of the three vessels were plainly visible. The barque gradually heeled over to starboard, the tug standing by and

lowering her boats, but the India continued on her course. After about ten minutes the Kate Thomas sank, taking with her everyone of her company save John Nelson, an apprentice, who swam to the tug.' *Ffynhonnell:* www.wrecksite.eu*)*

231

Er serchog gof am Ellen Davies, anwyl briod David Davies, Bod Hyfryd, Pencaenewydd, fu farw Medi 8, 1911 yn 59 mlwydd oed. 'Hyn a allodd hon hi a'i gwnaeth.'

Hefyd DAVID DAVIES, bu farw Mawrth 12, 1919 yn 77 mlwydd o.

Hunodd a bardd mewn mwyniant – ar dwylaw
Aur delyn a gawsant
Fwynder ar dyner dant
I ganu mewn gogoniant.

E.E.

[CHTG]

232

Er serchog gof am Ceturah, anwyl ferch Robert ac Ellen Jones, Tai Refail, Chwilog, yr hon a fu farw Rhagfyr 14, 1913 yn 18 mis oed. Hefyd eu mab Humphrey, yr hwn a fu farw Ebrill 24, 1914 yn 2 fis oed. Hefyd y dywededig Ellen Jones, yr hon a fu farw Chwefror 4, 1933 yn 47 mlwydd oed. Hefyd y dywededig ROBERT

JONES, hunodd Tachwedd 7, 1963 yn 73 mlwydd o.

Goleuedig gu wladwr – a di-lesg
Pur deilwng grefyddwr
Bu fyw'n lân trwy dân a dŵr
A'i gred yn ei greawdwr.

[CHTG]

233
Er serchog goffadwriaeth am Robert Jones, 14 William Street, Caernarvon, mab R. Jones, Bron y Gadair a fu farw Mai 24ain 1913 yn 46 mlwydd oed.

'Cofiwn Duw Ior ai cyfyd
O wyll y bedd i well byd'

Hefyd am ei anwyl fab WILLIAM R. JONES, fu farw Ebrill 2, 1921 yn 27 mlwydd o.

Willie anwyla a huna – O dristad
Yr ystorm, ca hindda
A chael hedd – yr hedd barha
Ydyw hanfod ei wynfa.

MONANDER
[CHTG]

234, 235
Er cof anwyl am W.H.ROBERTS (Iseifion*) 1855-1923. Hefyd ei briod Mary Roberts, 1863-1944.

Awel hiraeth alara – ag oer gur
Ger y garreg yma
Am Iseifion ffyddlona
Cyfaill a lyn yw dyn da.

ISFRYN

Hefyd ei ferch OLWEN, 1899-1920

O'r golwg y mae'r gu Olwen – i mi
Ond yma eto'n seren
Wych ei nod mewn gloewach nen
I'w rhinwedd yn ei 'wybren'.

ISEIFION*

[CHTG]

236
Er cof annwyl am MOSS JONES, Morannedd, Y Ffôr, Hydref 1909 – Ebrill 1978, priod, tad a thaid caredig.

Hen iaith ei fro aeth â'i fryd – ei ddaear
A'i Dduw oedd ei fywyd;
Man y gorwedd mewn gweryd
Ynghwsg; mae'r pedwar ynghyd.

G. LL. OWEN*

[Chwil29]

DINAS
1906

DINAS

Capel (MC)

237
WILLIAM ROY DAVIES, Nyffryn, Dinas, ganwyd Awst 2, 1972, bu farw trwy ddamwain Medi 25, 1975

Ar Iesu r'oedd ei eisiau – yn grwtyn
I'w gartre'n ddifeiau
A nêf wen yn llawenhau
Y dyfod; di ofidiau.

J. GRIFFITH*

[Dinas1]

238
JOHN ALUN JONES, gynt o Olwen Farm, Madryn, annwyl ŵr a thad, 1951-2004

Heulwen ar hyd a glennydd – a haul hwyr
A'i liw ar y Mynydd;
Felly Llŷn ar derfyn dydd,
Lle i enaid gael llonydd.

[J. Glyn Davies]*

[Dinas2]

239

Er serchus gof am Mary, anwyl briod John Morris, Cors yr Hafod, Madryn, bu farw Mai 16eg 1882 yn 63 mlwydd oed. Hefyd y dywededig JOHN MORRIS, bu farw Gorphenaf 9fed 1884 yn 77 mlwydd o. Wedi bod yn ddiacon ffyddlon yn Rhydyclafdy am 44 o flynyddoedd.

Henadur llawn hynodion – wr uniawn
Arweinydd yn Sion
Daw'n tad ar alwad yr Ion – ddiwedd y byd
O gwsg y gweryd a gwisga'r goron.

T.E.G.*

[Dinas3,3a]

240
Er cof am MARGARET, merch Robert a Margaret ROBERTS, Refail, Sarn, bu farw Hydref 18fed 1870 yn 14 oed.

Bu fyw i farw oh! mor fyred oedd ei thaith
Bu farw i fyw i dragwyddoldeb maith.
Canys benthyg oedd. – 2 Bren. VI:V

Hefyd am SAMUEL eu mab, yr hwn a hunodd Rhag. 9, 1884 yn 30 oed.
Du yru SAMUEL dirion – o'i irder
        I ardal marwolion
    Ond, rhyw awr, o ddyfnder hon
    Daw'n gerub dan ei goron.

        PEDROGWYSON

Hefyd am John, eu mab yr hwn a hunodd Mai 21, 1878 ag a gladdwyd yn Mount Union Cemetry [sic] Alliance, Ohio, Mai 23, 1918 yn 60 oed.

[Dinas4]

241
Er cof am JANE, priod John M. JONES, Shop, Dinas, yr hon a hunodd yn yr Iesu, Ebrill 14eg 1874 yn 67 oed.

Er nychu ar ein hiechyd – cwyn o gur
        Cawn goron y bywyd
    A gwledd yn y drigfan glyd
    Gyda'r oen gwedi'r enyd.

        I.T. *[Iago Trichryg*]*

[Dinas5]

242
Er cof am Y Parchedig MOSES JONES or Nantfawr yn y plwyf hwn. Pregethwr effro a chymeradwy yn Nghyfundeb y Trefnyddion Calfinaidd dros yr yspaid o chwe mlynedd a deugain. Hunodd yn yr Iesu ar y 22ain dydd o Ragfyr 1863 yn 70ain flwyddyn o'r oedran.

Wele wr Duw fu'n filwr da – i Grist
        Dan ei groes cadd Noddfa
    Mewn gorfoledd Gorsedd ga
    Y Ddinas aur feddiana.

        R.R.

[Dinas6] [Gweler Rhif 494, 495]

243, 244

Er cof am CATHERINE, anwyl eneth John ac Ellen E. JONES, Post Office, Llaniestyn, hunodd Chwefror 26, 1882 yn 10 mlwydd a 2 fis oed.

Wel, wel, edwinodd y lili! – Ow! do,
A daear ro'ed drosti;
Ond dâw hâf pan gwyd Duw hi – y dlos fach
Ie'n fîl harddach i'w nefol erddi.

Hefyd JOHN EVAN JONES, ganwyd Mai 25ain 1825, hunodd yn yr Iesu Rhagfyr 31ain 1890. Bu yn flaenor yn Capel Garnfadryn am 22 mlynedd.

Mab tangnef, hoffai'r nefoedd; – manwl iawn
Mynai lenwi'i gylchoedd;
Eithriadol athraw ydoedd
Gem o sant yn gymwys oedd.

[Dinas7]

245

Er serchog gof am JANE, anwyl briod Thomas HUGHES, Plas Morfa, Llangwnnadl, hunodd Tachwedd 23, 1883 yn 32 oed.

Trwy y glyn gartref glaniodd – Jane Hughes
Yn Iesu hi hunodd
Ei hanwylyd hon welodd
Hithau byth fydd wrth ei bodd.
[CHTG]

246
Er serchog gof am RICHARD PRITCHARD, annwyl briod Eleanor Pritchard, Shop Pen Bodlas, Llaniestyn, bu farw Mawrth 23, 1918 yn 62 mlwydd oed. Hefyd er cof annwyl am ei briod Eleanor Pritchard Jones, 1884-1978.

Un annwyl yma'i huno – a roddwyd
Dan briddell mewn amdo
Ond trwy ffydd yn ei ddydd o
Yn dyner cawn aduno.

[CHTG]

247
Er cof serchog am MARTHA JONES, annwyl briod William Jones, Bwlch y Groes, Llaniestyn, yr hon a hunodd yn yr Arglwydd Mehefin 5, 1917 yn 32 mlwydd oed.

I wlad engyl diangodd – uwch hiraeth
A'i choron a wisgodd,
A'i phoen yn awr gorffennodd,
Yn ddi-dranc lawenydd drodd.

ISLWYN*

[CHTG]

ER COF AM
CATHERINE
ANWYL ENETH JOHN AC ELLEN E. JONES
Post Office Llaniestyn
HUNODD CHWEFROR 26 1882
YN 16 ML. A 2 FIS OED.

Wel, Wel, edwinodd y lili!– Ow! do;
A daear roed drosti:
Ond daw haf pan gwyd Duw hi-y dlos fach
Ië'n fil harddach, i'w nefol erddi.

Hefyd
JOHN EVAN JONES,
Ganwyd Mai 25ain 1925,
Hunodd yn yr IESU *Rhagfyr* 31ain 1990
Bu yn flaenor yn capel Garnfadryn am 22 *mlyn*
Mab tangnef hoffai'r nefoedd,– manwl
Mynai lenwi'i gylchoedd;
Eithriadol athraw ydoedd,
Gem o sant yn gymwys oedd.

Hefyd
ELLEN JONES,

EDERN

Eglwys Sant Edern

248
Underneath are interred the remains of ELEANOR, daughter of John JONES of Edern, Mariner, by ELEANOR his wife, who departed this life the 15th day of Septr 1840, aged 22

Yn neheulaw ei Hanwylyd – Ellen
A hwyliodd i wynfyd:
Yr Iesu hardd a'i râs o hyd
Ar groesbren gar ei hysbryd.

[Edern1, 1a]

249
Under are depoſited the Mortal Remains of ANNE, late wife of David PARRY of Coedcaugwyn in the Parish of Llanarmon who departed this tranſitory life on the 7th day of March 1811 in the 27th year of her age.

Aeth Ann burlan i'w Bedd – yn foreu
O ferw a sŵn Gwagedd;
Gwiwlon y bu'n ymgeledd
I'w Phriod mewn hynod hedd.

[Edern2, 2a]

250
In memory of JOHN, the son of John EVANS, Llanerch by Mary his wife, who died April 12, 1839 aged 7 months.

Ai mewn bedd mae *Ioan* bach – O! ie
 Ioan sy'n llwch bellach;
 Ond daw yn ol etto'n iach
 At ail oesi'n fil tlysach.

[Edern3, 3a]

251
Er serchog gof am HUGH, mab Morris a Catherine WILLIAMS, Pentref Edeyrn, a fu farw Ionawr 1af 1865 yn 20 mlwydd oed. Hefyd Owen M. Williams eu mab bu farw Gorphenaf 18, 1893 yn 30 mlwydd oed.

O greigiau glanau gelynol – y rhwyfodd
I'r hafan dymunol;
Mae'r ing a phob storm ar ol
Tan haf cysgodion nefol.

EDEYRNFAB*

[Edern4, 4a]

252
Underneath lie the Remains of WILLIAM ROBERTS late of Ty gim who departed this life the 17th of November 1790 aged 50.

Er galar oer ac wylo – fy mhriod
Fe'm rhoed i orphwyso;
Hyd y farn fawr dramawr dro
Trom hanes, 'rwy'n trwm heno.

[Edern5, 5a]

253
Er cof am Richard, mab hynaf Wm ac Elizth Williams, Tirbedon, Edeyrn, yr hwn a fu farw Gorphenaf 4ydd 1863 yn 11 mlwydd oed.

Cadd ddianc o gwr yr anialwch
Cyn profi ei ddryswch ai boen
Ehedodd i wlad yr addewid
Trwy rinwedd marwolaeth yr Oen.

Hefyd ei fam Elizabeth Williams, Tirbedon, bu farw Medi 30ain 1893 yn 70 mlwydd oed.

Yma gorphwys fy anwylyd
Wedi gado'r byd ai benyd
Henphych fora caiff ei gobaeth
Feddiant Llawn oi hetifeddiaeth.

Hefyd Er Serchog Gof am Capt. WILLIAM WILLIAMS, uchod, yr hwn a fu farw Mai 4ydd 1895 yn 69 mlwydd oed.

E hwyliodd y dyfnfor heli – ai gred
Ar Grist yn angori;
Glaniodd ar fro goleuni
Dir y Nef on Daear ni.

[Edern6, 6a, 6b]

254

Redeem the Time. Underneath lyeth the body of DOROY WILLIAMS the wife of Maurice Humphreys of Pen-y-Bryn, Mariner, who departed this life ye 22 March 1753 aged 49. Here also lyeth ye body of Mary, the daughter of above said Mce Humphreys, who died Septr 16, 1754 aged 17 years.

Er gorwedd yn farwedd fyd – mewn daear
Man dywyll ac oerllyd;
Dychwel ein uchel iechyd
Dydd Barn goddiwedd y Byd.

[CHTG]

EDERN

Mynwent y Capel (MC)

255

Gwyddfa ELIZABETH merch Griffith ROBERTS, Pwll-clai o Mary ei Wraig, yr hon a fu farw Chwefror 2fed 1850 yn 29 mlwydd oed.

Nes cei ail oes, cwsg Eliza – 'n llonydd
Yn y llannerch yma:
O gantoedd ti yw'r gynta
Gadd ynddi fedd diwedd da.

[Ed02]

256

Gwyddfa ELEANOR, merch Thomas ELLIS, Pentref Edeyrn o Dorothy ei Wraig. Ganwyd Rhagfyr 14eg 1824. Bu farw Awst 10fed 1854.

Ei ber einioes a brynodd – o oes fer,
Oes faith a enillodd.
Ei chymeriad, o fad fodd,
Yn anwyl bêr-eneiniodd.

[Ed03]

257

Er cof am ROBERT WILLIAMS, Cwmistirisa, yr hwn a fu farw Mehefin 11eg 1879 yn 76 mlwydd oed. Wedi bod yn aelod eglwysig 60 Mlynedd ac yn ddiacon am 47 Mlynedd.

Hen dad di-fost, diwyd, fu – hael i dlawd –
Diail am ddisgyblu:
Aeth o wres gwaith hir oes gu
I gôl oesol ei Iesu.

ALAWN

[Ed04]

258

Isod y gorwedd y rhan farwol o JOHN WILLIAMS, Ty'n Llan Edeyrn, yr hwn a fu farw Awst 13eg 1871 yn 75 mlwydd oed.

Ni syniai un trawsineb – a rhodiodd
Ar hyd llwybr cywirdeb:
Dyna ei nod – oedd dyn i neb
Er undyn oddiar uniondeb.

SARPEDON*

[Ed05]

259

Er cof am Captn JOHN ROBERTS Llainhir, yr hwn a fu farw. Medi 10ed 1869 yn 80 mlwydd oed. Hefyd am ELIZABETH ei wraig yr hon a fu farw Mawrth 31ain 1875 yn 83 mlwydd oed.

Daw diwrnod hynod ei hedd – i gyrchu
O garchar y dyfnfedd,
A'r duwiolion wiwlon wedd
I felus wir orfoledd.

[Ed06]

260

Er cof am Griffith Roberts, Llain-hir, yr hwn a fu farw Ebrill 28ain 1852 yn 29 mlwydd oed. Hefyd am MARGARET ROBERTS ei chwaer yr hon a fu farw Chwefror 17eg 1891 yn 77 mlwydd oed.

Mun ddiwyd, gall, mae'n ddiau – a fu hi
Hyd fedd yn llawn rhiniau;
A bydd, pan egyr beddau,
Yn wir hon gaiff ei mawr hau.

[Ed07]

261
In memory of HUGH, son of Captn Hugh ROBERTS, Vron Hyfryd, Morfa Nevin by Ellen his wife, died July 3rd 1862 aged 9 months.

Yn gynar i ogoniant – ae Hugh bach
Uwchlaw byd y siomiant
Gweision Duw ai dygasant – Faban cu
I barlwr Iesu yn berl fe i rhoisant.

[Ed08]

262
In memory of Captn JOHN ROBERTS, Vron Hyfryd, Morfa Nevin, who died February 15th 1864 aged 35.

Er gwyro'r corph i'r gweryd, - ae'r enaid
I rinwedd nef wynfyd.
Y rhai unir, rhyw enyd
Yn ôl i fyw mewn ail fyd.

[Ed09]

263
Er coffadwriaeth am ELLEN, gwraig Thomas ROBERTS, Bryngwydd, yr hon a fu farw Mehefin 10, 1964 yn 69 mlwydd oed. Hefyd am eu mab, Captn OWEN ROBERTS, yr hwn a fu farw Mawrth 25, 1866 yn 29 mlwydd oed.

Diangodd o'r mor am weryd, - a gwell
Taflodd o gwch Bywyd
Angor i Fôr yr ail fyd –
I ddwfr y "Porthladd Hyfyd." *[sic]*

[Ed10]

264
Er cof am ANN, unig ferch John ac Ann ROBERTS, Pentref Edeyrn, yr hon a fu farw Gorphenaf 9ed 1871 yn 41 mlwydd oed.

Cwsg, cwsg yn dy wely cudd – anwyl Ann
Darfu loes a chystudd
Ti gei wyl o'r breswyl brudd – yn y man
A Duw ei hunan yn bob dywenydd.

Ern FAB*

[Ed11]

265
Er cof am ROBERT HUGHES, Hirdref, yr hwn a fu farw Awst 10fed 1868 yn 93 oed. Hefyd am ANN, gwraig y dywededig Robert Hughes, yr hon a fu farw Awst 3ydd 1870 yn 90 oed.

Caiff pydron feirwon i anfarwol – fyd
Adgyfodiad bywiol:
I fynu i'r farn fanol
Heb fod un aelod yn ol.

[Ed12]

266
Er coffadwriaeth am ELIZABETH, gwraig John HUGHES, Cefn Edeyrn, yr hon a fu farw Mehefin 28ain 1864 yn 82 mlwydd oed. Wedi bod yn Briod am 61 mlynedd. Ac yn proffesu Crist am 56. Hefyd y dywededig Captn JOHN HUGHES, yr hwn a fu farw Awst 2, 1866 yn 85 mlwydd oed. Wedi bod yn proffesu Crist 60 mlynadd yn Ddiacon 42.

E hwyliodd y dyfnfor heli – ai gred
ar Grist yn angori
Glaniodd ar fro Goleuni
Dir y Nef on Daear ni.

[Ed13]

267
Er serchog gof am Capt. THOMAS HERBERT, Angorfa, Edeyrn, a fu farw Ebrill 4, 1911 yn 57 mlwydd oed. Hefyd am ei anwyl fab THOMAS, peirannydd ar fwrdd y S.S. Maritine [sic] suddodd allan a [sic] S. America, Ebrill 1914 yn 30 mlwydd oed.

Hwyliodd gan feddwl dychwelyd – ond ofer
          Fu dyfais gelfyddyd;
    Y môr wnaeth ei gymeryd
    Ei enw gawn. Dyna'i gyd.

[Ed15]

('6 April, 1914: S.S.Maritime [United Kingdom]. The cargo ship passed Fernando de Noronha, Brazil on this date bound for Campana, Argentina. Believed to have foundered on or before 12 April at 20058'S 40000W with loss of all hands.' – Wikipedia)

268
Er serchus gof am JANE, priod Evan ROBERTS, Ty Croes, Llithfaen, ac ail ferch Wm. THOMAS, Pentref, Edern, bu farw Awst 21ain 1880 yn 27 mlwydd oed.

Brudd yw'n bro wrth gofio'i gwên – ie chwith
Ei chau a thywarchen;
Ond, er boddhad o'r bedd hên
I well lle daw'n fwy llawen.

EDEYRNFAB*
[Ed14, 14a]

269
Er cof annwyl am Y Parchedig T. O. JONES, Edern, a fu farw Mai 3, 1941 yn 64 mlwydd oed. Bu'n weinidog cymeradwy a ffyddlon ar amryw eglwysi o 1912-1941.

Cu fu, hawdd cofio i weddi – cofio llaw
Cyfaill hoff mewn cyni;
A'i ddawn un wlithog oedd hi
Dawn T.O. nid yw'n tewi.

W. M. *
[Ed01, 01a]

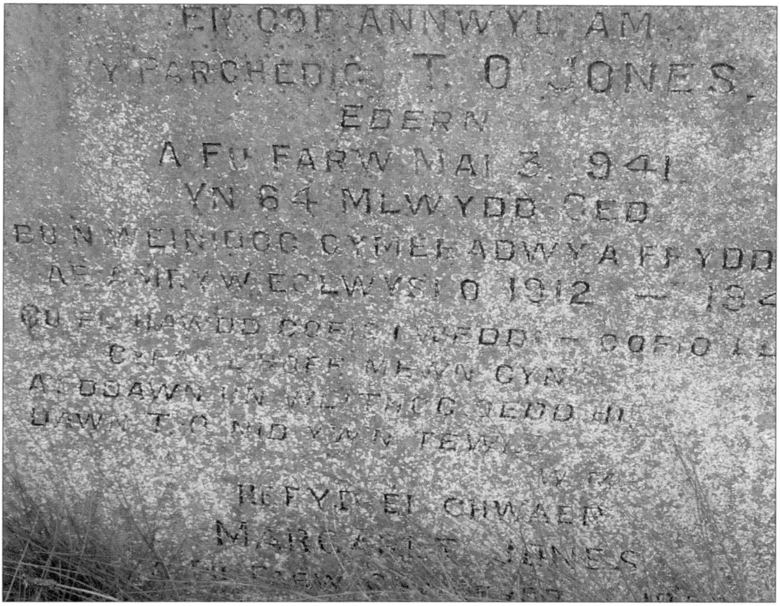

ER COF ANNWYL AM
Y PARCHEDIG T. O. JONES,
EDERN
A FU FARW MAI 3. 941
YN 64 MLWYDD OED
BU'N WEINIDOG CYMERADWY A FFYDD
AR AMRYW EGLWYSI O 1912 — 194
[illegible] HAWDD COFIO [illegible]EDD — COFIO [illegible]
[illegible] HOFF MEWN CYN[illegible]
A [illegible]DAWN [illegible] [illegible] [illegible]
[illegible] T. O. NID YW'N TEW[illegible]
[illegible]
HEFYD EI CHWAER
MARGARET JONES
[illegible]

LLANAELHAEARN

Eglwys Aelhaearn Sant

270

SARAH JANE JONES, Glanllyna, Llannor, bu farw Ebrill 16, 1875 yn 2fl ac 11 mis oed.

Diengyd i wynfyd angel – o'i gofid
Gafodd yn ddiogel;
Ac ar ei bôch Cerub wel,
Drugaredd Duw ar Gwrel.

[Llanael01]

271

Er cof am JANE, priod Robert PARRY, Cefn Gwnus, yr hon a fu farw Mai 18ed 1878 yn 46 mlwydd oed. Hefyd am ROBERT PARRY, yr hwn a fu farw Mai 16eg 1906 yn 77 mlwydd oed.

Och! Nhad bach yn Nhud y bedd – yma hun
Mam anwyl yr unwedd;
Gwawr Ion uwch gro eu hanedd
Alwo rhai'n i Wyl yr Hedd.

GWNUS*

[Llanael02]

272
Er cof am OWEN ROBERTS, Bryn Mawr, Llanaelhaiarn, bu farw Ebrill 17, 1872 yn 53 oed.

Yn ei ddydd Owen fu'n dda – was i Dduw
Nes ei ddod hyd yma:
Heuodd pan wenodd ei ha: -
I fedi yr adgyfoda.

[Llanael03]

273
Underneath are interred the remains of ANNE, wife of Morris HUGHES of Cwm Coryn, who departed this life Novr 16th 1837 aged 35 years. Also the remains of the above MORRIS HUGHES, who departed this life Feby 28th 1858 aged 65 years.

Morys a'i felys foliant – a gariwyd
I Gôr y Gogoniant;
A dyna lle seinia'r Sant
Emyn nefol mewn nwyfiant.

[Llanael04]

274
Er cof am ROBERT GRIFFITH, gynt o Gallt Derw, yr hwn a fu farw Ion. 31, 1877 yn 78 mlwydd oed. Hefyd am MARY, priod y dywededig Robert Griffith, yr hon

a fu farw Ionawr 23, 1884 yn 84 mlwydd oed.

Ddau hynaws mewn bedd hunant – yma'n hir
Ac mewn hedd gorphwysant;
Yn niwedd byd gwynfyd gânt.
I deg fyd cydgyfodant.

[Llanael05]

275

Er serchog gof am JANE, anwyl briod Thos WILLIAMS, Farren Street, Trevor, yr hon a hunodd yn yr Iesu Chwefror 23, 1890 yn 55 mlwydd oed. Hefyd ei phriod THOMAS WILLIAMS, yr hwn a fu farw Tachwedd 20, 1910 yn 79 mlwydd oed.

Yn hên a llesg yn y llwch – yr hunaf
Ronyn wedi tristwch;
Ond ieuanc er tranc, uwch trwch – y beddrod
Yn iach oi waelod y dof chwi welwch.

[Llanael06]

276

Er serchog gof am briod, tad a thaid hoff HENRY OWEN, Ty Newydd, Llangybi, 1919-1981

Y talaf ei faintioli - a loriwyd,
Galara Llangybi;
Yn y llan mae dagrau'n lli
Y mae hiraeth am Harri.

J.H.JONES*

[Llanael07]

277

I gofio'n annwyl am MARGARET WILLIAMS, 14 Lime Street, Trevor, a hunodd Rhagfyr 23ain 1964 yn 61 mlwydd oed. Gadawn i Dduw ei 'sbonio'i Hun – Efe dry'r nos yn ddydd. "Hyn a allodd hon, hi a'i gwnaeth." Hefyd ei hannwyl briod RICHARD OWEN WILLIAMS, a hunodd Medi 6, 1967 yn 64 mlwydd oed.

Yn ei drist noswyl ar draeth – o afael
Ei ofid a'i hiraeth,
O degwch hen gymdogaeth,
I well gwlad ar eiliad aeth.

D.J.ROBERTS,* Lerpwl

[Llanael08]

278

Hedd. Er cof tyner am fy anwyl briod ROBERT CHARLES HUGHES, 59 Eifl Road, Trevor, a hunodd yn dawel Medi 14eg 1967 yn 66 mlwydd oed.

Ffefryn hwyliog cymdogaeth – un uniawn
Hynod ei wybodaeth.
Gwâs annwyl llawn gwasanaeth
A gwir ffrind gyda'r gair ffraeth.

J.Ll.R.* Penygroes

[Llanael09]

279

Er cof tyner am BUDDUG, annwyl blentyn Mr & Mrs ROWLANDS, Cwm Ceiliog, hunodd Gorphenaf 1954 yn flwydd a hanner oed.

Iraidd wen dy ruddiau iach – a giliodd
O'n golwg ni mwyach,
Heb ball rhaid inni bellach
Ddygymod a'r beddrod bach.

G. ROWLANDS

[Llanael10]

(Camgymeriad y saer maen ydi'r 'G.' Gweler J. ROWLANDS)*

280

Er cof am RHIANNON, annwyl briod W. J. JONES, 42 New Cottages, Trevor, bu farw Gorff. 2, 1953 yn 30 mlwydd oed.

I'w grud anwylyd mewn hwyliau – a ddaeth
Ond mor ddwys yr oriau;
Mam un gwyn, yn briddyn brau
Roed, O ing! yng nghrud angau.

[Llanael11]

281

GRIFFITH JONES, annwyl briod Mary Jones, 2 Erw Sant, Llanaelhaiarn, a hunodd Mawrth 12, 1957 yn 75 mlwydd oed. Hefyd ei briod MARY JONES a hunodd Medi 18, 1959 yn 77 mlwydd oed.

Hyd orffwys o bwys y byd – dau annwyl
Gyd-dynnai mewn bywyd.
Cyd-huno ceid dau, ennyd
Hyd fore braf "haf o hyd."

CYBI*

[Llanael12]

282

Er serchog gof am Tryphena Williams, annwyl briod Hugh Wiliams, Aelfryn, Trevor, a hunodd Mai 8, 1959 yn 66 mlwydd oed. "Hyn a allodd hon hi a'i gwnaeth." Hefyd ei phriod HUGH WILLIAMS, a hunodd Mehefin 21, 1972 yn 83 mlwydd oed.

Er rhoi hwn mewn oer annedd, - yma'n ddwys
Mewn hedd hir i orwedd,
Synnaf na ddaw perseinedd
Gloyw ei Fand drwy glai ei fedd.

T.B.J.*

[Llanael13]

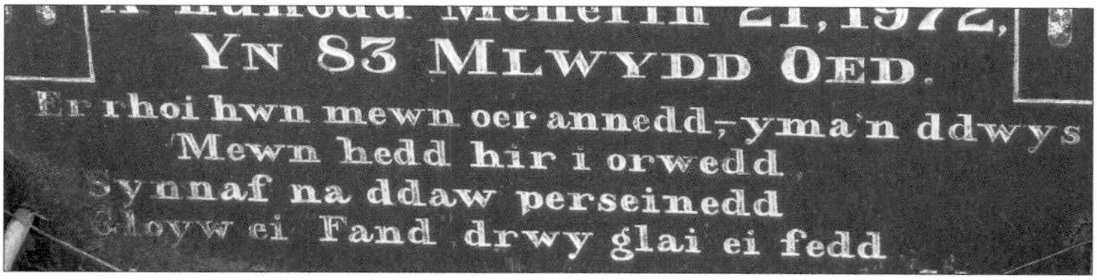

283

Er cof am JOHN OWEN JONES, Maes-y-Neuadd, Llanaelhaiarn, bu farw Mai 24, 1888 yn 84 oed. Hefyd am ei chwaer, SYDNEY LLOYD JONES (Barddones Arfon), bu farw Hyd. 6, 1888 yn 77 oed.

Gorweddwn, hunwn mewn hedd – yn y llwch
Mewn lle heb anrhydedd.
Ond deuwn yn y diwedd
Ein dau i fyw o'n du fedd.

IEUAN O LEYN*

[Llanael14]

284

Er cof am RACHEL, priod Richard ELIAS, Planwydd, yr hon a fu farw Hydref 19eg 1878 yn 44 mlwydd oed. Coffadwriaeth y cyfiawn sydd fendigedig. Hefyd y dywededig RICHARD ELIAS, yr hwn a fu farw 29, Awst 1908 yn 81 mlwydd oed.

Yr Iôn, pan ddelo'r ennyd – ar ddiwedd,
O'r ddaear a'n cyfyd;
Bydd dorau beddau y byd
Ar Un Gair yn agoryd.

[Robert ap Gwilym Ddu]*

[Llanael15]

285

Er coffadwriaeth am WILLIAM, mab Ellis a Elizabeth THOMAS, Fourcrosses, yr hwn a fu farw Mai 16eg 1874 yn 25 mlwydd oed. "Felly y rhai a hunasant yn yr Iesu, a ddwg Duw hefyd gyd ag ef."

Yma William, i wely – o bridd oer
Ebrwydd aeth – ow! r lletty
Diau o'r hûn daw er hyny
I fewn i fraint y fan fry.

O.JONES.* Plasgwyn

[Llanael16]

286

Er cof serchog am ROWLAND P. ROBERTS, Cwmcoryn, Llanaelhaiarn, bu farw mewn canlyniad i ddamwain, Ebrill 20, 1927 yn 23 mlwydd oed.

Er ei gloi yn nhir y glyn – er wylo
Am Rolant heb derfyn,
Etto'n dal atto yn dyn
Y mae 'cariad' Cwmcoryn.

R.E.W.

[Llanael17]

287, 288

Er cof annwyl am ELIZABETH MARY, priod ffyddlon a hawddgar Gwilym OWEN, 50 Eifl Road, Trevor, fu farw'n sydyn Tachwedd 29, 1956 yn 40 mlwydd oed. Gwasanaethodd gyda'r organ yn Eglwys Gosen (MC), Trevor, er yn blentyn.

Anwylodd hon y lili – ei dwylo
A'i daliai ddydd priodi;
Gwelwch roi'i harddwch erddi
Yma'n awr ar ei maen hi.

Erys yng Ngosen hiraeth – am ei gwên
Am ei gwiw gwmnïaeth
Rhoddi mwynlan wasanaeth
Yn nhŷ ei Hiôr o'i bodd wnaeth.

TOM BOWEN JONES,* Trefor

[Llanael18]

289

Er cof am ELLEN, priod Owen JONES, Glan'rafon Terrace, Trefor, bu farw Mawrth 12, 1894 yn 43 oed.

'Run burach hoywach na hi – a gludwyd
I gleidir Eryri
Ond ei rhan aniflan hi
'N oludog heb dylodi.

[Llanael19]

290

Er serchus goffadwriaeth am OWEN ROBERTS, Bronmiod, yr hwn a fu farw Ionawr 19, 1885 yn 65 mlwydd oed.

O Roberts yn ddirybudd – alwai Duw
I'r wlad well heb gystudd
Am wr hyfwyn, mor ufudd
Llawer bron sydd yn llwyr brudd.

[Llanael20]

291, 292

Er serchog gof am WILLIAM JONES, annwyl briod Jane Jones, Murcyplau, Llangybi, hunodd Awst 22, 1924 yn 56 mlwydd oed.

Yma hûn William annwyl – wedi oes
Dawel, deg ei orchwyl:
Yn Iesu cadwodd noswyl;
'Fory daw i'w hyfryd wyl.

CYBI*

Hefyd y dywededig JANE JONES, a hunodd Ebrill 11, 1926 yn 61 mlwydd oed.

Hithau ei wraig a ddaeth i rô – obry'n
Ebrwydd, i gydhuno;
Ond daw Ion i'w dihuno
I fraint yr anfarwol fro.

CYBI*

[Llanael21]

293
Er serchog gof am ROBERT ROBERTS, "Ynys Goch" a fu farw Medi 8, 1922 yn 58 mlwydd oed. Bu yn flaenor yn Capel Cwmcoryn am 26 mlynedd.

Dyn da, dymunol wladwr – a gwr fu
I grefydd yn noddwr
Mynwesol gymwynaswr
Ac un fu i'w deulu'n dwr.

D. OWEN

[Llanael22]

294
Er cof am JANE THOMAS, anwyl briod Richard Thomas, Sea View, Trevor, yr hon a fu farw Ionawr 11, 1904 yn 56 mlwydd oed.

Un bur oedd - ar lwybrau addas – o hyd
Y rhodiodd Jane Thomas:
Uwch grym y lli 'nghwch gras – aeth yn llawen
Drwy'r Iorddonen draw i'r aur ddinas.

WILLIAMS

[Llanael23]

295

Er serchog gof am JOHN GRIFFITHS, Tan-y-Graig, Llanaelhaiarn, yr hwn a fu farw Maw. 28, 1916 yn 71 mlwydd oed. Am hynny byddwch chwithau barod; canys yn yr awr ni thybioch y daw Mab y Dyn.† Hefyd ei briod MARY GRIFFITHS yr hon a fu farw yn Brynteg, Groeslon, Tachwedd y 9fed 1920 yn 73 mlwydd oed.

Ai dyma ddiwedd dy daith – na na
Ond noswyl dros noswaith
A'th gyfodi'r ol gyfraith
O rith y glyn yn ddiragrith.

[Llanael24]

† Mathew: 24, 44

296
Er serchog gof am MAGGIE, anwyl ferch Owen a Mary WILLIAMS, Ty Capel Babell, bu farw Mehefin 13, 1899 yn 18 mlwydd oed.

Llon eneth fu'n llawn yni – er da oedd –
Pur ei dawn, a thrwyddi
Duw ynom ddwêd amdani –
"Difyr, hardd, clodfawr yw hi."

Hefyd ei chwaer Jane M. Williams, bu farw Tachwedd 21 1918 oed 44

[Llanael25]

297
Er serchog gof am Laura Rowlands, anwyl briod Rowland Rowlands, The Bungalow, Trevor, yr hon a hunodd Mehefin 4, 1924 yn 52 mlwydd oed. Gwyn eu byd y rhai pur o galon: Canys hwy a welant Dduw. Hefyd ROWLAND ROWLANDS, yr hwn a hunodd Mawrth 8, 1936 yn 72 mlwydd oed.

Llyw y gwaith cyfaill gweithiwr – o frwd fyd
I'w fro yn gynghorwr
I Seion deg Iesu'n dwr
Hael, feunyddiol foneddwr.

CYBI*

[CHTG, Llanael26]

298

Er serchog gof am CLARA, anwyl briod Richard ROBERTS, 64 New St., Trevor, bu farw Ebrill 24ain 1903 yn 32 mlwydd oed.

Clara bur nis cloa'r bedd – ar ei pharch
Carai ffyrdd gwirionedd;
Drwy helynt ei hir waeledd
Aeth draw'n syth i deyrnas hedd,

R. MÔN WILLIAMS

[Llanael27, 27a]

299, 300

Er cof serchog am DAVID HUGHES, anwyl briod Anne Hughes, 3 Lime Street, Trevor, bu farw Ionawr 7fed 1908 yn 47 mlwydd oed.

Yn y llwch hwn yn llechu – diofid
Mae Dafydd anwylgu;
A'i enaid yn ganiad gu
Arosol gyda'r Iesu.

Hefyd y ddywededig ANNE HUGHES, yr hon a fu farw y 6fed o Ebrill, 1912 yn 55 mlwydd oed.

'Rol gyrfa lwys gwiw orphwysant – yn gu
        Dafydd ac Ann hunant;
    A'i hael deg uchel dant
    Yn yr Iesu arhosant.

[CHTG, Llanael28]

301
Er serchog gof am Catherine Hughes, anwyl briod Evan Hughes, Llwyn-y-Brig, Trevor, yr hon a fu farw Ion. 16eg 1910 yn 57 mlwydd oed. "Gwyn eu byd y meirw yr rhai sydd yn marw yn yr Arglwydd." Hefyd y dywededig EVAN HUGHES, yr hwn a fu farw Mai 18fed 1914 yn 77 mlwydd oed.

Athraw doeth gweithiwr da – oedd Evan Hughes
        Bardd fu'n wyn ei yrfa;
    Weddiwr dŵys gorphwys ga
    A'r diweinydd brŵd hûna.

        LLWYD ERYRI

[Llanael29]

302
Er serchus gof am MARY JANE JONES, anwyl briod J. Jones, Mount Pleasant, Llanaelhaiarn, bu farw Mehefin 7, 1913 yn 34 mlwydd oed.

Chwaer dawel a chywir duedd – rasol
Hardd rosyn tangnefedd;
O wan einioes cadd wen anedd
O glwy'r byd i hyfryd hedd.

CNYTHOGFARDD *[sic]*

Hefyd ei mam Mary Hughes, bu farw Gorffennaf 5, 1947 yn 92 mlwydd oed.
"Byw yn nef bawb yn ifanc."

[Llanael30]

303
Underneath are interred the remains of HUGH HUGHES of Cwm Coryn who departed this life Febry 24th 1855 aged 65 years.

Siomiant rhoi Hugh Hughes yma – un hwylus
Un hael ym mhob gwasgfa;
Yn ei fedd mwy ni fuddia,
Ei Ben doeth, na'i sgrifbin da.

[Llanael32]

304, 305
Er coffadwriaeth am RICHARD JONES, Tyddyn Drain yn y plwyf hwn, a fu farw 3ydd dydd o Fawrth 1855 yn 53 oed. Hefyd er galargof am CADWALADR, mab y

diweddar Richard Jones ai wraig Elizabeth, yr hwn fel y tybir a gollwyd yn yr Harlech Castle† ar duedd Awstralia ddiwedd Mehefin 1870 yn 25 mlwydd oed.

Duw o for wna i adferyd – ar ddilwgr
Bur ddelw'r Anwylyd;
Hynod beth! Caiff newid byd,
O'r eigionfor i'r gwynfyd.

CYNDDELW*

Hefyd am GAENOR, merch Richard ac Elizabeth uchod a fu farw Rhagfyr 18fed 1872 yn 24 mlwydd oed.

Ac felly mewn cyfeillach – fwy ei bri,
Efo'i brawd mae'n holliach;
Heddyw'n wir mae'r ddau'n iach
Diball eu gwynfyd bellach.

CYNDDELW*

Hefyd Elizabeth Jones, priod y dywededig Richard Jones a hunodd yn yr Iesu Ionawr 12fed 1889 yn 81 mlwydd oed.

[Llanael33, 33a]

(† Llong hwyliau o 600 tunnell oedd yr Harlech Castle*; adeiladwyd gan R & J Evans & Co, Lerpwl yn 1867. Diflanodd ar ôl gadael Melbourne ar daith i Newcastle ar 27 Mehefin 1870 gyda chriw o 23 o dan Capten*

Davies. 'A vessel resembling her was seen by the schooner Alcandre about 60 nautical miles south of Cape Howe and she appeared to be listing badly.' – www.wrecksite.eu*)*

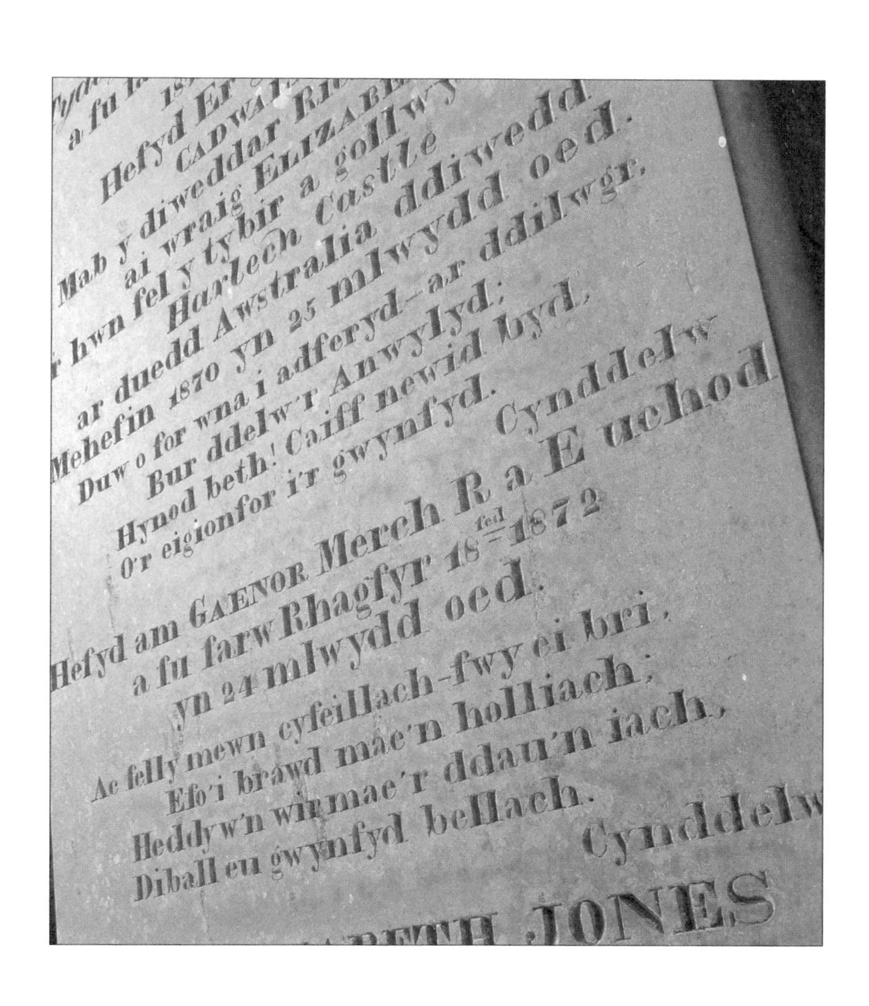

306

Er cof am William Davies, Ty-Isaf, Trevor, yr hwn a fu farw Hydref 23ain 1872 yn 49 od. Hefyd am JANE DAVIES, merch y dywededig Wm Davies o Catherine ei wraig yr hon a fu farw Awst 24ain 1881 yn 23 oed.

Yn ir 'raeth hon i orwedd – i fynwes
Yr hen fynwent lwydwedd:
Yr ifanc a'r hen mor ryfedd,
Ant 'r un fath tua'r hen fedd.

Hefyd ei briod Catherine Davies bu f. Mawrth 9fed 1905 yn 82 mlwydd oed.

[Llanael34, 34a]

307

Er cof am Margaret, unig ferch Gth a Margt Roberts, Gwydr-Mawr, bu farw trwy Gael ei Tharo gan Felltent, Awst 7ed 1875 yn 31 mlwydd oed. Hefyd ei Brawd JOHN ROBERTS, Morfa, yr hwn a fu farw yr 11eg o Awst 1897 ac a gladdwyd y 14eg yn 55 mlwydd oed.

Dyn geirwir dan Ei goron – oedd Roberts
Ddewr hybarch, bur gristion;
Da am reswm diymryson,
Y Dyn hardd sydd o dan hon.

[Llanael31, 31a]

(† Roedd y wraig anffodus ar ei haelwyd pan digwyddodd y drychineb. Gyda llaw, mae anghysondeb rhwng a ffeithiau ar y bedd ac yr adroddiad yn Yr Herald Cymraeg, *sy'n sôn am 'Margaret Ellis, priod Capten W. Ellis, Rhoshigol.' Dywedodd y gohebydd (Aelhaiarn) amdani fel 'ddynes hawddgar, siriol, a charedig, a gobeithiwn ei bod wedi ei chipio i wlad na chyferfydd âg ystorm mwy.' Dioddefodd Llanaelhaearn storom eithriadol y noson honno, mae'n debyg: 'Un ffaith pur hynod a ddigwyddodd oedd: i ddyn ieuanc o'r enw John Griffith, tra yn croesi pont yn Elernion, gael ei gario gyda'r lli yn agos i chwarter milldir, a'i fwrw eilwaith fel Jonah ar dir sych.'* – Yr Herald Cymraeg, *Awst 13, 1875)*

308

Here lyeth the body of ROBERT, the son of Evan JONES of Carnarvon, Taylor, by Elizabeth his wife, who dyed ye 16th of August 1759 aged 16 years.

Suddais dan don – i fyw oes
A'r farrau Caernarvon
Er tramglwydd ogwydd eigion
Dois i fedd drwy hedd dan hon.

[CHTG]

309

DAVID, mab David WILLIAMS, Nant, Cwm, yn y

Plwyf hwn, o Jane ei wraig, yr hwn a fu farw Tachdd 19eg 1854 yn 22 oed.

Dyn odiaeth a dawn awdr – oedd Dafydd
A difau fel crefftwr
Aeth talentog eurog wr
I gulfedd wych gelfyddwr.

[CHTG]

310

Er cof am Capt. WILLLIAM T. ELLIS, No.7, Snowdon St., Caernarfon, yr hwn a fu farw Mai 24, 1884 yn 50 mlwydd oed.

O fwyn hawl fy Nuw a'i hedd – achubais
Lwch Aber i orwedd
Wele fan f'olaf annedd
Morio bum hyd dymor bedd.

[CHTG]

311

Er cof am MARY ELLEN, merch Richard a Catherine THOMAS, Trevor, bu farw Gorph. 22, 1885 yn 13 oed.

Mor welw i'w Mary Ellen mwyn – dlos
Mewn duwch daearen
Ond daw rhyw ddydd yn llawen
O gwsg oer yn ei gwisg wen.

SAM ROBERTS

[CHTG]

312
Er Serchog Coffadwriaeth am Dr. ROBERT R. HUGHES, LRCP & SE, mab Richard a Mary Hughes, Brynarlais, Llanaelhaiarn. Ganwyd Ionawr 22ain 1868, bu farw Rhagfyr 8fed 1897.

Meddyg hygar cyfarwydd oedd – dringodd
I Rengau enwogrwydd
Ca'dd er gwen talent hylwydd
Farwol loes ar foreu i lwydd.

E

[CHTG]

313
Er serchus gof am JOHN HUMPHREYS, Voelas Terrace, Llanaelhaiarn, yr hwn a fu farw Mai 27, 1909 yn 79 mlwydd oed.

Y glanaf ei drem a chyfaill yn llawn – caredig
A phur oedd ei galon
Gwr duwiol ei fryd, rhagorol ei ddawn
'Roedd pawb iddo ef yn gyfeillion.

G.J.

[CHTG]

314
Er serchog gof am WILLIAM JONES, Tynyffridd, Llanaelhaiarn, yr hwn a fu farw Awst 18, 1884 yn 84 mlwydd oed.

A! nid oedd ingoedd angau – iddo ef
Ond rhyddhad o'i boenau
Roi o fyd hir ofidiau
Am y nef, byth i'w mwynhau.

[CHTG]

315
Er serchus goffadwriaeth am ROBERT THOMAS, Tyddyndrain, Llanaelhaiarn, yr hwn a fu farw Medi

20fed 1882 yn 52 mlwydd oed.

Yn y fynwent byddaf innau – cin hir
O'r cilni er Calanmai
Rhwng dau fyd 'does neb difai
O Dduw maddau fy meiau.

ROBERT THOMAS

[CHTG]

316
Er cof anwyl am WILLIAM OWEN, 50, New Cottages, Trevor, fu farw Chwefror 2, 1963 yn 87 mlwydd oed. Hefyd ei briod ANN OWEN, fu farw Mawrth 29, 1964, yn 82 mlwydd oed.

Yn hir fe gedwir ar go' – eu mynych
Gymdeithas a'u groeso
Dydd prudd fu dydd ei priddo
A briw i gymdogaeth bro.

T. BOWEN JONES*

[CHTG]

317
Er cof am WILLLIAM OWEN, anwyl briod Margaret Owen, Allt-erw, Llanaelhaiarn, bu farw Rhag 13, 1918 yn 72 mlwydd oed.

Yma gorwedd is y gweryd – weddillion
        Gristion duwiol fryd
    Un oedd o nwyd nefol hyfryd
    Er yn ei fedd, mae'n wyn ei fyd.

[CHTG]

318

Er cof serchog am OWEN THOMAS (Drofa) annwyl fab Robert ac Elizabeth Thomas, 11 Lime Street, Trevor, 1879-1941.

Gwawr a dyr pan egyr dorau – ei fedd
        Daw'n fyw o byrth angau
    Goruwch oer bridd, carchar brau
    Y gwel fyd heb glefydau.

[CHTG]

319

Er serchog gof am BETSI ROBERTS, a fu'n ffyddlon wasanaeth yn Ynys Goch, Llanaelhaiarn, 1854-1927. Hefyd EMLYN LLOYD ROBERTS, Ynys Goch, 1922-1939. Hefyd ei fam MARJORIE JONES ROBERTS, Ynys Goch, 1901-1942.

O nych a gwendid di-dor – y ddau aeth
        Yn rhydd i'r wen oror
    Heddiw gwych, i'w meddyg Ior
    Lon fawlgan y Nefolgor.
        CYBI*

[CHTG]

320
Er serchog gof am NICHOLAS JONES, 24, Croeshigol Terrace, Trevor a fu farw Mai 6, 1934 yn 58 mlwydd o.

Mor heli mawr a hwyliais – a mynwent
Yw'r man yr angorais
Uwch y don llon y bu'm llais
Ond tawel yma tewais.
[CHTG]

321
Er serchog gof am Jane, priod Hugh Williams, Tai Newyddion, Llanaelhaiarn, bu farw Medi 8, 1902, yn 51 mlwydd oed. A'i mab JOHN FRANCIS, bu farw 25 Gorph. 1909 oed 25 mlwydd

Ioan anwyl sy'n huno – urddas hedd
Gardd y saint sydd drosto
Can hiraeth syn a gwyno
Dyma nodded maen iddo.
[CHTG]

322
Er serchog gof am ROBERT WILLLIAM EVANS, Tanllan, Llanaelhaearn, 1906-1961.

Duw bia gadw bywyd – cu anadl
Ac einioes, ac iechyd
Hawl a fedd i alw o fyd
Man y myno, mewn munud.
[CHTG]

323
Er cof anwyl am GWEN fach, merch hynaf ANNIE a DAVID CULLEN, 3, River Terrace, Trevor, a hunodd Awst 11, 1961, yn 7 mlwydd oed.

Mil gwell fydd cofio bellach – wedi'r boen
Wedi'r bedd, mai holliach
Dan wybren mil amgenach
Mewn gwynfyd mae ein Gwen Fach.

R. J. ROBERTS

[CHTG]

324
Er cof anwyl am GRIFFITH JONES, anwyl briod MARY JONES, 2 Erw Sant, Llanaelhaiarn, a hunodd Mawrth 12, 1957 yn 75 mlwydd oed. Hefyd ei briod MARY JONES a hunodd Medi 18, 1959 yn 77 mlwydd oed.

Hyd orffwys o bwys y byd – dau Annwyl
Cyd-dynnai mewn bywyd:
Cyd-huno ceid dau ennyd
Hyd fore braf haf o hyd.

[Cybi]*

[CHTG]

325
Er cof am CYNI WILLIAMS, 8 Maes Gwydir, Trevor, hunodd Gorffennaf 3, 1967 yn 66 mlwydd oed.

O'i ardd i bridd heb ei raw – aeth o'r byd
Daeth, i'r bedd ddi-alaw
Mae'n drist dy fod mor ddistaw
Yn hyn o le 'Yr Hen Law'.

TOM BOWEN JONES*

[CHTG]

326
Er serchog gof am Hugh Glyn Evans, Llwynaethnen, Trevor, hunodd Awst 30, 1967 yn 58 mlwydd oed. Cwsg nes gweld ein gilydd eto, cwsg a gwyn dy fyd. Hefyd ei briod MAGGIE ANN EVANS, hunodd Ionawr 28, 1977 yn 68 mlwydd oed.

Yma ddaearwyd mam dirion – a mam
Wir, mam law a chalon
Aelwyd a'i holl ofalon
A wybu werth aberth hon.

[CHTG]

LLANARMON

Eglwys Sant Garmon

327

Er cof am HANNAH, gwraig Henry HUGHES, Brynllefrith bach, yr hon a fu farw Ebrill 29ain 1881 yn 66 mlwydd oed.

Ei rhodiad fu'n anrhydedd – yn y byd
Ca'i barch am ei rhinwedd:
Enw da hon, a'i diwedd
O go'r byw ni ddygai'r bedd.

Hefyd am Henry Hughes, yr hwn a fu farw Medi 6ed 1905 yn 75 mlwydd oed.
'Y cyfiawn a obeithia pan fyddo marw.'

[Garmon01, 01a]

328

Er serchog gof am GRIFFITH GRIFFITHS, Madoc Street, Fourcrosses, bu farw Mehefin 3, 1896 yn 65 mlwydd o.

Gruffydd gwr hynod graffus – o ddoniau
Gwir dduweinydd medrus;
Ehedodd o'r byd adfydus, - wiw Sant
Ag arf ei lwyddiant, fu'r gorfoleddus.
PLENYDD*

[Garmon02]

329, 330
Er cof am JOHN ROBERTS, Gwyndy, Llecheiddior, Llanfihangel-y-Pennant, yr hwn a fu farw Awst 18ed 1872 yn 78 mlwydd oed.

Is hon y gorwedd hen sant – ond gadodd
Fendigedig gofiant,
Loesion du, ddarfuant, - yntau'n llawen
Yn ei wisg geinwen yn llys gogoniant.
PLENYDD*

Hefyd am JENNET, ei wraig, yr hon a fu farw Chwefror 27fed 1873 yn 70 mlwydd oed.

Ar ei ol i gol y gwys, - hi dynodd
Dan hon i gyd orphwys:
Nes geilw'r Iesu, gwiwlwys,
Hwy'n fyw o'i lawr i'w Nef lwys.

[Garmon03, 3a, 3b]

331, 332
HEDD
Er serchus gof am JOHN RICHARD JONES, Gwindy, Llecheiddior, a hunodd Mai 28, 1931 yn 59 mlwydd oed.

Diwyd fu'i fywyd hyd fedd, - ni wybu
Ond adnabod rhinwedd;
Er y marw a thrwm orwedd,
Golud ei ran – gwlad yr hedd.
D.J.E.

Isod cwsg cymwynaswr, - y duwiol
        A'r diwyd amaethwr;
    Yn Seion bu'n dirion dŵr,
    Ai rodiad i'w waredwr.

        D.O.

[Garmon04, 04a]

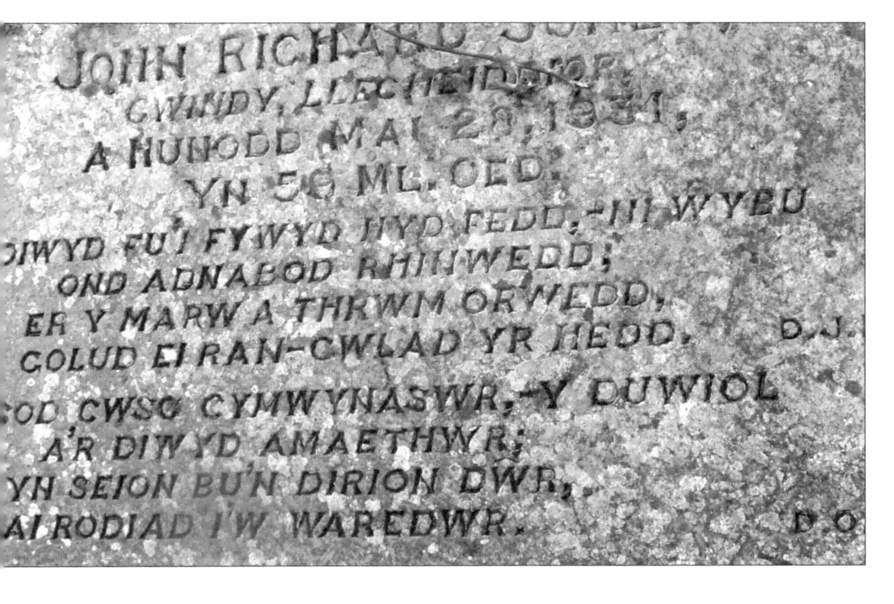

333
Er cof am JANE, gwraig Owen WILLIAMS, Talwrn, gynt o Benarth bach, yr hon a fu farw Mawrth 19eg 1873 yn 87 oed. A'r dywededig OWEN WILLIAMS, yr hwn a fu farw Chwefror 7fed 1877 yn 93 oed.

Tywarchen dau hen a huna – o fewn
Y gyssegr fan yma;
A llais Duw'n ei 'wyllys da,
Y ddau hen a ddihuna.

[Garmon05, 05a]

334
Er cof anwyl am EVAN EVANS, Bryn Gwdyn Isaf, Llanarmon, Gorphenaf 7, 1889 yn 78. Ei briod MARGARET, Medi 19, 1902, yn 80. A'u merch ELLEN, Mawrth 28, 1878 yn 31. Yn Iesu yr hunasant.

Am enyd, er trwm huno – yn y bedd,
O swn byd a'i gyffro,
Daw'r tri 'nghyd o gryd a grô
I esgyn i'w harwisgo.

Eu mab EVAN

[Garmon06, 06a]

335
Er cof am DANIEL JONES, Llong-lywydd, gynt o Ddrwsdeugoed, yr hwn a fu farw Hydref 25, 1866 yn 32 oed.

Ef fu wrol i forio – a diau
        Deall cryf oedd ganddo;
    O'i deithiau hir y daeth o,
    Am enyd yma i huno.

[Garmon07]

336
Er cof am EVAN, mab Evan a Mary JONES, Plas Gruffydd ap Ifan, Llanarmon, yr hwn a fu farw Mai 3ydd 1885 yn 12 mlwydd oed. Hefyd am ELIZABETH, eu merch yr hon a fu farw Tachwedd 23ain 1885 yn 18 mlwydd oed.

Rhoi i ddaear mor gynarol – chwerw oedd
Frawd a chwaer brydweddol:
Am y ddau em addawol
Hiraethir yn hir o'u hol.

Hefyd am ELLEN eu merch, yr hon a fu farw Awst 21, 1894 yn 19 mlwydd oed.

[Garmon08]

337
Er cof am GRIFFITH PRICHARD, mab Owen ac Ellen Prichard, Dulwyn, yr hwn a fu farw Rhagfyr 27ain 1877 yn 19 mlwydd oed.

Ow brydd-der! trymder roi amdo – o'i gylch,
A'i gau yn nhir ango;
Galar sydd, fod GRUFFYDD mewn gro,
Yma i lawr yn malurio.

[Garmon09, 09a]

338
Er cof am ROBERT WILLIAMS, Ty'n y gors, yr hwn a fu yn ben Saer Maen yn y Gwynfryn a'r Plashen, 30 flynyddoedd. Bu farw Hydref 31, 1874 yn 67 oed.

Co'n hir am y cywir cu, - wr duwiol
ROBERT WILLIAMS beru:
Ufudd fab tangnefedd fu,
Gwyn oedd iw ogoneddu.

Hefyd am Laura, gwraig y dywededig uchod, yr hon a fu farw Mai 20, 1885 yn 76 mlwydd oed.
'Nid marw hi; eithr cysgu mae.'

[Garmon10]

339
Er cof am JOHN PRICHARDS, Penarth bach yr hwn a fu farw Medi 26ain 1879 yn 70 mlwydd oed.

Gwr a gaid yn gu ar g'oedd – yn arddel
Mewn urddas Dduw'r nefoedd:
Glwys sant yn ei eglwys oedd,
A gwladwr gloyw ydoedd.

Hefyd ei wraig Elizabeth Pritchard a gladdwyd Gorph. 11, 1904 yn 86 oed.

[Garmon11]

340
Er cof am LAURA, gwraig Morris WILLIAMS, Brynllefrith-mawr, ac am WILLIAM eu mab.
Bu ef farw Mehefin 12fed 1883 oed 23
A hithau Awst 31ain 1883 oed 49

Hwy yn Iesu hunasant, - yn dawel
Eu deuwedd gorphwysant:
Ail fywyd mewn gwynfyd gant,
Fedi pan adgyfodant.

Hefyd am y dywededig Morris Williams, bu farw Gorph. 20fed 1912 yn 80 mlwydd oed.
'Gwyliwch gan hynny: am na wyddoch na'r dydd na'r awr y ddaw Mab y Dyn.'

[Garmon12]

341
Er serchog goffadwriaeth am JOHN WILLIAMS, anwyl fab Griffith a Catherine Williams, Tyddyn y Berth, Llanarmon, yr hwn a fu farw Hydref 21ain 1875 yn 4 bl. oed.

Yn bedair oed o'r byd yr aeth – heb brawf
Prin o'i lygredigaeth;
Byd y gofid newid wnaeth – am wynfyd
Y nef (anwylyd) heb ofni alaeth.

R.R.
[Garmon13]

342
Er cof anwyl am HUGH JONES, hoffus briod Elizabeth Jones, Penrallt Bach, Llanystumdwy, bu farw Chwef 21ain 1926 yn 60 mlwydd oed.

Un o duedd fwyn a diwyd: - a gŵr
Rhagorol drwy'i fywyd:
Hir erys uwch oer weryd
Enw hwn yn wyn o hyd.

J. MELINOG JONES

Hefyd Elizabeth Jones, 1872-1962
'Aeth o groes y loes ola
I hafan wen a fwynha.'

[Garmon14, 14a]

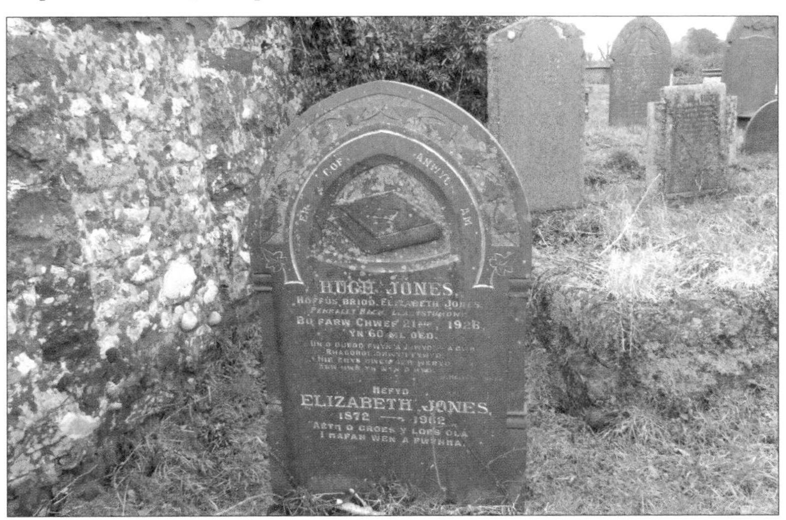

343
Er serchog gof am HUGH WILLIAMS, annwyl briod M.E.Williams, Bron-afon, Llanystumdwy, hunodd Chwefror 17eg 1921 yn 44 mlwydd oed. Hefyd eu hannwyl fab THOMAS JOHN, hunodd Hydref 9fed 1922 yn 18 mlwydd oed.

Oer iawn oedd ein daear ni – oi wanwyn
Edwinodd lanc gwisgi;
Ceinder bron ac iawnder bri
Addfwynaf dan brudd feini.

DWYFOR
[Garmon15]

344
GWYDDFA
O dan y bedd-lech hon y rhoddwyd
i orwedd hyd yr adgyfodiad corph
y diweddar JOHN WILLIAMS o'r
Lletty wynne
Yr hwn a ymadawodd a'r bywyd hwn
Tachwedd y 9ed yn y flwyddyn 1821
yn 73ain oed.

Er gwyro i âr gweryd – anelwig
JOHN WILLIAMS a gyfyd
Mewn eonfawr mwyn wynfyd
O orwael fedd i'r ail fyd.

[Garmon16, 16a]

345, 346
Er serchog gof am GRIFFITH ROBERTS Rhedynog, Abererch, yr hwn a fu farw Mai 9fed 1884 yn 46 mlwydd o.

Y bedd sy'n anedd enyd - i Griffith
Gwr hoffus fu drwy'i fywyd,
Er ei gloi, o le mor glyd
Ar y gair daw o'r gweryd.

W. H. ROBERTS

Hefyd ei briod ELLEN ROBERTS, yr hon a fu farw Mai 5ed 1923 yn 88 oed.

Melys yw hun yr uniawn, - a melys
Yw moli y Cyfiawn,
Ei Lys Ef sy'n felys iawn,
Ai wir odlau cariad lawn.

ISFRYN

[Garmon17]

347
Bedd JOHN WATKINS, Llywydd y Schooner Blue Vein, yr hwn wrth fyned mewn Cwch o Griccieth i Borth Madog a foddodd ar Far y Gest, Hydref y 19, 1838 yn 31 oed.

Trwy ing er gorfod trengi – yn ifangc
Wrth nofio'r Môr heli;
O'm ber daith ym bwriwyd i;
O fewn Bedd, heb ofn boddi.

[Garmon18]

348
Under this stone are interred the mortal remains of LOWRY WILLIAMS, late wife of William Williams, Llystyn Isaf, in the Parish of Pen y morfa who departed this life on the 10th of February AD 1809, in the 23rd year of her age.

Wele'r fan eirian wryd, gywir ffydd
Lle gorphwys f'anwylyd
Cofiwn ddydd Barn y cyfyd,
O lŵch bêdd i loywach byd.

[Garmon19, 19a]

349

Er cof am William, mab John a Mary Evans, Bryngwyn, bu farw Ionawr 18, 1867 yn 19 oed. Hefyd am Margaret [?] Evans ei fam a fu farw Tach. 22, 1873 yn 57 mlwydd oed. Hefyd am JOHN EVANS ei phriod a fu farw Chwefror 10, 1893 yn 78 mlwydd oed.

Ar ol taith lled faith drwy fyd – y dyrys
A'r blinderus fywyd
Fry aeth John gu fron ei fryd
A'i elfen oedd yr eilfyd.

T.J.

[CHTG]

350

Llwyndwyfog Grave
OWEN PRITCHARD, died June 30, 1737 aged 3. MARGARET ELLIS Sept 3, 1807 aged 54. JANE PRITCHARD, died August 7, 1809 aged 28.

O ofid daear afiach y ciliais
A nac wyler Mwyach,
Dof cyn hir, beth sydd wiriach,
Yn ol o'm beddrod yn iach.

J.J.

[CHTG]

351, 352

Er cof anwyl am CATHERINE, anwyl briod Evan EVANS, Coed Cae Gwyn, Llanarmon, hunodd yn yr Iesu, Mai 29, 1918 yn 54 mlwydd oed. 'Yn y tywyll fe'm cofir pwy fel Efe.'

Er huno CATHERINE, rhinwedd – oedd goron
Hawddgar ei buchedd,
A daw yn ol heb ol y bedd
Y nwyfys i dangnefedd

D.DAVIES

Er cof anwyl am EVAN EVANS, Coed Gwyn Llanarmon, a hunodd yn yr Iesu Hydref 17, 1923 yn 67 mlwydd oed. 'Am fy llwch fe lwyr ofala Pwy fel Efe.'

Gwr od o lengar ydoedd – a doniol
Ymdynnai o'r cyhoedd
A gwladwr gwyl anwyl oedd,
A rhan Ifan fu'r Nefoedd.

CYBI*

[CHTG]

353

Er cof anwyl am MARGARET HUMPHREYS, merch Owen a Mary Humphreys, Ty Hir, a hunodd Mawrth 9, 1928 yn 53 mlwydd oed.

A gallu ac ewyllys y doniwyd
Un mor dyner hysbys;
Mwy, hawlia coffa melys
Y llaw hael, mewn bwth a llys.

[CHTG]

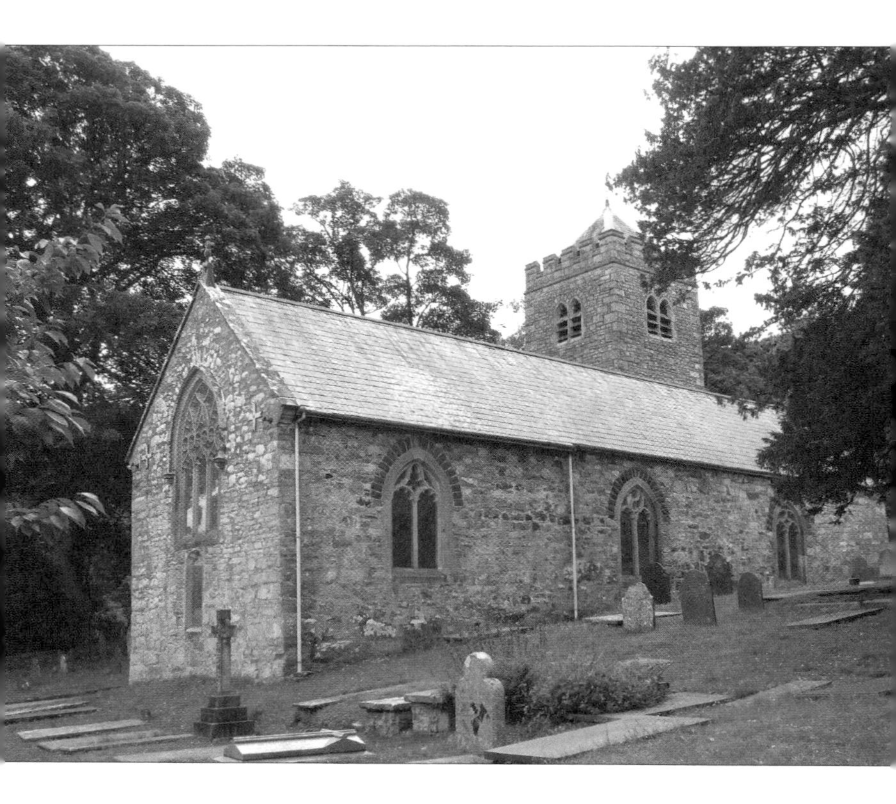

LLANBEDROG

Eglwys Sant Pedrog

354

In memory of SARAH, the wife of William WILLIAMS of Pwllheli, otherwise called John SIMMONDS in the British Navy. She died the 22nd of August 1855 aged 53 years.

Diwyd fu yn blodeuo – mewn einioes
Mae'n anwyl ei chofio:
Truan mewn graian a gro,
Ydyw hon wedi huno.

Also of the above John Simmonds, died Octr 6th 1864 aged 80.

[Llanbedrog1a,1b]

355

Underneath are interred the remains of EVAN ROBERTS of Crugan, Drover, who departed this life on the 11th day of July 1801, aged 63 years.

Di gyngor y dwg Angau – bob oedran
I bydru fel finnau
Ystyr hyn o briddyn brau
Gwel dy daith gwael doi dithau.

Likewise the Remains of Catherine, Relict of the above named Evan Roberts, who departed this life on the 13th day of October 1826 aged 74 years.

[Llanbedrog2, 2a]

356
Er coffadwriaeth am GRIFFITH SOLOMON, Gweinidog yr Efengyl gyda'r Trefnyddion Calfinaidd yr hwn fu farw Tachwedd 9fed 1839 yn 66 Blwydd oed.

Gwr a hoffid oedd Gruffydd – ei ddawn ffraeth
Oedd yn ffrwd ddihysbydd;
Esboniwr, olrheiniwr rhydd,
Mawr ei swm o Resymydd.

Hefyd am Berry [sic], gwraig y dywededig Griffith Solomon, yr hon a fu farw Mai 25ain 1817 yn 79 oed.

[Llanbedrog3]

357
Er serchus gof am CADWALADR GRIFFITH, Morfa Bychan, Portmadoc, bu farw Ionawr 15fed 1899 yn 51 mlwydd oed.

Oedd lenor o ddylanwad – yn ei fro
Weithiau'n frwd i'w geidwad;
O'i wely, hen Cadwalad
Foreu hoff ddaw i fawrhad.

ALAFON*

[Llanbedrog4]

358

Underneath lieth the remains of ROBERT JONES, late of Ty'n y Coed, Drover, who departed this transitory life on the 16th day of January 1803 aged 68 years.

O'm nychdod hynod anhunedd – o'm gofid
Mi gefais dangnefedd;
I Bedrog fonwent buchedd
O wlad y boen i waelod bedd.

Also of Dorothy, second wife of the said Robert Jones, buried January 21, 1817 aged 75 years.

[Llanbedrog 5, 5a, 5b]

LLANBEDROG

Mynwent Gyhoeddus

359

Er cof am briod a thad tyner DAVID VERNON PRITCHARD, Trem y Mynydd, Llanbedrog, 1935-1996

Ymdawelaf, mae dwylo – Duw ei hun
Danaf ymhob cyffro,
Yn nwfn swyn ei fynwes O
Caf lonydd, caf le i huno.

[Ben Bowen]*

[Pedrog01]

360

Er serchog gof am GAYNOR, annwyl briod John WILLIAMS, Terfyn, Mynytho, hunodd Mawrth 11, 1967 yn 61 mlwydd oed a JOHN WILLIAMS yntau, 1898-1971

O'r 'Terfyn' i derfyn y daith, – weithion
Hwy aethant brynhawngwaith;
Er y gro ac er y graith
Duw hawlia'n cwrddyd eilwaith.

CHARLES JONES*
[Pedrog02]

361
Er cof am LENA JONES, 23, Centreville Rd., Lerpwl, 1915-1982

I lu bu'n weinyddes lon – un a rôdd
Hanner oes i Sefton;
Tirion a hael – trwy wên hon
Dôi goleufyd i gleifion.

LLANOWAIN

Hefyd ei phriod Hugh John Jones, 1911-1996. Crefftwr cymwynaswr a chyfaill.

[Pedrog03]

362
Er serchog gof am CATHERINE, priod Moses JONES, Cae Cerrig, Mynytho, bu farw Ionawr 9, 1892 yn 54 mlwydd oed. Hefyd mam yr uchod, Catherine Jones, bu farw Medi 8, 1899 yn 94 mlwydd oed. Hefyd y dywededig Moses Jones, bu farw Tachwedd 23, 1913 yn 76 mlwydd oed.

Llwm, llwm a thywyll yma – ar eu hôl
Hir fu'r aelwyd gartra;
Ond er hyn, drwy'r blinder a –
Enfyn, gall Efe'n gwella.
Eu plant

[Pedrog04]

363, 364

Er cof am MARY, unig ferch Robert a Perry HUGHES, Fronheulog, Mynytho, bu farw Awst 18, 1890 yn 15 mlwydd oed.

Aeth Mary i blith y meirwon, - yn gynar:
Ond gwenwisg a choron
Gorwych Lys, goruwch loesion
Gan y Tad gai enaid hon.

Hefyd am ROBERT, eu mab, bu farw Mehefin 11, 1893 yn 19 mlwydd oed.

Robert hoff: er y bwriwyd di – ymaith
Drwy "ddamwain," ce'st brofi
Gan Iôn i'th fyth foddloni,
Ddamwain a hedd o'i mewn hi.

PEDROG*

Hefyd Perry, anwyl briod Robert Hughes, 27 Bangor Terrace, Cauldon Lowe Staffs., yr hon a hunodd yn yr Iesu Ebrill 24ain 1911 yn 69 mlwydd oed.
'Gwerthfawr y' ngolwg yr Arglwydd
yw marwolaeth ei Saint Ef.'

Hefyd am y dywededig Robert Hughes a fu farw Mehefin 22, 1917 yn 73 mlwydd o.

[Pedrog 05, 05a, 05b]

365

Er serchog goffadwriaeth am JOHN OWEN, Ty'n y Pwll, Llanbedrog, bu farw Medi 30, 1885 yn 74 mlwydd oed.

Fy anedd, weledd a welwch – rai byw
        Fi yn rhybydd cymerwch;
    Oblegid chwi a blygwch
    Rhyw awr i lawr i'r oer lwch.

Hefyd Mary Gwen ei wraig, a fu farw Hydref 13, 1887 yn73 [78?] mlwydd oed.
Yr hyn a allodd hon hi a'i gwnaeth

[Pedrog06]

366

Er serchog gof am JANE ANNE GERTRUDE, anwyl blentyn Owen a Jane JONES, Bryn Hyfryd, Llanbedrog, bu farw Ionawr 31, 1883 yn 4 a 5 mis oed.

Ber oes yn byw – rosyn bach, - a wywodd
Yn awyr byd afiach;
Mae'i geinion yn amgenach,
Yn y Nef: - mae yno'n iach.

Hefyd y dywededig Capt. Owen Jones, Rosemont, Llanbedrog, yr hwn a fu farw Mehefin 23, 1896 yn 65 mlwydd oed. Hefyd ei briod Jane Jones, 1849-1943.

[Pedrog07]

LLANDYGWNNING

Eglwys Sant Gwynin

367

Underneath are interred the Remains of MARGARET, daughter of Samuel PARRY, of the Plâs Inn, Pwllheli, by Catherine his wife, who departed this life on the 5th day of Jany 1839 aged 3 years

Yn dair blwydd o'n gwydd i gyd, - hon giliodd
I'r geulan sydd briddlyd:
Er ei chofio na chyfyd,
Nes rhyddhau beddau'r byd.

[Dygwnning1]

368, 369

Underneath are deposited the Remains of ELIZABETH, daughter of Lewis LEWIS of Llandegwning by Eleanor his wife, inter'd June 8, 1816 aged 7 months

Dyma'r fan wiwlan wedd – cywir-ffŷdd
Mae Corphŷn ifengedd
Lle'r awn ninau i'r un anedd
Golud bâch, gwaelod Bedd.

Ystyriwch, gwelwch mae gwaeledd – i'w parch
Pôb perchen anrhydedd
Rhaid i'r ifangc arafedd
O fwŷnder bŷd, fynd i'r Bedd.

[Dygwnning2, 2a]

370

Underneath lie the remains of Anne Evans of Tyn Rhos who died 17th June 1875 aged 60. Not lost but gone before. Hefyd ei phriod DAFYDD EVANS yr hwn a fu farw yr 11 Mai, 1900 yn 90 mlwydd oed.

Gorwedd yr wyf mewn gweryd, - na wylwch
Mae'r elw'n yr ail-fyd
Wyf iach o bob afiechyd,
Ac yn fy medd gwyn fy myd.

[Edward Richard]*

[Dygwnning4, 4a]

371
I Gofio'n Annwyl am GRIFFITH JONES WILLIAMS, Meillteyrn Isaf, Sarn, priod, tad a thaid caredig, hunodd Ionawr 19, 2000 yn 67 mlwydd o.

Ffeirio'r drywel am delyn – rhoi gorau
I gyrraedd ac estyn.
Hel gwaith i'w forthwyl a'i gyn,
A'i arfau ddaeth i derfyn.

R.J.*

[Dygwnning5]

372

I gofio'n annwyl am ALWYN RICHARDS 'Alwyn Lôn' Cefngwyfwlch Botwnnog, gwr, tad a thaid caredig, a hunodd Ebrill 17, 2009 yn 65 mlwydd oed.

Yn fyw, yn iach i'n cof ni er y bedd,
A thra bôm y byddi;
Awen ei wên, cofiwn hi,
Ei gellwair, nid ei golli.

G.W.*

[Dygwnning6]

373
Er serchog gof am Primrose Pierce, priod a mam annwyl, 22 Y Traeth, Pwllheli, 1926-1990. Hefyd ei phriod ROBERT GWYNDAF PIERCE, tad annwyl, 1924-2001

Heulwen ar hyd a glennydd – a haul hwyr
A'i liw ar y Mynydd;
Felly Llŷn ar derfyn dydd,
Lle i enaid gael llonydd.

J. GLYN DAVIES*

[Dygwnning7]

Llanengan

LLANENGAN

Eglwys Sant Engan

374

Er cof am RICHARD OWEN, Pen-y-groes, Bwlchtocyn, Llanengan, bu farw Mai 20fed 1886 yn 75 mlwydd oed.

A huno wnaf trwy auaf hir – yn dawel
        Nes delo dydd bernir:
    Deffry fy llwch 'rol heddwch hir,
    Yn y bedd mwy ni byddir.

[Engan01]

375

Underneath Lieth the Remains of JOHN JONES, Ceiriad, in This Parish who departed this life April 1st 1819 Aged 60 Years

Bedd priod hynod union, – un diwyd
        Da fel dyn a Christion;
    Hardd yr aeth o'r ddaear hon,
    O'i dŷn gur dan ei goron.

[Engan02]

376, 377
Er serchog gof am JOHN RICHARD WILLIAMS, Pant Farm, Llanengan, priod hoff ac annwyl Laura a hunodd Awst 21ain 1975 yn 66 mlwydd o.

Ni fu enaid addfwynach, ar ei fferm,
Gŵr â ffordd ddirwgnach,
Heb adwy i'w faes mwyach,
Heb y wedd yn y bedd bach.
M. G. JONES*
[Engan03]

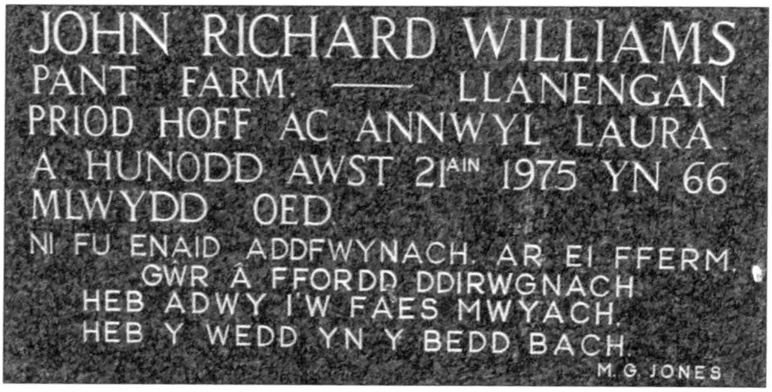

Hefyd ei briod LAURA, 1911-1987

A'i gymar, er ysgaru – ohonynt
Am ennyd, aeth obry;
Ond o'r 'Pant' daethant i dŷ,
Dialar Duw a'i deulu.
M. G. JONES*
[CHTG]

378

Er cof am MARGARET WILLIAMS, gwraig Hugh Williams o Gaernarfon (gynt o Crowrach) a merch Mr Ellis a Margt Jones Tan-y-Sarn o'r plwyf hwn yr hon a fu farw Ebrill 4 [gorchuddiedig â thyfiant] yn 28 mlwydd o.

Ceir o dan y garreg hon – yn huno
Un onest a ffyddlon:
Un heb rith o dan ei bron
O deulu y duwiolion.

[Engan04]

379

Er coffadwriaeth am Capt. JOHN PUGH o'r Schooner Humility, yr hwn a fu farw Awst 24ydd 1864 yn 34 mlwydd oed.

Nid mynor gwyn sy'n arwydd – o'i farw
Neu fawredd a dderfydd:
Ond dwyfol anfarwol fydd,
Yn Nuw ei enw newydd.

[Patrobas]*

[Engan05]

380
Er coffadwriaeth am Elizabeth Evans, gwraig John Evans, Llonglywydd (yr hon oedd ferch hynaf William Thomas, Deicoch a Margaret ei wraig) a gladdwyd yma Mai 16eg 1842 yn 33 oed.

Angau a dramwy ffordd nas gwyddom:
Angau dery pryd na thybiom;
Olew, olew sydd yn elw:
Mawr ei werth yn oriau marw.

[CHTG]

Hefyd am y dywededig JOHN EVANS, yr hwn a gladdwyd yma Ionawr 29ain 1852 yn 47ain mlwydd oed.

Mi hwyliais y môr heli – ond mynwent
Yw'r man gwnes angori:
Llon bu'm llais uwch y lli,
Ond tawel yma'n tewi.

[Engan06]

381
Sacred to the memory of JANE, wife of Thomas WILLIAMS of Caedu in this Parish, who departed this life on the 22nd day of Feby 1845 in the 52nd Year of her Age.
'Hyn a allodd hon, hi a'i gwnaeth.'

O! drymmaf, oeraf arwyl – gau y 'medd
Wraig a mam mor anwyl;
Ond gwell hi, mewn digoll hwyl
Yn Iesu cadwodd noswyl.

[Engan07]

82, 383

Er coffadwriaeth am CATHERINE, gwraig John EVANS, Pant yr Hwch, yr hon a fu farw Mehefin 15ed 1829 yn 48 oed. Hefyd am y dywededig JOHN EVANS yr hwn a fu farw. Ionawr 2il 1856 yn 83 oed.

At yr Iesu y troisant – ei ddilyn
A'i addoli wnaethant:
Yn Iesu yr hunasant:
Byth mwy ei gwobrwy a gant.

Ior bioedd rhoi eu bywyd – Ior hefyd
A'i rhifodd i'r mynyd
A'r Ef i'r Fan a'u cyfyd
O allu bedd i well byd.

O LLEYN*

[Engan08]

84, 385

Sacred to the memory of OWEN GRIFFITH, late Master of the Sloop Desire of Pwllheli, who departed this life on the 28th day of Febr. 1848 Aged 63 years.

Anturio, morio mewn mawredd – y bu
Hyd bauau'r cyhydedd;
A'i dywys yn y diwedd,
A gadd i borthladd y bedd.

Gauafaf, hunaf ennyd, - yn y bedd
Heb un boen nac adfyd:
Hyd forau cai f'adferyd,
Mewn bythol anfarwol fyd.

[Engan09]

(Adeiladwyd y Slŵp 'Desire' *(70 tunnell) yn 1813 a chollwyd hi yn 1865.)*

386, 387

Er coffadwriaeth am CATHERINE, gwraig William BENJAMIN, Tanyfynwent, yr hon a fu farw Awst 28ain, 1846 yn 46ain oed.

Yma yn llwch mân y llechaf – a'm rhan
Yw mhrynwr ffyddlonaf;
O angau fro neidio wnaf,
I'w ddilyn y dydd olaf.

Hun dawel yn y diwedd – a gefais
Rhag gofid a llesgedd;
Poen na chur pen ni chyredd,
Wely sant ar bant y bedd.

[CHTG]

88
Er coffadwriaeth am Margaret, merch William a Catherine Benjamin, Tanyfynwent, yr hon a fu farw Mai 18fed 1844 yn 7 oed. Hefyd am Jane, merch William a Catherine Benjamin, yr hon a fu farw Mehefin 10fed 1844 yn 5 oed.

Ni ddaeth y blodau prydferth hyn
A ga'dd mor syn eu symud
Ond prin i ddangos pa mor hardd
Yw blodau gardd y bywyd.

Hefyd am ELLEN, merch William a Catherine HUGHES, Tanyfynwent (ac wyres i'r dywededig William Benjamin) yr hon a fu farw Mehefin 5ed 1859 yn 15 mis oed.

Hyd foreu yr adferiad, i'w phuro
Caiff orwedd dan seliad;
Ac o'i phridd oer caiff ryddhad
Gwiw, yn nydd gogoniad.

[CHTG]

389
Er coffadwriaeh am MARGARET GRIFFITH, gweddw y diweddar John Griffith, Tanrallt, yr hon a fu farw Tachwedd 3ydd 1849 yn 71 oed.

Yn ei hoes fer un hynaws fu - Margaret
A'i golwg ar Iesu;
Aeth drwy'r hen Iorddonen ddu.
I'r gogoniant dan ganu.

[CHTG]

390
Er coffadwriaeth am GRIFFITH JONES, Tan y Bryn, a gladdwyd yma Mawrth 2il 1844 yn 55ain oed. 'Efe a wnaeth ddaioni tuag at Dduw ai dŷ.'

O drallod hynod i hedd – yn odiaeth;
Newidwyd fy sylwedd;
Cysurus, y ces orwedd,
O stwr y byd yn ister bedd.

[CHTG]

391
In memory of WILLIAM JONES, Master Mariner, of Penybryn, died September 1, 1862 aged 82. Also LAURA JONES, beloved wife of the above named William Jones, died 23rd of May 1868 aged 79.

I'r saint rhagorfraint i gyd – oll iddynt
Fu llwyddiant a'u hadfyd;
Gwên y nef a gânt hefyd,
Ac yn y bedd gwyn eu byd.

[CHTG]

391
Er serchog gof am JAMES PARRY, Tanrallt, Llanengan, bu farw Tachwedd 8, 1890 yn 57 mlwydd oed. Hefyd am ANN PARRY, gweddw y dywededig James Parry, bu farw Mai 3ydd 1904, yn 64 mlwydd oed.

I'r gwys o'r eglwys yr aeth – Ann anwyl
A minnau mewn hiraeth;
Ei henaid yn ddihunaeth,
Dringo'r nef trwy angau wnaeth.

[CHTG]

392
Er cof am ROWLAND OWEN, Masnachydd, Pwllheli, bu farw Gorph. 11, 1866 yn 47 mlwydd oed.

Dyn gonest heb ond un gwyneb – Pa ŵr
Mwy parod ei ateb?
Mor chwith yw bod heddyw heb
Ffrwyth hynod ei ffraethineb.

[CHTG]

LLANFAELRHYS

Eglwys Sant Maelrhys

393
EVAN RICE of Meillionydd, Gent., who departed this life on the 29th day of August 1842 aged 30 years.

Gwr ifangc têg arafwedd – un parchus.
Yn perchen haelfrydedd,
Elusenawl lwys annedd;
Gwyl yw'n byd o'i gloi'n y bedd.

G. ERYRI*

Also JENET, wife of the above named who departed this life 31st Decr 1883, aged 68 years.

Angau a dramwy ffordd nas gwyddom
Angau deru pryd na thybiom
Olew olew sydd yn elw
Mawr ei werth yn oriau marw.

[Maelrhys01, 02]

394
Er cof am MARY, merch Owen ac Ann GRIFFITH, Meillionydd Bach, yr hon a hunodd yn yr Iesu Ionawr 3ydd 1872 yn 19 oed.

Aeth hon yn eneth heini – o boenau
Y byd ai drueni:
At Iesu Grist i oesi
Ei air oedd ei phleser hi.

BARDD TREFLYS*

[Maelrhys04]

395
In memory of LAURA, wife of OWEN MORRIS, Monachdy Bryncroes, she died on the 3rd day of February 1860, aged 26.

Diwyd a fu'n blodeuo – mewn einioes
Mae'n anwyl ei chofio:
Truan mewn graian a gro,
Ydyw hon wedi huno.

D.T.

[Maelrhys05, 05a]

396
In memory of JOHN GRIFFITH, Ysgo, who died June 28th 1867, aged 63 years.

Gonest, fu hwn ac anwyl, - ymunol
A mwyn y'mhob gorchwyl:
Llawn deall, un call a gwyl,
O! hiraeth, cofio 'i arwyl.
[Maelrhys06]

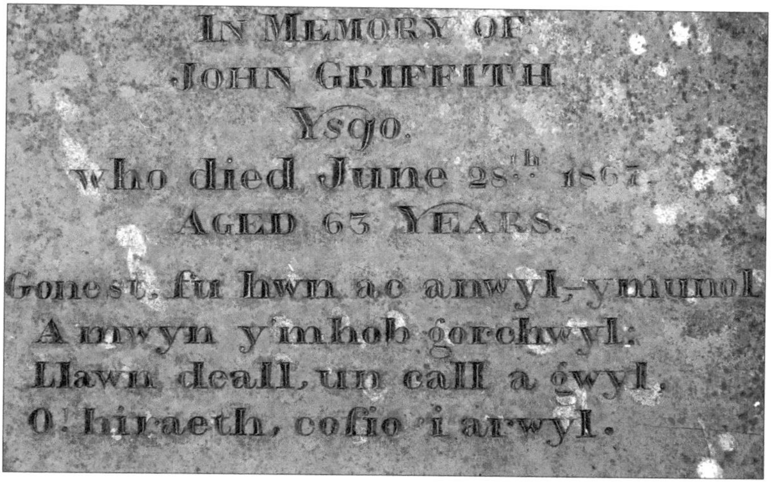

397, 398

Er cof am OWEN GRIFFITH, Meillionydd Bach, yr hwn a fu farw Ebrill 14eg 1877 yn 74 oed.

Di gyngor y dwg angau – bob oedran
        I bydru fel finnau;
  Ystyr hyn o briddyn brau
  Gwel dy daith gwael doi dithau.

Hefyd am ANNE ei wraig, yr hon a fu farw Chwefror 13eg 1878 yn 66 oed.

Ochain na llais afiechyd – mwy nid oes
        Mewn distaw fedd priddlyd
  Wele ddau anwylyd
  Dan un gwys o bwys y byd.

[Maelrhys08, 10]

399

Underneath are interred the remains of GRIFFITH EVANS of Ysgo who departed this life on the 26th day of May 1847 aged 76 years. Also the remains of LAURA relict of the above named Griffith Evans who departed this life on the 2nd day of July 1862 aged 88 years.

Lowry oedd fwyn lanaidd fenyw – huno
Er henaint mae heddyw:
Nos adeg einioes ydyw
A nowyl [sic] faith nes ail fyw.

O LLEYN*

[Maelrhys07,07a]

400, 401

Er serchus gof am FRANCES anwyl briod Thomas GRIFFITHS Llawenan yr hon a fu farw Ionawr 29, 1888 yn 68 mlwydd oed.

Un oedd fun wraig rinweddol – yn goron
I'w gŵr yn fendithiol:
Mae ei henw dymunol
Yn barchus, serchus o'i hôl.

Hefyd am y dywededig THOMAS GRIFFITHS yr hwn a fu farw Rhagfyr 17, 1892 yn 76 oed.

Mewn oeraidd waraidd weryd – lle tawel
Lletuwn dros ennyd;
Ystafell ddistaw hefyd
Lle cymmwys o bwys a byd.

[Maelrhys09,09a]

402, 403

Underneath are interred the remains of Thomas Rice of Meillionydd, Gent. Who departed this life on the 14th day of May 1839 aged 70 years. Also ELIZABETH relict of the above named Thomas RICE who departed this life on the 26th day of July 1842 aged 69 years.

Ni ddorwyd i'r ddaearen – ei rhyddach
Mewn rhoddi Elusen:
Mae rhengau mewn mawr angen
A gwaedd gaeth o guddio'i gwên.

G. ERYRI*

Yma ddaearwyd Mam dirion – a da
A doeth ei dibenion;
I'r gweiniaid mae mawr gwynion
Gau llaw hael yn y gell hon.

G. PERIS*

[Maelrhys03, 3a]

404
Underneath are deposited the remains of JOHN WILLIAMS late of Llawenan-Isaf, who departed this transitory life on the 28th of February 1820 aged 56 years.

Gwed waeled saled fy seler – Ystyr
I ostwng dy falchder:
A chofia ddyn iach, ofer
Na does i fyn ond oes fer.

[CHTG]

405
To the memory of CATHERINE wife of Thomas RICE of Meillionydd, Gent. She departed this life on the 18th day of September 1810 aged 76 years.

Yr Ion pan ddelo'r ennyd – ar ddiwedd
O'r ddaear a'n cyfyd.
Bydd dorau beddau y byd
Ar un gair yn agoryd.

[Robert ap Gwilym Ddu]*

[CHTG]

406

THOMAS, anwyl fab Thomas a Frances GRIFFITH, Llawenan yr hwn a fu farw Chwefror 15, 1883 yn 31 oed.

Thomas onest mae swynion – yw enw
Y glan hynaws Gristion:
Rhoed brawd gwyl anwyl union,
Addfwyn is y feddfaen hon.

[CHTG]

Llangïan

LLANGÏAN

Eglwys Sant Cian

407

To the memory of JUDITH, wife of William GRIFFITH, late of Bodwi ddu, who died August 3rd 1845 aged 67. Also of the above named WILLIAM GRIFFITH who died January 15th 1853 aged 79.

Gyrwyd mam a nhad i'r gweryd – ingol
Gan angeu dychrynllyd:
Aeth eu gwedd i'r bedd o'r byd
Noswylfa nes daw ailfyd.

[Cian1, 1a]

408

Er coffadwriaeth am ROBERT GRIFFITH, Tyddyn Gwyn, bu farw Rhagfyr 13, 1841 yn 69 oed. Hefyd am ELLEN ei Wraig, bu farw Chwefror 21, 1856 yn 77 oed.

Trwy gysur cyd-drigasant – wych oes deg
Achos Duw noddasant;
Tan y gwys cyd orphwysant
Gyd a nerth ail godi wnant.

[Cian2, 2a]

409

Er cof am JOHN EVANS, Penybont, yr hwn a fu farw Mawrth 21ain 1870 yn 61 oed. Hefyd am LAURA, gwraig y dywededig John Evans yr hon a fu farw Chwefror 28ain 1883 yn 70 oed.

Ffyddlon i weision Iesu, - yn eu ty
Buont hwy'n gwasanaethu,
Teilwng mae yntau'n talu,
Yn y Ne' eu cartre' cu.

[Cian3]

410

Er cof am RICHARD, mab Henry a Mary WILLIAMS, Pencraig Abersoch, yr hwn a fu farw Rhagfyr 27ain 1858 yn 2 flwydd oed. Hefyd am HENRY eu mab yr hwn a fu farw Ebrill 27ain 1876 yn 27 mlwydd oed.

Ystyriwch, diwygiwch eich agwedd, - pob oedran
Sy'n edrych fy annedd;
Arafwch, mae'n daith ryfedd -
Symud o'r bywyd i'r bedd.

[Cian4, 4a]

411

Er cof am ROBERT WILLIAMS, briod KATE, Morwel, Mynytho, a fu farw mewn canlyniad i ddamwain Ebrill

20, 1957 yn 56 mlwydd oed. Hefyd er cof annwyl am KATE ei wraig a fu farw ar y 9fed o Ragfyr 1991 yn 94 mlwydd oed.

Yma y mae fy mam i, unig wyf
a gwae'r sylweddoli
Enaid hoff, o'i myned hi
ymaith, nad oes mam imi.

DIC*

[Cian5]

412

Er cof am THOMAS JONES, Tyncae, Llangïan, 1865-1941. A'i hûn mor dawel yw. Hefyd ei briod JANE, 1884-1977

Ar ddalen y pridd eleni – enw hoff
Nain gadd ei gofnodi
Galwodd ef o'i gwaeledd hi
O'i henaint ato'n heini.

ELWYN*

[Cian6]

413
Er coffadwriaeth am MARGARET, gwaig John EVANS o'r Nant, yr hon a fu farw Ionawr 27ain 1845 yn 66 oed.

Caf yma y Cyfamod – a'i sicrwydd
I swccro fy hanfod,
Dyma f'achles nes fy nod
I freichiau fy Ior uchod.

[Cian7, 7a]

414, 415
Er cof am JOHN EVANS, Nant, yr hwn a fu farw Hydref 23, 1870 yn 78 oed.

Hen gristion o galon gu – oedd Efans
Cai'n ddyfal ei barchu
Llawn oes yn ngwinllan Iesu
Aberthodd o'i fodd tra fu.

O llaw y bedd, cas lle byddaf – gauodd
Yn Llangïan arnaf
O'i Law yn ol geilw Naf
Ei ddeiliaid y dydd olaf.

HUGH DERFEL HUGHES*

[Cian8]

416

Underneath are deposited the remains of WILLIAM WILLIAMS, son of James Williams of Rhydolion, who was buried the 20th of November 1798. Aged 21.

Gwelwch ieuengctid gwiwlon – y ceufedd
Lle mae'n cyfaill ffyddlon
A aeth ar frys i'r llys llon
O dylwyth y rhydolion.

[Cian9]

417

Er serchog gof am JOHN M. JONES annwyl briod E. Jones, Shop Ganol, Mynytho, bu farw Gorff 26, 1947 yn 51 oed. Hefyd ei annwyl briod ELIZABETH JONES, a hunodd Medi 2, 1967 yn 77 mlwydd oed.

Glas yw'r garreg, gloes yw'r geiriau – ar fedd
Y Tad a'r Fam oreu
'Rol llawer o flinderau
Hun a ddaeth a hedd i'r ddau.

[Cian10]

418

Er serchog gof am JANE WILLIAMS, annwyl briod MORRIS WILLIAMS, Bron Wylfa, Mynytho, a hunodd yn yr Iesu, Gorph 15, 1922 yn 74 mlwydd oed.

'Yr hyn a allodd hi ai gwnaeth.' Hefyd eu hannwyl fab DAVID a hunodd yn yr Iesu Chwef 5, 1901, yn 21 mlwydd oed ac a gladdwyd yn mynwent Treharris, South Wales.

Er cau ei furiau'n farwol – am enyd
        Mewn mynwent estronol
    Rhyw foreu, yr anfarwol
    Iesu ei hun sy yn ei nôl.

        W.W.*

[Cian11]

419
Er coffadwriaeth am HUGH, mab Thomas ac Elizabeth RICHARDS, Glandwr, Abersoch, yr hwn a fu farw Rhagfyr 18fed 1858 yn 6 oed.

Yma gorwedd f'unig blentyn,
Chwe blwydd oed, bu farw'n sydyn.
Lle ei gorff yw'r bedd i orphwys,
A lle'i enaid yw paradwys.

Trallodau, beiau bywyd – ni welais
        Nag wylwch o'm plegyd;
    Wyf iach o bob afiechyd,
    Ac yn fy medd, gwyn fy myd.

        [Edward Richard]*
[Cian12]

420
Er cof am MARY GRIFFITH, Pen y Graigwen, bu farw Mehefin 1, 1872 yn 92 oed.

Yn enwog mewn daeioni – ydoedd hon
A didwyll fydd ganddi;
Hawl hon sydd fry ei mawl hi,
I'w cheidwad ddaw i'w chodi.

EMYR GWYNEDD

[CHTG]

421
Er serchog gof am WILLIAM WILLIAMS, Lon Las, Mynytho, a fu farw Mawrth 12, 1931 yn 80 mlwydd oed.

Brawd da a hoff am amddiffyn – yr achos
Goruchaf i'w derfyn
Gwel pawb o werth sy'n perthyn
A dwy o'i ol wedi hyn.

[CHTG]

TY DDUW

LLANGWNNADL

Eglwys Sant Gwynhoedl

422
Serchog gof am JANE anwyl briod Capt. D. ROBERTS, Pen y Bont, Llangwnadle, bu farw Rhagfyr 20fed 1887 yn 64 oed.

Gwraig dda, ddiond, gwraig ddiddwndwr – un wyl
Yn elyn pob cynhwr;
Bu hon yn goron i'w gŵr
A chredodd i'w Chreawdwr.

Hefyd am y dywededig Capt. David Roberts, yr hwn a fu farw Hydref 5ed 1895 yn 73 o.

[Gwynhoedl1]

423
Er serchog gof am OWEN GRIFFITH priod Elizabeth Griffith, Llainfattw, Warden St Gwynhoedl a fu farw Mawrth 1, 1928 yn 42 mlwydd oed.

Un garem yn y gweryd – ein Owen
Un anwyl ei fywyd;
A gwn ei fod mewn gwynfyd,
Gyda'r Oen o boen y byd.

T. J. JONES
[Gwynhoedl3, 3a]

424
Er cof anwyl am ELLIS ROBERTS, priod Jane Roberts, Borthgolmon, Llangwnnadle, bu farw Tachwedd 7fed 1903 yn 54 mlwydd oed.

Er huno yn ei oer anedd – eilwaith
Daw "Ellis" o'r llygredd:
Bolltiau dôr farmor ei fedd
Agor a llaw trugaredd.
HWFA MON*

[Gwynhoedl4]

425
Er cof am OWEN GRIFFITHS, Penygraig, Llangwnnadl (Meddyg hynod y Ddafad Wyllt†) yr hwn a fu farw Mai 20, 1926 yn 70 mlwydd oed.

Da ei fywyd fu Owen: – distaw oedd,
Dyn di-stŵr, digynnen;
Gwnaeth fawrdda i Walia Wen
Drwy ddifodi'r ddafaden.
BODFAN*

[Gwynhoedl5a, 5b, 5c]

(† Dafad wyllt = epithelioma. *Cyn iddo farw, anfonodd Owen Griffiths gyfrinach sut i wneud yr eli a oedd yn iacháu y salwch i'w nai, Owen Griffiths, Siop Pencaerau.)*

426

Cofadail CATHERINE gwraig John WILLIAMS, Llainruttan, yr hon a hunodd Mawrth 21, 1853 yn 31 oed. 'Y neb a gredo ac a feddir a fydd gadwedig'

Mynnai arddel mewn urddas – is y groes
        Iesu Grist a'i deyrnas;
  Hyd ei bedd drwy ryfedd ras –
  BEDYDDWYR – bywyd addas.

Hefyd am Griffith eu mhab, yr hwn a fu farw Ebrill 11eg 1894 yn 51 oed.

[Gwynhoedl6, 6a]

427, 428

PETER PARRY, Lletty Adda, Bryncroes, bu farw Tachwedd 1, 1892 yn 67 mlwydd oed.

I wael fan dywell anedd – y daethym
O daith y byd i orwedd,
Cefais fy nghau mewn ceufedd
O glyw y byd dan gloua'r bedd.

Hefyd ei briod ANN PARRY yr hon a fu farw 13, Chwefror 1912 yn 83 mlwydd oed.

Goror a fro a'r graean – a garaf
Yn gywirach weithian;
A swyno'r Iesu'i hunan
Mae daear bedd modryb Ann.

TRYFANWY*

[CHTG]

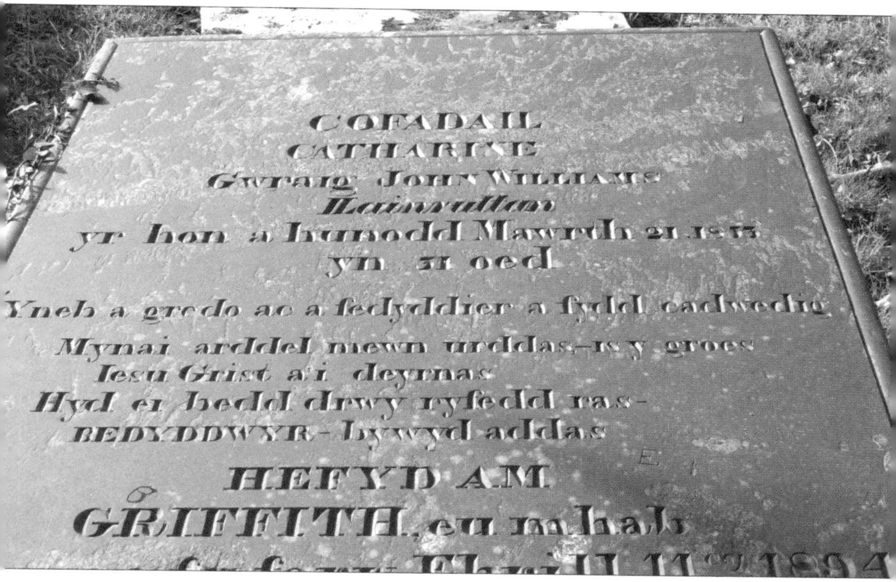

COFADAIL
CATHARINE
Gwraig JOHN WILLIAMS
Llainrullan
yr hon a hunodd Mawrth 21 [illegible]
yn 31 oed
Yneb a gredo ac a fedyddier a fydd cadwedig
Mynai arddel mewn urddas,—is y groes
Iesu Grist a'i deyrnas
Hyd ei bedd drwy ryfedd ras-
BEDYDDWYR - bywyd addas
HEFYD AM
GRIFFITH, eu mhab

ER COF
AM
EVAN JOHN
YN 7 DIWRNOD OED
1929

LLANGWNNADL

Capel Hebron

429
Er cof am JOHN ROBERTS, 1907-1933; ELLIS DAVID JONES, 1912-1933; RICHARD JONES, 1914-1933, annwyl feibion, Humphrey ac Ellen Jones, Tirdyrus, Bryncroes. Bu'r tri foddi Mehefin 17, 1933. Claddwyd Mehefin 21, 1933.†

Y tri llanc ieuainc eon – sydd isod
Soddasant i'r eigion:
Obry ni chynnwys Hebron
Na physg na therfysg na thon.

R.Wms.P.*

[Hebron01]

(Ymddangosodd fersiwn wahanol yn Cerddi Gaeaf, *1952:*
Aethant ddifater weithion
O bysg a therfysg a thon.)

(† 'O Borth Golmon... y cychwynnodd y tri brawd o Dirdyrys allan i bysgota...' - Gruffudd Parry: op. cit. Ar y diwrnod tyngedfennol, gosodasant rwydau ar y creigiau ym Mhorth Fesig er mwyn dal pysgod i'w rhoddi mewn cewyll cimychiaid. Roedd y môr yn 'donnog iawn' yn ôl adroddiadau yn y papurau. Roedd

y ddau frawd iau yn forwyr, ond roeddent allan o waith ers amser. Yn ôl Yr Herald Cymraeg *[Mehefin 19, 1933]: 'Yn ddiweddar, cymerodd y Parch George M. Ll. Davies ... ddiddordeb ynddynt, a llwyddodd i gael gwaith iddynt ar long, ac yr oeddynt i fynd i ffwrdd yr wythnos nesaf.')*

430

Er serchog gof am ELLEN, anwyl briod Griffith JONES, Ty Cerrig, Bryncroes, hunodd yn yr Iesu Ebrill 5 1915 yn 57 mlwydd oed. Hefyd ei hanwyl briod GRIFFITH JONES, hunodd yn yr Iesu Ebrill 16, [?] 1934 yn 78 mlwydd oed.

Amdanoch fy Mam dyner – Wylaf
Fy nghalon hir amser,
A serch ynof'i Nhad cofier
Y ddau yn nydd Nefoedd ner.

[Hebron02]

431

HUMPHREY H. GRIFFITHS, annwyl briod Annie Griffith, Gwyndy, Bryncroes, bu farw Rhagfyr 27, 1946 yn 31 mlwydd oed. 'Hedd Perffaith Hedd' A'r dywededig ANNIE GRIFFITH, mam a nain ofalus. Bu farw Nos Sul y Blodau, Mawrth 28, 1999 yn 85 mlwydd oed.

Rhoi ô'i da heb gyfri'r doll – rhoi cysur
Cyson pan fo archoll,
Bu'n ddiegwyl, bu ddigoll
A bu'n fam yn bennaf oll.

DERWYN JONES

[Hebron05]

432
Er coffadwriaeth am SARAH, anwyl briod Evan EVANS, Oerfa, Bryncroes, bu farw Chwefror 22, 1903 yn 57 oed.

Mam dda, hoff am amddiffyn – yr achos
Goruchaf i'w therfyn;
Gwêl pawb o werth sy'n perthyn,
A dwg ar ei hôl wedi hyn.

[CHTG]

433
Er serchus gof am ANNE JONES, anwyl briod JOHN JONES, Cae'r Eglwys, Llanfaelrhys, yn 64 mlwydd oed. Hefyd am MARY, anwyl ferch John ac Anne Jones, yr hon a fu farw Ebrill 17eg 1878 yn 25 mlwydd oed.

Gorphwyswn, hunwn ryw hyd – yn dawel
Ein dwy yn y gweryd;
Yn ddiboen ar ddiwedd byd,
O'n ceufedd Duw am cyfyd.

[CHTG]

434
Er serchog gof am ROBERT G. JONES, annwyl briod Jane L. Jones, Bryngloch, Penllech, 1872-1946.

Er rhoi geiriau ar garreg – hir erys
Yn hiraeth heb osteg;
A chof a dwys araf deg,
Un ochenaid yn chwaneg.

BODFAN*

[CHTG]

435
Er cof am IDWAL JONES, Cae How, Rhoshirwaun, 1894-1974.

Iôr bia roi bywyd – cu anadl
Ac einioes ac iechyd
Hawl a fedd, alw o fyd
Man y myno mewn munud.

[CHTG]

LLANGYBI

Capel Helyg

436
WILLIAM T. WILLIAMS, 8 Bron Hendre, Trefor, 1890-1973
Hefyd ei Briod MAGGIE WILLIAMS, 1903-1991

Wedi'r cur a'r anturio – cawn lanio
Canlyniad y morio;
Yw awelon i hwylio
I deg lan ei hafan O.

W. HEFIN WILLIAMS*
[Helyg01]

437
ANNIE PRITCHARD, anwyl briod Evan Pritchard, Ty'r Ysgol, Llangybi, hunodd Ebrill 18, 1923 yn 50 mlwydd oed. Hefyd eu plentyn JOHN, hunodd Hydref 15, 1913 yn fis oed. Hefyd am EVAN PRITCHARD, hunodd Hydref 7, 1936 yn 69 mlwydd oed.

Hyd orffwys o bwys y byd – dau annwyl
Cyd-dynnai mewn bywyd:
Cyd-huno [??]eid dau ennyd
Hyd fore braf haf o hyd.

CYBI*
[Helyg02]

438
Er cof am ROBERT JONES, Ty'n y Fron, Capel Helyg, yr hwn a fu yn pregethu yr Efengyl yn ffyddlon a chymeradwy gyda'r Annibynwyr am 57 o flynyddau, bu farw Ionawr 9fed 1894 yn 87 mlwydd oed.

Er huno mewn oer anedd – o'r hybarch
Robert Jones dirionwedd:
Iesu fy'n ei was o'i fedd
I fawr wyl anfarwoledd.

[Helyg03]

439
Er serchus goffadwriaeth am ANN DAVIES, annwyl briod Owen Davies, Ynys Heli, yr hon a fu farw Gorffennaf 13eg 1921 yn 64 mlwydd oed.

Yn iach a llon uwch y lli – aeth y fam
Ddoeth, fwyn o bob cyni:
I'r faith ŵyl adref aeth hi
Elw oedd fythol iddi.

GERALLT

[Helyg04]

440

Er coffadwriaeth am Y Parch. Wm GWYDDNO ROBERTS, Gweinidog yr Efengyl gyda'r Methodistiaid Calfinaidd, ganwyd Mai 18fed 1838, bu farw Ebrill 30ain 1880.

Dyn hynaws dihunanedd – un gwylaidd
O galon dirionwedd:
Ei loew foes hyd ael ei fedd
I'r eglwys sy'n berarogledd.

T.E.G.*

[Helyg05, 05a]

441, 442

Er cof am ROBERT PARRY, Ty-Croes, yr hwn a fu farw Ebrill 10ed 1878 yn 61 mlwydd oed. 'Wele Israeliad yn wir, yn yr hwn nid oedd dwyll.' Hefyd ei briod MARY PARRY, yr hon a hunodd Ebrill 13eg 1916 yn 91 mlwydd oed.

Odiaeth yng nghwrs amgylchiadau; – hylaw.
Hwyliodd rhwng y tonnau;
Drwy'r byd iddi'n glyd hyd Nef glau,
Ior roddodd o'i drugaredd, dau.

PLENYDD*

Hefyd eu merch JANE SARAH PARRY, yr hon a

hunodd Medi 20fed 1917 yn 50 mlwydd oed.

Bro'r drin a'r wylaw adawodd; – bro hedd,
Uwch braw a gyrhaeddodd;
A'r diodde drud heddyw drodd
Yn gerdd i'r Gwr a ddir garodd.

CYBI*

[Helyg06]

443

Er cof am OWEN, mab Ellis ac Anne WILLIAMS, Tynewydd, bu farw Mehefin 20, 1865 yn 22 mlwydd oed A WILLIAM eu mab, bu farw Medi 17, 1866 yn 29 oed.

Er eu dod dan farau dwys, - or ymdaith
I'r amdo i orphwys:
Yn wych eu gwedd goruwch y gwys
Y brodyr ddont i baradwys.
[Helyg07]

444
Er serchog gof am ELLIS WILLIAMS, Fronoleu, Llangybi, yr hwn a fu farw Mai 19fed, 1883 yn 76 mlwydd oed. Hefyd am ei briod ANN WILLIAMS yr hon a fu farw Tachwedd 20, 1896 yn 87 mlwydd oed.

Er y bedd, yn hir byddant – annwyl iawn
Gan lu o'u hôl gwynant;
Drwy gu oes cyd-drigasant,
Is y gwys cyd-orphwys gânt.

GERALLT
[Helyg08]

445
Er cof am JANE WILLIAMS, gynt o'r Efail, Llangybi, 1893-1963

Gwynfyd Sian ydoedd canu – a'r mwyniant
Oedd emynau Cymru;
Iddi daeth hwnt i'r bedd du,
Ail einioes i foliannu.

W.T.W.
[Helyg09]

446
Er cof annwyl am Elizabeth Williams, Cefn Coch, 1869-1938. Hefyd ei hwyr IOAN, annwyl blentyn Blodwen a J. PARRY WILLIAMS.

Cyn ymagor, ei dorri - fynnai Ef
I'w wen ardd o'i hoffi;
A haf di-aeaf yw hi,
Ar ein pur Ioan Pari.

CYBI*

[Helyg10]

447
Er cof am ROBERT EVANS, mab John a Mary Evans, Bryn Glas, Llanaelhaearn, bu farw Tach 1, 1918 yn 18 oed.

Ymaith aeth – caed esmwyth hedd – hynod oedd
Mewn dysg, moes, a rhinwedd,
Daw boreu caiff drwy buredd,
Gorph heb ol argraph y bedd.

GLAN ISLWYN

[Helyg11]

448, 449

Er serchus gof am HUGH DAVIES, 'Rorsedd Fawr, Llangybi, yr hwn a hunodd yn yr Iesu, Dydd Sadwrn, Mehefin 21, 1901 yn 85 mlwydd oed. Hefyd ei briod SIDNEY DAVIES, yr hon a dawel hunodd yn yr Iesu Ionawr 30ain 1904 yn 84 mlwydd oed. Hefyd eu mab ROBERT HUGH DAVIES a fu farw Mawrth 18fed 1904 yn 32 mlwydd oed.

Dyn oedd a rodiai'n addas; – a'i synwyr
Roi swyn iw gymdeithas;
Ac am weini cymwynas
Pwy, yn ei blwy, ga'i well blas

Da wr fuodd drwy'r fywyd, - ar Iesu
Fe roes i'w feddylfryd,
A chalon ddifrycheulyd,
A wyddai fyw i'r ddau fyd.

EI FAB, TUDWAL*

[Helyg12, 12a]

450

Er Coffa Cu am DAVID WILLIAMS, Peneisingrig, Rhoslan, gorffwysodd oddiwrth ei lafur, Tach 13eg 1903 yn 78 mlwydd oed.

Hen wladwr annwyl ydoedd – a'i weddi'n
            Cyrraeddyd y nefoedd;
   Ynni Duw'n ei enaid oedd,
   A nodd yr hen flynyddoedd.

            EIFION WYN*

[Helyg13]

451

Er serchus gof am JOHN WILLIAMS, 23 East Avenue, Portmadoc, yr hwn a fu farw Gorph 21, 1913 yn 68 mlwydd oed. Hefyd am ELIZABETH, ei annwyl briod, yr hon a fu farw Meh 14, 1926 yn 79 mlwydd oed.

I'r Iesu ei hoes roddasant – y ddau
            Ynddo Ef, y cydhunant;
   Gydag Ef, cysgodi gânt,
   Trwy ein Iesu, teyrnasant.

            CYBI*

[Helyg14, 14a]

452
Er coffadwriaeth am CATHERINE, merch William a Mary WILLIAMS, Snowdon St., Porthmadog, yr hon a fu farw Tachwedd 11eg 1893 yn 37 mlwydd oed.

Glân o galon a gwylaidd - oedd drwy 'i hoes
Ddi-drwst, foneddigaidd;
Hawdd yw herio'r bedd oeraidd – a holl ro,
Y byd i guddio ei bywyd gweddaidd.

[Helyg15]

453
Er cof annwyl am ROBERT EVANS (Cybi*), Bryn Eithin, Llangybi, 1871-1956.

Meudwy tan hud goludoedd – llenyddiaeth
Llonyddwch ei gelloedd,
Rhan o wyrth yr hen nerthoedd,
Yn nydd aur Eifionydd oedd.

CYNAN*

[Helyg16]

454
Er cof am CATHERINE, annwyl wraig Thomas OWEN, 7 Church Street, Bedd Gelert - gynt o Lan Gybi - yr hon a hunodd yn ei nawfed-mlwydd-a-deugain, Tachwedd 10fed, 1922.

Chwaer lednais, fwynlais i fedd – yn nawn oes
Yn wen hardd, ei buchedd,
Roes ein llaw, ond daw diwedd,
I'r hûn ddwys ar 'newydd wedd.'

Ei brawd, CYBI*
[Helyg17]

455
In Loving and Affectionate Memory of Lieutenant ROBERT THOMAS, R.N.R., Commanding Officer HMS "Kelvin", the dearly beloved and devoted husband of Catherine Thomas, "Gorsanedd" Llangybi, who on the 7th day of July, 1917, nobly and bravely made the supreme sacrifice in his Country's cause whilst on Active Service in the North Sea, aged 38 years.

Priod a thad mâd ym medd; – un anwyl
Â gwenau tangnefedd;
Wgus siom! Gwâg yw ei sedd,
Sy' heno yn Gorsannedd.

ISFRYN*

'He, being made perfect in a short time, fulfilled a long time.'

[Helyg18]

(Disgrifiwyd HMS Kelvin *fel 'hired trawler, minesweeper.' Collodd tri eraill eu bywydau, heblaw am Lt. Thomas, un 'Wireless Telegraph Operator' a dau ddecmon.]*

456

Er cof anwyl am CATHERINE PRITCHARD o Gaerwen, bu farw Mehefin 2, 1896 yn 86 mlwydd oed. Hefyd WILLIAM JOHN PRITCHARD, Y Llythyrdy, Bryn Gwalia, Llangybi, bu farw Chwefror 25, 1915 yn 65 mlwydd oed.

Yn dawel daeth y diwedd – heb air byrr,
Heb wên mewn tangnefedd,
Ei 'ffarwel' oedd taweledd,
Ei Dduw ar obenydd hedd.

CYBI*

[Helyg19]

457

Er cof am blant THOMAS a MARY EVANS, Fron Heulog, Llangybi, a gladdwyd fel y ganlyn; OWEN, Rhagfyr 30, 1882 yn 3 mlwydd oed; JANE, Hydref 7, 1883 yn 14 mis oed; JOHN, Hydref 7, 1883; JOHN Mai 26, 1888 yn 11 mis oed.

O fro anial ar fer enyd – a'i Jane
A'r ddau John wynfyd,
A dwyfol alwad hefyd
Ga'i Owen Bach, Gwyn eu byd.

Eu brawd (CYBI*)

[Helyg20]

458
Yma y claddwyd ELLEN AMBROSE, priod Cadben Evan JONES, Porthmadog, a fu farw Rhag. 6, 1873 yn 35 mlwydd oed.

Drwy'r byd o'i mebyd ei moes – oedd goron
Hawddgaraf ei heinioes,
Hedai Elen hyd eiloes,
Adre at y Duw a'i rhoes.

Hefyd am John Fernandez Jones, mab y dywededig Evan a Ellen Jones, yr hwn a fu farw Hydref 12ed 1878 yn 17 mlwydd oed.

Hefyd am Captn Evan Jones, Ship Cambrian Duchess, a fu farw Hydref 30, 1889 yn 59 mlwydd oed.

Fy nyddiau a aeth heibio, fy amcanian a dynned ymaith: sef meddyliau fy nghalon. Job XVII, 11

[Helyg21]

459

Er serchog gof am DAVID GRIFFITH, Weirgloedd [sic] Goch, Pencaenewydd, yr hwn a hunodd Chwef. 11, 1917 yn 65 mlwydd oed.

Gwr â gwên ar ei enau; oedd Dafydd;
Deufyd gâdd ei orau:
Ei lwch geir îs y lêch gau; - uwch gweryd
Mae harddaf fywyd un mor ddifeiau.

CYBI*

[Helyg22]

460

Er serchog gof am SAMUEL JONES, Tyn y Cae, Abererch, yr hwn a fu farw Mehefin 29, 1890 yn 68 mlwydd oed.

Hwn oesai'n ber haneswr – sai'i lŵch
Mewn iselaidd gyflwr;
Ar dy gais, Iôr, daw y gŵr – o'i amdo
I gu rodio, gyda'i deg Waredwr.

ISEIFION*

[Helyg23]

461
Cof annwyl am William Williams, Fferm Capel Helyg, a fu farw Ionawr 30, 1925 yn 68 mlwydd oed.

Cai barch ei fro, a serch ei dŷ,
 Câr a chymydog da oedd ef;
A dyfal hyd y diwedd fu,
 Yng ngwaith y byd a gwaith y Nef.

EIFION WYN*

Hefyd ei briod ELIN WILLIAMS, a fu farw Ion 4, 1942 yn 83 mlwydd oed.

Gyda'r gŵr fu'n dŵr ar daith – adref aeth
  I dref wen ei gobaith,
 Uwch ofn, ni fu'r elw, chwaith
 Lai na thelyn a thalaith.
[Helyg24a, 24]

462
Er cof am y diweddar THOMAS BOWNESS, Glanygors, Llangybi, ganed Hydref 25ain 1831, bu farw Rhagfyr 7ed 1892.

Am Thomas Bownes beunydd – adgyfyd
  Gofion yn ein broydd;
 Mewn llanerch yma'n llonydd
 Hynaws wr yn huno sydd.

CENIN*
[Helyg25, 25a]

463

Er cof annwyl am SARAH ROBERTS, Ty'n Llan, Llanarmon, a fu farw Tachwedd 19eg 1921 yn 79 mlwydd oed. Hefyd am ei chwaer ANNE ROBERTS, a fu farw Ionawr 8fed 1922 yn 84 mlwydd oed.

Ni fu dwy 'rioed mwy duwiol – yn Eifion
Mewn nwyfiant heddychol;
O'u hannedd, lanwedd, uniol cyd-aethant,
Fyny i nwyfiant y drigfan nefol.

PLENNYDD* eu nai

[Helyg26]

464

Er coffadwriaeth am WATKIN WILLIAMS, Fourcrosses, yr hwn a fu farw Hydref 10ed, 1861 yn 39 mlwydd oed.

Y gŵr hwn a garai hedd – un anwyl
Bu'n hynod mewn rhinwedd;
Dyn uniawn - dyna'i annedd,
Gwilia y byw – gwel y bedd.

R.H.

[Helyg27]

465, 466

Er cof am ELLEN, gwraig MARK EVANS, Castell Cwgan, Llangybi, yr hon a fu farw Mai 22in 1856 yn 52 mlwydd oed. Hefyd ei hwyras JANE E. JONES, annwyl briod Henry Jones, Tyddyn Llan, yr hon a fu farw Mehefin 29, 1939 yn 74 mlwydd oed.

Banon o berson a byw – heb anair
I'w bonedd uchelryw;
Rwydded y dagrau, heddyw;
A lle mam, mor oerllwm yw.
CYBI*

Hefyd HENRY JONES yr hwn a fu farw Ionawr 30, 1947 yn 81 mlwydd oed.

Daeth yr awr, a dieithr yw – i olwg
Meidrolion o'n cyfryw;
Ond wedyn llaw Tad ydyw,
Y llaw hon sydd ar y llyw.
CYBI*
[Helyg28]

467, 468

Er serchog gof am LAURA, annwyl briod JOHN PARRY, Fronerch House, Four Crosses, yr hon a fu farw Gorph 31, 1885 yn 52 mlwydd oed. 'Hi a ddewisodd y rhan dda, yr hwn ni dygir oddiarni.' Hefyd am y dywededig JOHN PARRY, yr hwn a hunodd ei hun ddiweddaf mewn tawelwch a gobaith, Rhagfyr 12, 1893 yn 66 mlwydd oed. Gwasanaethodd y Swydd o ddiacon yn Eglwys y Methodistiaid yn Four Crosses am 22ain o flynyddoedd.

Is hon y pur Sion Pari – i lawr roed, -
Wylo'r y'm o'i golli,
Mab tangnefedd a gweddi, – dyn gwastad, -
Fe wiria'r Ceidwad hyn foreu'r codi

PLENYDD*

Ar ôd foreu yr adferiad, – puraidd, -
Daw Parri a Laura;
Dyna fydd eu dyrchafiad,
I'w Cartref fry – Tŷ eu Tad.

ISEIFION*
[Helyg29, 29a]

469
Er cof am JANE, gwraig Watkin WILLIAMS Tyddyn Mawr yr hon a fu farw Mawrth 8fed 1862 yn 45 oed.

Gem o wraig, i'w mawrygu – ydoedd hon
Dyddanwch ei theulu;
Galar sy'n ymddadgelu,
Mewn mawr gwyn, am un mor gu.

Hefyd am y dywededig Watkin Williams, yr hwn a fu farw Rhagfyr 22ain 1866 yn 66 oed.

[Helyg30]

470

Er cof am EVAN HUMPHREYS, Tyddyn Mab Du, Llanarmon, yr hwn a fu farw Ionawr 23ain 1858 yn 78 oed. Hefyd am JANE, ei wraig, yr hon a fu farw Chwefror 9fed 1870 yn 82 oed. Hefyd ELLIS EVANS, Maen y Wern, Llanystumdwy, yr hwn a fu farw Ebrill 22, 1890 yn 89 mlwydd oed.

Torwyd do ein Elis dirion – i'w fedd
O fysg ei anwylion;
Y gwylaidd ŵr o galon
Fynai'r hawl i'r feddfaen hon.

[CHTG]

471

Er serchog gof am EVAN EVANS, Pen-y-Maes, Llwyndyrus, yr hwn a fu farw Ionawr 22, 1894 yn 62 mlwydd oed.

Cerfiodd Evan, ŵr annwyl, enw da
O nod uwch gwaith morthwyl,
Daw o'i fedd mewn hedd – a mawl
A chyda'i Iesu, ni cheid noswyl.

ISEIFION*

[CHTG]

472

Coffadwriaeth am Mary, annwyl ferch William ac Ann Morton Jones, Werddon, Fourcrosses, a fu farw Mehefin 8, 1904 yn 30 mlwydd oed. 'Ei haul a fachludodd a hi etto yn ddydd.' Hefyd am a dywededig WILLIAM MORTON JONES a fu farw Rhagfyr 15, 1909 yn 70 mlwydd oed. Bu yn flaenor yn Eglwys Tabor, Llithfaen am 26 mlynedd. Hefyd am ei annwyl fab HUGH WILLIAMS, a fu farw Tachwedd 7, 1913, yn 35 mlwydd oed. Hefyd am ei annwyl blentyn LIZZIE, a fu farw Mehefin 28, 1933 yn 74 mlwydd oed.

Ein William annwyl dinam ei ddoniau – a Hugh
Fab hwn oedd ddi-frychau,
O dir i bant y deuant ei dau,
Yn burlan heirddion berlau.

[CHTG]

473

Er cof am THOMAS HUGHES, Hendre, Rhoslan, bu farw Mai 17, 1923 yn 71 mlwydd oed. Hefyd ei frawd OWEN HUGHES, bu farw Mehefin 4ydd 1931.

Dyfal am ofal deufyd – y bu ef
Heb ei ail drwy'i fywyd,
At yr Oen o boen y byd
Iach hedfan wnaeth uwch adfyd.

W.R.H.

[CHTG]

474
Er cof am RICHARD JONES, annwyl fab John a Margaret Jones, Maen Llwyd, Llangybi, yr hwn a fu farw Rhagfyr 15, 1876 yn 8 mlwydd oed.

Rhisiart fel tymor rhosyn – a wywodd
Yn ieuanc fachgennyn,
Ond heinyf cwyd etto'n fywgwyn – mewn bro
Heb aeth i'w lwydo bythol wedyn.

TUDWAL*

[CHTG]

475
Er cof am ROBERT JONES, Tŷ Newydd, Chwilog, bu farw Gorphennaf 17, 1833 yn 69 mlwydd oed.

Un gath ran fel dadganwr – un a fu'n
Wiw fardd a llenyddwr,
Am oes oedd y grymuswr,
A gwir fuddiol grefyddwr.

E.J.
[CHTG]

476
Er coffadwriaeth annwyl am THOMAS H. JONES, Madryn Isaf, Llandudwen (Gors y Ceiliau, Sardis, gynt)

yr hwn a hunodd yn yr Iesu Hydref 14, 1944 yn 56 mlwydd oed.

Gorwedd yr wyf mewn gweryd – er mawr elw
Na wylwch o'm plegyd:
Iach wyf o bob afiechyd,
Ag yn fy medd gwyn fy myd.

[Edward Richard]*

[CHTG]

477
Er cof serchog am MARGARET ANN, annwyl ferch John a Margaret HUGHES, Penllechog, yr hon a fu farw Chwefror 5ed 1881 yn 17 mlwydd oed.

Marw a fu ond nid yma'r fan - i'w chael
Gochelwch rhag gwynfan,
Uwch drygfyd mewn iach drigfan,
Mae'r cywir deg Margaret Ann.

[CHTG]

478
Er serchog gof am ANNIE PRITCHARD, annwyl briod EVAN PRITCHARD, Tŷ'r Ysgol, Llangybi, hunodd Hydref 18, 1923 yn 50 mlwydd oed. Hefyd ei phlentyn, JOHN, hunodd Hydref 15, 1915, yn fis oed. Hefyd am

EVAN PRITCHARD, hunodd Hydref 7, 1936 yn 69 mlwydd oed.

Cyd-orffwys o bwys y byd – dau annwyl
Cyd-dynnai mewn bywyd,
Cyd-huno ceid dau, ennyd

CYBI*

[CHTG]

479

Er cof am WILLIE, annwyl fab Robert a Sarah ROBERTS, Tyddyn Bach, Llangybi, bu farw Mai 22, 1895 yn 3 mis oed. Hefyd JOHN, eu hannwyl fab, bu farw Ionawr 4, 1914 yn 17 mlwydd oed.

Yn y llwch hwn, y llechaf – i aros
Hyd oriau farn olaf:
Geilw yr Ior – o'm gwely yr af
Yn y bedd mwy ni byddaf.

[CHTG]

480

Er serchog gof am MARGARET JANE, annwyl briod David JONES, Victoria House, Fourcrosses, ganwyd Hydref 26, 1877, bu farw Chwefror 8, 1910.

Fam dyner! Cof amdani – erys
Fel perarogl lili,
Gwynfyd serch yw ei pherch,
A hir oes am ei gras hi.

EIFION WYN*

[CHTG]

481
Er serchog gof am Y Parch. JAMES DAVIES, Gweinidog yr Annibynwyr yn Llithfaen a Fourcrosses, bu farw Awst 16eg 1911 yn 61 mlwydd oed.

Da was da, er distewi – o'th gu loes
Mae'th glod drwy'r Eglwysi,
Erys dy genadwri,
A gwaith dy oes di-ragrith di.

EIFION WYN*

[CHTG]

482
Bedd MARY EVANS, priod Thomas Evans, Bryn Eithin, Llangybi, 1843-1917

Hebddi bedd o wae yw byd – ba wae mwy
O bawb, MAM mewn gweryd,
Lle mae'r hoff yw llon – rhyw hyd
Druain mae darn o mywyd.

Ei mab, CYBI*

Hefyd ei phriod Thomas Evans, 1844-1923.

[CHTG]

483, 484
Er cof am KATE, annwyl ferch Robert a Jane JONES, Cefn Engan, Llangybi, yr hon a fu farw Mai 20, 1895 yn 15 mlwydd oed.

Ym morau'i dyddiau y daeth – yn ebrwydd
Obry er ein halaeth,
Ond cofia wir, er hiraeth
O'i farw, Och! Mai'r Nef yr aeth.

Yng nghannwyll angau, yma - hawliodd le
I huno ei heidd-dra,
Ieuenctid ymofidiau,
Am ebrwydd hwy, siom brudd-ha.

[CHTG]

485
Er cof am THOMAS HUMPHREYS, Castell, Llangybi, bu farw Mai 30ain 1895 yn 57 mlwydd oed.

Arweinydd, cerddor, hynod – yma'n fud
Y mae fawr y trallod;
Gŵr o ddawn garuaidd od,
A siriol Sant disorod.

BEREN*

[CHTG]

LLANGYBI

Eglwys Sant Cybi

486

Er serchog gof am ELEANOR, annwyl briod Wm. WILLIAMS, Ysguborhen, Llanystumdwy, yr hon a fu farw Tach. 23, 1884 yn 58 mlwydd oed.

I'r bedd un fwy rhinweddol – o duedd
Mor dawel a siriol
Ni roddwyd – mor arwyddol
Y dagrau heillt geir o'i hol.

[Cybi01]

487

Er cof am Watkin, mab William WILLIAMS, or Coedcaebach, a Martha ei wraig, a fu farw 20ed dydd o Medi 1842 yn 13 oed. Hefyd y dywededig WILLLIAM WILLIAMS a fu farw 10 dydd o Ebrill 1847 yn 76 mlwydd oed.

Ni chadd bedd anedd unig – naddo
Ddyn yn fwy caredig
Er ael dda ni ddaliai ddig
Sa i glod yn ansigledig.

[Cybi02, 2a]

488

Bedd THOMAS, mab Robert WILLIAMS Pencoed-fawr, Ll-n-rm-n, o Anne ei wraig, bu farw Mehefin 18, 1848 yn 10 wythnos oed. Hefyd ANNE, wyres iddynt, a fu farw Mai 12, 1862 yn 4bl 8 mis oed.

Cydorwedd mewn bedd y byddwn – yn dawel
Ein dau wedd orphwyswn,
Ar ddydd barn cadarn codwn
I gael hedd, o'r gwely hwn.

[Cybi03]

489

Underneath are deposited the Remains of JOHN ROWLANDS of Cadair Elwa, who died the 28th day of February 1831 aged 68 years.

Er marw a hir drwm orwedd – cyfodaf
Caf adael pob llygredd
Or ddaear dôf ar ddiwedd
Heb wael boen, heb ôl y bedd.

[Cybi04]

490

Isod y claddwyd Corph OWEN OWENS o'r Gaerwen, yr hwn a fu farw Ebrill 18ed 1837 yn 51 oed.

Er rhoi hon ar ei wyneb – i nodi
Mynediad dynoldeb
Daw'n ol gan hoywed a neb
Fry i wel'd anfarwoldeb.

Hefyd Corph DAFYDD OWEN ei Frawd, sef y godidog Brif-fardd Cymreig, yr hwn a gyfenwyd Dewi Wyn o Eifion. Bu farw Ionawr 17eg 1841 yn 56 oed.

Sain ei gain odlau synai genedloedd;
Hir fydd llewyrch ei ryfedd alluoedd!
Oeswr a phen Seraph oedd! Pen campwr
Ac Amherawdwr beirdd Cymru ydoedd.

[Cybi05]

491
('Elis Owen, ei gymydog o Gefn y Meysydd a ganodd englynion ei feddargraff,

Dyma fedd, diwedd Dewi – Wyn Eifion,
Ofydd y barddoni;
Arwraidd fardd Eryri,
Ac amen ei hawen hi.'

Gruffydd Parry, Crwydro Llŷn ac Eifionydd, *tud.53.)*

492
Underneath lieth the Body of JANE PRICE, Late Wife of Wm DAVIES, Rorsedd, who died the 12th of Novr

1787 Aged 27 [?] Here also lieth the Body of JANE, the Dautr of ye said William Davies. Aged 2 weeks.

Ing dygn angau diogel gorthrechwr
        Gwrthrychiau yn Ryffel
    Ddyry gwych i ddaiar gwel
    Diwad i huno'n dawel.

        [Cybi06, 6a, 6b]

493

Er cof am HENRY PARRY, 'Glan Erch' Tir bach, yr hwn a fu farw Mai 2fed 1863 yn 26 oed.

Er ei gloi'n nhir galanas – caer anrhaith
Ceir Henry iw Balas;
Er mewn gro mae rhwymyn gras – am dano
A llw Duw arno! Ni chyll ei deyrnas!
[Cybi07]

494, 495

Er cof am HANNAH, gwraig y Parchg: Moses JONES, o'r Ysgoldy Pencaenewydd, Llangybi, yr hon a fu farw Mai 20fed 1839 yn 47 mlwydd oed ac a gladdwyd yn y fonwent hon Mai 27.

Claddwyd yma hefyd bump ou Plant y rhai a fuont feirw yn Ieuainc.

Y diweddar Barchg: Moses Jones, a fu farw Rhagr: 22, 1863 yn 69 mlwydd oed ac a gladdwyd yn Monwent Capel Dinas, Llaniestyn. [Gweler Rhif 249]

Hunasant oll yn yr Iesu a dwg
Duw hwynt hefyd gydag ef.

Er nychu ar ein iechyd – Cwyn o gur
Cawn goron y bywyd
A gwledd yn y drigfan glyd
Gyda'r oen gwedi'r enyd.
IAGO TRICHRYG*

Hefyd ei Merch MARY ROBERTS, yr hon a fu farw 16 Chwefror 1896 yn 77 mlwydd oed.

Oedain y Glyn – mae dan glo – creuwraig
Mawr hiraeth sydd etto
Diail ei dail a'i dwylo
Am iachau'n briwiau'n ein bro.

[Cybi08, 09]

496
Here lieth the body of RICE MORRIS of Plas Du who was buried on the 4th of August 1790 aged 57.

Gorphwysaf, hunaf hynod – o amser
Dan ymsang y beddrod
O'r golwg yn y gwaelod
Tremia fu mwy trwm fy mod.

Here Also lieth the Body of Margaret Evans, wife of the above Named Rice Morris, who Died March 12th AD 1801 Aged 70.

[Cybi10, 10a]

497
Yma y gorwedd Gorff ROBERT DAFYDD o Dyddyn Ruffudd, yr hwn a fu yn bregethwr ffyddlawn ymysg y Trefnyddion Calfinaidd am 61 mlwydd. Bu farw Ebrill 17, 1834 yn 87 oed.

Nodedig ei ddawn nid ydoedd – er hyny
Rhanodd fara'r nefoedd
O'i law aur i laweroedd
Offeryn Duw a'i ffrind oedd.

Hefyd Corff Elizabeth ei wraig, bu farw Chwef 18, 1828 yn 76 oed.

[Cybi11]

498, 499

Here lieth the body of MORRIS WILLIAMS, who died on the 13 day of October 1797, aged 42. Here also lieth the Body of JANE HUGHES, wife of the above named, who died the 15th day of September, 1805 aged 42. Cof am SARA, gwraig Wm MORRIS, Bryn March, bu farw Mehefin 11, 1862 yn 82 oed.

Un ffyddlon o galon ni gaed – drwy einioes
Dra anwyl ddiniwed
I Dduw ufudd ddi-baid
Gywir anian yn enaid.
Ei mab NICANDER*

Claddwyd ei gwr WILLIAM MORRIS yn Llanrhyddlad, Mon, Hydref 23, 1867 yn 83 oed.

Mewn dwy oror maent yn gorwedd – ynghyd
Yng nghadwyn tangnefedd
Diau'i fyw o'u dau fedd
Y deuant yn y diwedd.
Ei mab NICANDER*

[Cybi12]

500

Er cof am GRIFFITH THOMAS, Mynachdy Bach o'r plwyf hwn, yr hwn a fu farw Ionawr 19eg 1875 yn 60 mlwydd oed.

Ar geryg y byd rhagorach – ganwaith
Bydd hon genyf mwyach
Ni welais 'run anwylach
Hi yw nod bedd fy nhad bach.
R.G.T.*

Hefyd ei wraig Mary Thomas, bu farw Mehefin 4ydd 1899 yn 77 mlwydd oed. 'Rhowch i'm fedd yn fedd fy mam.' Hefyd eu mab Robert G. Thomas, bu farw Mawrth 18fed 1922 yn 80 mlwydd oed.

[Cybi13, 13a]

501

Er serchog gof am CATHERINE ELIZABETH anwyl blentyn Wm ac E. WILLIAMS, Fronoleu, Llangybi, bu farw Rhagfyr 28, 1913 yn 5 mlwydd a 9 mis oed. Hefyd am eu hanwyl blentyn WILLIAM RICHARD, bu farw Rhagfyr 29, 1913 yn 14 mlwydd oed.

Dwyn Rhisiart yn ei Rosyn – a Chate bach
Hyd y bedd yn burwyn
Bâr i dristwch bro drostynt
Rosynau lleddf, aros yn Llyn.
CYBI*

[Cybi14]

502, 503

Bedd ROWLAND PRICHARD, Cae'r-Ferch-Isaf, Llangybi, 1842-1912. Ysgolfeistr, Cerddor a Hynafiaethydd.

Hunell yr athraw anwyl – hanesydd
Sy'n isel, ddiorchwyl;
Ond gwobor i Gerddor Gwyl – fydd canu
Eto i'n Iesu mewn byd di-noswyl.

CYBI*

Hefyd ei nai JOHN WILLIAM JONES, 1878-1921. Dyn gywir, a cherddor deallus.

A'i wyrdd Fai yng ngardd ei fyd, - yn Mai deg
Yn llanc mwyn e' ysbryd,
Ga'dd John haf, heb aeaf bywyd
A Mai yn Fai mewn haf o hyd.
CYBI*
[Cybi15, 15a]

504

Er cof am WILLIAM mab William ac Elizabeth WILLIAMS, Afonwen, yr hwn a hunodd Ionawr 6, 1877 yn 6 mlwydd oed.

Yn dawel tra hunodd – o duedd
A deall rhagorol
Tlws eirian, teulu siriol
Bydd hir alar ar ei ol.
[CHTG]

505

Er cof am WILLIAM GRIFFITHS Tai Newyddion, Llangybi, bu farw Ion. 15 yn y flwyddyn 1851 ei oed 58. A ELIZABETH ei wraig, bu farw Hydref 23, 1875 yn 80 oed.

Mawl roes yn aml i'r Iesu – o'i gwirfodd
Drwy i yrfa gwnai barchu
A mwyn wych fam yn iach fu
A thawel yn ei theulu.

[CHTG]

506

Er cof am EVAN JONES, Glasfryn Fawr, Llangybi, bu farw Ebrill 16ed 1878 yn 35 oed. Hefyd ei briod MARGARET PRITCHARD, Hendre Bach, Llangybi, bu farw Rhagfyr 9fed 1926 yn 79 oed.

O Iesu gwyn, mae is y gwys – ennyd
Fam anwyl yn gorffwys
O fyd du, a'i fywyd dwys
Per adaith yw Paradwys.

[CHTG]

507

Here earth take thy part of the Body of ROBERT OWEN, committed to Thy trust until

The loud trumpets wondrous sound
Shall through the rending Tombs rebound
And shake the nations underground.

Born, May 2nd 1760; died November 6th 1816. Gone to know more, ador more, love more. Christian reader, trust a promiscing Performing God.

Er houwder grym ac anfarwoldeb – y gwr
Rhagor wych, Oh rhyffedd [?]
Oh, dygwyd godidogedd
Lawr ar fyrder i fedd.

[CHTG]

508
Sacred to the memory of ELZABETH wife of Owen ROBERTS, Ty'n Lon Uchaf, who departed this life the 21st day of June 1829, in the 32nd year of her age. Also in memory of ROBERT, son of the above named Owen ROBERTS by Elizabeth his wife, who died on the 8th day of February 1830 aged 6 years.

Tydi'r dyn gwel y drefn yma dri – yn gorwedd
Tan garreg yn ddi-fri
Diau mae buan y deui
Dithau yn ol 'run daith a ni.

[CHTG]

509

ELIZABETH WILLIAMS was buried the 7 day of Janr; 1777 aged 3 years.

Geneth odiaeth aden – a'i gwelu
Yngwaelod daearen
Llechaf o dan y llechen
Ces friw chwithig gan frech-wen.
[CHTG]

510

In memory of JOHN JAPHETH who departed this life on the 19th day of May 1823, aged 27 years.

Gorphwysaf, hunaf mewn hedd – o'n gofid
Mi gefais drugaredd
Gwelwch fy llety gwaeledd
Lle oer i'w bod llawr y bedd.
[CHTG]

511

Er cof am WILLIAM H. WILLIAMS (Gwilym Eryri), annwyl briod Catherine Williams, Brynllwyd, Llangybi, bu farw Maw. 29, 1927 yn 73 oed.

Dianair wr 'roed dan ro – arwr
Ymddiried ei henfro
A chan saeth alaeth wylo
Mae cywir gerdd an [?] 'Caer Go'.
CYBI*
[CHTG]

1906
REHOBOTH

LLANIESTYN

Capel Rehoboth (A)

512
Er cof annwyl am M. BLODWEN PRITCHARD, Gwalia, Lleyn St. Pwllheli 1899-1964. Hefyd ei phriod GRIFFITH R. PRITCHARD 1892-1964.

Os aed â hwy yn sydyn – un o hyd
Yn eu hoes fu'r ddeuddyn;
Ac o'u taith maent yn gytun
Yn hen osteg Llaniestyn.

[Iestyn]

LLANIESTYN

Eglwys Sant Iestyn

513

Er cof am THOMAS HUMPHREYS, Frondeg, Llaniestyn, yr hwn a fu farw Mawrth 23ain 1878 yn 65 mlwydd o.

Dyn o dalent – Da'n ei deulu – dilys
Y dylid ei barchu
Cofio'n fwyn mai cyfiawn fu
A gwron gwerth ei garu.
J.W.
[CHTG]

514

Er serchog gof am HENRY, anwyl fab Thos. a Marg. WILLIAMS, Trefaes, Meillteyrn yr hwn a fu farw Hyd. 1, 1909 yn 14 oed. Hefyd eu mab Pte. WILLIAM T. WILLIAMS, South Wales Borderers, yr hwn a fu farw o'i glwyfau yn 56 General Hospital, Etaples, Ffrainc ar Awst 15, 1917 yn 28 oed ac a gladdwyd yn Military Cemetery, Etaples, Ffrainc.

Ei aberth nid â heibio – ei wyneb
Anwyl nid â'n ango'
Er i'r Almaen ystaenio
Ei dwrn dur yn ei waed o.
[Hedd Wyn]*
[CHTG]

515
Er cof am ANN, gwraig Hugh PARRY, Gledrydd, Llandudwen yr hon a fu farw Rhag. 5ed 1859 yn 53 oed.

Ann Hedoedd fel mae'n hyder – O fawr boen
Twrf byd, a'i goethder.
Uwch niwl dir, nycha 'weulder
Yn hoenus iawn i fynwes ner.

[CHTG]

516
Er cof am JANE JONES, merch Griffith ac Ann Jones, Llechwedd y Bryn a fu farw Mehefin 12, 1878 yn 36 oed.

Uwchlaw croes ag loes y glyn – yn y nef
Mewn mwynhad diderfyn
Ei chan am ei golchi'n wyn
Fythola efo'i thelyn.

[CHTG]

517
Er cof am MARGARET, gwraig John OWEN, Tynypwll, Llaniestyn, yr hon a fu farw Mawrth 24, 1878 yn 58 oed. Hefyd am y dywededig JOHN OWEN yr hwn a fu farw Gorphenaf 24, 1882 yn 69 oed.

Er llwyddo gwyno'n teg wedd – yn y glyn
O dan gloion llygredd.
I wynfyd bywyd o'r bedd
Y deuwn yn y diwedd.

[CHTG]

518, 519

Er cof am MAGDALEN, anwyl briod y Parch Robert JONES, Ty Bwlcyn bu farw Ebrill 25ain 1813 yn 65 mlwydd oed.

Mewn llety gwelw gwaeledd – yn dawel
Diau mae'n gorwedd
Cyfyd o lwch y ceufedd
Lun gwael yn lan ei gwedd.

Hefyd y Parch ROBERT JONES Ty Bwlcyn, hunodd yn yr Iesu Ebrill 18fed 1829 yn 84 mlwydd oed. Wedi bod yn Pregethu yr Efengyl am dros 60 mlwydd ymhlith y Trefnyddion Calfinaidd.

Gorweddaf, hunaf mewn hedd – fer ennyd
I fraenu mewn llygredd
Er y llwgr a'r hyll agwedd
Onid gwych fydd newid gwedd.

[CHTG]

Llannor

LLANNOR

Eglwys y Groes Sanctaidd

520

Underneath are interred the remains of MARY JANE, Daughter of Thomas HUGHES, Druggist, of Pwllheli, by Elizabeth his wife, who departed this life May 23rd 1845 aged 3 years.

Er iddi foddi mae'n fyw – a heinif
Yw ei henaid heddyw,
Merch deirblwydd ddedwydd ydyw
O fawdd dŵr yn nefoedd Duw.

[Llannor01]

521, 522

Er serchog gof am ELLEN, anwyl briod ROBERT JONES, Hendref, Llannor, yr hon a fu farw Mawrth 29, 1892 yn 68 oed.

Diledrwy fu drwy'i bywyd – arogl hedd
Heibio'r glyn a gyfyd;
Hyf dystia nas bwria byd
Chwaer gywirach i'r gweryd.

Hefyd am y dywededig ROBERT JONES, bu farw Ionawr 3ydd 1904, yn 84 oed.

O'n golwg ef pan giliai – fore Sul,
Fry i Salem hedai;
O'i ofid i'r Gwynfyd ai,
A Seion a'i croesawai.

R.F.W.*

[Llannor02, 2a]

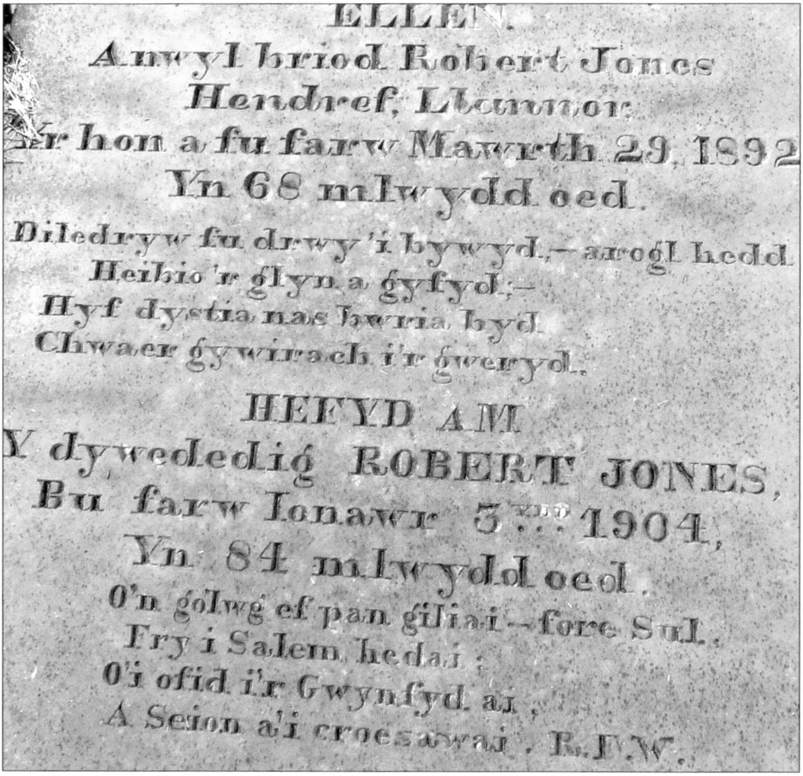

523
Er cof am JOHN EVANS (Melinydd) Tyhwnt-ir-afon, Llanor, yr hwn a fu farw Tachwedd 28ain 1867 yn 58 mlwydd oed.
Hefyd am CATHERINE ei briod, bu farw Gorphenaf 5ed 1892 yn 85 mlwydd oed.

Un dawel iawn a duwiol oedd – anwyl
Onest, ddiangyhoedd
Tangnefedd Nef y Nefoedd
Ar daen drwy'i gwynebpryd oedd.

[Llannor03]

524
Coffadwriaeth am ROBERT JONES, Pentre'ucha, a fu farw Ionawr 14, 1826. Ei oedran 80. Hefyd ANN JONES, Gwraig yr unrhyw, a fu farw Chwefror 14, 1826. Ei hoedran 78.

O lygredd a'r bedd, yn dygir
Yn deg ein hagweddau:
De'wn yn rhydd un dydd ein dau,
A dringwn o dir angau.

[Llannor04]

525
Underneath lie the mortal Remains of WILLIAM WILLIAMS and ELIZABETH his wife, of Gellidara in this parish. He died Nov 3rd 1817 aged 77. She died

June 12th 1820 aged 75

Dyma'r bedd oerwedd wryd, y claddwyd
Coleddwyr mewn adfyd:
O'r ceufedd IOR a'u cyfyd,
Yr ola' farn i'r ail fyd

[Llannor05]

526
Underneath are deposited the mortal Remains of WILLIAM JONES, of Gellidara in this Parish, who departed this life on the 13th day of June, 1828 aged 59.

Mewn hedd ac uniondeb
y rhodiodd gyd a mi.

Also the Remains of ANN JONES, wife of the above named William Jones, who departed this life Oct. 19th 186? Aged 82.

Ar Iesu a'i braidd rhoes eu bryd – gwyliasai
Ag eulusen, adfyd, -
Hi ddaw o'i bedd ddiwedd byd
I sangctaidd oes ieuengctyd.

R.H.

[Llannor06]

527

In memory of MARGARET, second daughter of Hugh and Catherine HUGHES of Gellidara, who departed this life Decr 4th 1864 in her 13 year.

"Er Cof" – Ond Pwy all cofio – y fath un
Fyth heb dori i wylo?
A! Nid bedd ydyw'r bedd tra byddo
Gem Iesu Grist yn gymysg ai ro!

DEWI ARFON*

[Llannor07]

528, 529

In memory of ELIZA JANNET, daughter of ELLIS and ELIZTH EVANS, Rhallt Felan. Born May 20th 1855. Died Decr 1st 1860.
Tori cwlwm tair calon – dwyn y ferch
Dyna for o loesion.
Ei ddyfroedd rewai'r ddwyfron
Ond hi aeth i fro helaeth yr anfarwolion.

Yno mae o fewn y mur – heb un loes
Mae'n byw yn lan ei natur
Iachusawl fwynha'i chysur
Yn nghol y Pen mae'n Angel pur.

[Llannor08]

530
WILLIAM EVANS, Mathan Uchaf, Bodfean, bu farw Chwefror 23, 1907 yn 63 mlwydd oed.

Wele! Yma fedd William Evan – fwyn
Fu'n trigo yn Mathan;
Da fywyd yn Bodfean
Roes o glod i'r Iesu glan.

G.W.F.[?]

[Llannor09]

531
Underneath are depoſited the mortal remains of HUGH JONES, Pen y sarn in this Pariſh, who departed this life on the 5th day of June 1818 in the 62nd year of his age.

Daeth tan ser brudd-der i'n bro, am fwynwr
Mae'n fynych ei gofio:
I'w Briod trallod fu'r tro
Oer, alar a hir wylo.

[Llannor10]

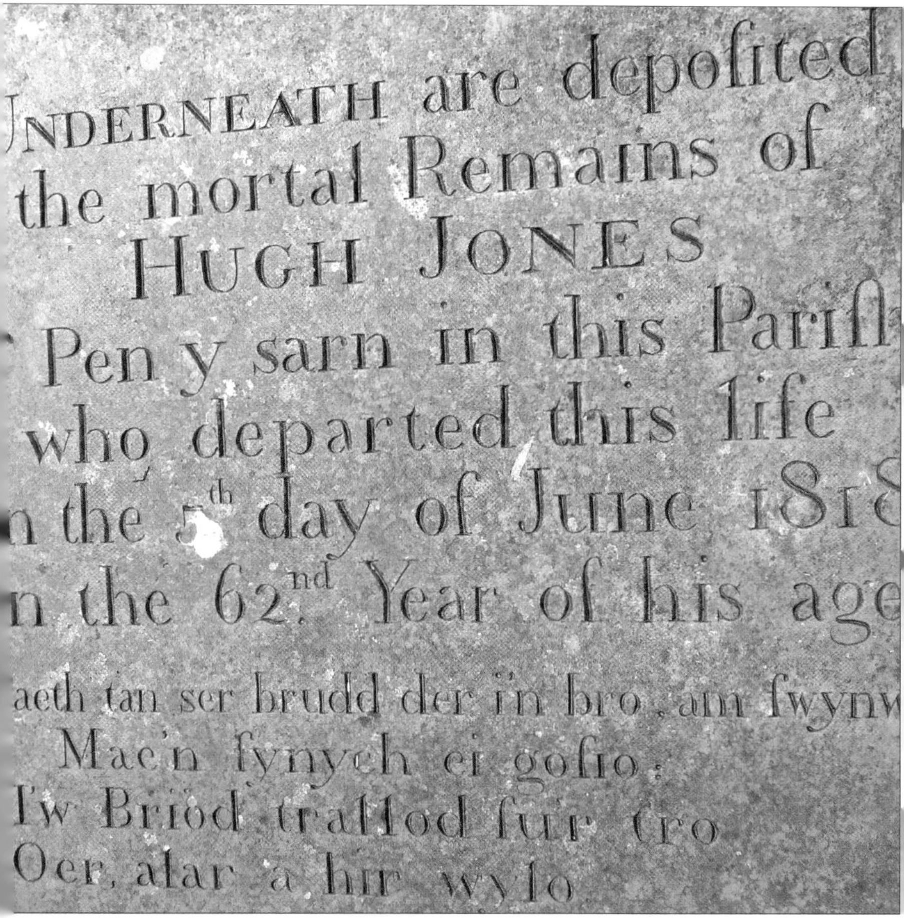

UNDERNEATH are depofited
the mortal Remains of
HUGH JONES
Pen y sarn in this Parifh
who departed this life
n the 5th day of June 181
n the 62nd Year of his age

aeth tan ser brudd der ïn bro, am fwynw
Mae'n fynych ei gofio;
I'w Briöd trallod fur tro
Oer, alar a hir wylo

Llithfaen

LLITHFAEN

Mynwent Gyhoeddus

532, 533
Er serchog gof am TREFOR MATHIAS, annwyl fab R.T. a L. HUGHES, Bronallt, Llithfaen, 1922-1941.

Trallodau, beiau bywyd – ni welais
Nag wylwch o'm plegyd;
Wyf iach o bob afiechyd,
Ac yn fy medd, gwyn fy myd.

EDWARD RICHIARD* *[sic]*

Hefyd eu tad, Robert T. Hughes, 1879-1955.
'Mae'n canu yn y Nefoedd.'

Hefyd eu mham, Elizabeth Hughes, 1891-1974.

Cwrdd ar fynydd Seion
O mor felys fydd.

Hefyd ei frawd OWAIN EMRYS HUGHES, 1920-1944.
Cyfarfu a'i ddiwedd yn y Dwyrain Canol.

Yn ddiffrwyth yn medd Affrig – dy wely
Mud, olaf sy'n unig;
Ond yno daw, draw, i'th drig
Eco hiraeth drwy'r cerrig.

HERMAN JONES*

[Llith1, 2]

534
Er cof annwyl am GILMOR GRIFFITHS, Hafod y Garn, Henllan, Dinbych, Athro Cerdd cyntaf Ysgol Glan Clwyd, Llanelwy o 1956-1982, a hunodd

Gorffennaf 11eg 1985 yn 67 mlwydd o. (Ar gefn y garreg:)

I'r athro daeth aruthredd – yr Amen
Yn storm haf ei waeledd.
Angau'i hun dry'n gynghanedd;
Nid craig fud carreg ei fedd.

H.D.H

[Llith02, 02a]

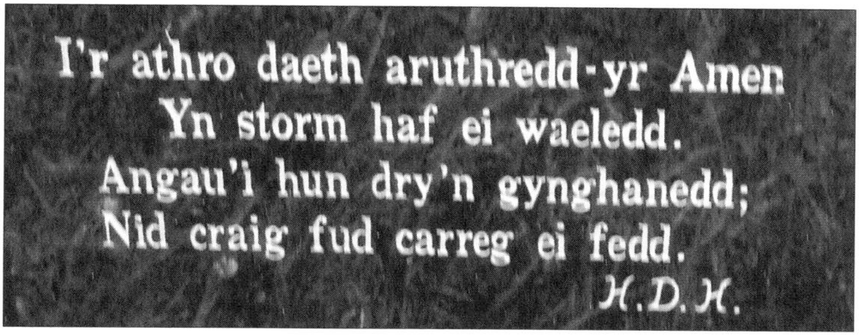

535
I gofio'n dyner iawn am briod annwyl a thad caredig THOMAS OWEN WILLIAMS, Anwylfa, Llithfaen a hunodd Awst 26, 1961 yn 63 mlwydd o

Gwael o grud yw gwely gro, – y goreu
A garwn ddaw iddo
T.O. annwyl aeth o'n dwylo,
Ond nid bedd ei ddiwedd o.
[Llith03]

536
Er cof annwyl am ROBERT HUMPHREYS ROBERTS, mab Evan a Elizabeth Roberts, Eryri, Llithfaen, hunodd Mawrth 4, 1922 yn 32 mlwydd oed.

Hunell y cerddor annwyl, - ac, yn wir, -
Gynared ei noswyl!
Ond têr, mewn byd diarwyl,
Cân a sant mewn cynnes hwyl.

CYBI*

[Llith04]

537, 538, 539
Er cof serchog am EVAN JONES, Llithfaen Isa, Llithfaen, bu farw Rhagfyr 7, 1925 yn 85 mlwydd oed. Blaenor 1873-1925. Arweinydd y Gan 1860-1925.

Swyn ty Dduw i sant o ddyn – ein 'Ifan'
Oedd ryfedd i'r terfyn:
Cerddor gai em o'r Emyn
Gân yn nef – ei gartref gwyn.

ARIFOG*

Hefyd ei chwaer, ELIZABETH EDWARDS, Gwen-y-Wawr, Llithfaen, 1850-1937

Gwraig a mam ddinam wir dda – i ddeufyd
Bu'n ddifwlch ei gyrfa:
Ac nid oes bridd a'i pridda
Ei bri o hyd a barha.

CYBI*

Hefyd ei phriod EDWARD EDWARDS, 1853-1938

O'r henoes gwr o ynni – a synwyr
O wasaneth glanfri:
Bu'n hoenus hyd benwyni
A'r Eifl a werchyd ei fri.

CYBI*

[Llith05]

540

Er cof annwyl am JOHN JONES, annwyl briod Elizabeth Jones, Llithfaen Bach, Llithfaen, bu farw Hydref 24, 1925 yn 72 mlwydd oed.

Huned, 'rol profi henaint, – mewn heddwch
Mwyn haeddodd, yr hawlfraint
Am ei hanes, mae enaint
O fyw swyn yng nghof y saint.

CELYN*
[Llith06]

541

Er serchog gof am GRIFFITH JONES, Tan y ffordd, Llithfaen, bu farw Mawrth 28, 1894 yn 69 mlwydd oed. Hefyd ei briod, ANN JONES, bu farw Ebrill 3, 1904 yn 74 mlwydd oed.

Tâd a mam aeth o'n tûd, mwy – ni welir
Anwyliaid cofiadwy;
Pêr eu llais heb glais, heb glwy, -
Uwch gwybren, - gwych eu gwobry.

ARIFOG*

[Llith07]

542

Er cof am MARY, annwyl briod Robert JONES, Bryn Celyn Uchaf, Llithfaen, bu farw Mai 25, 1911, yn 68 mlwydd oed. Hefyd am ROBERT JONES, a fu farw Mawrth 7, 1913 yn 65 mlwydd oed.

Dau diargyhoedd oeddynt, - mwyna' o bawb,
Mae'n byd ni'n wag hebddynt;
Yn y llwch heddwch iddynt, - anwyliaid
Cyfamod enaid yw cofio'm danynt.

CELYN* (eu mhab)

[Llith08]

543

Er cof am Catherine Owen, priod Richard Owen, Tanrallt, bu farw Awst 29ain 1910 yn 71 mlwydd oed. Hefyd ei phriod RICHARD OWEN, bu farw 24, Mawrth 1919 yn 83 mlwydd oed.

Mor heli mawr a hwyliais – Monwent
        Yw'r man yr angorais;
    Os ar frig ton llon fu'm llais
    Tawel yw'r man lle tewais.

[Llith10, 10a]

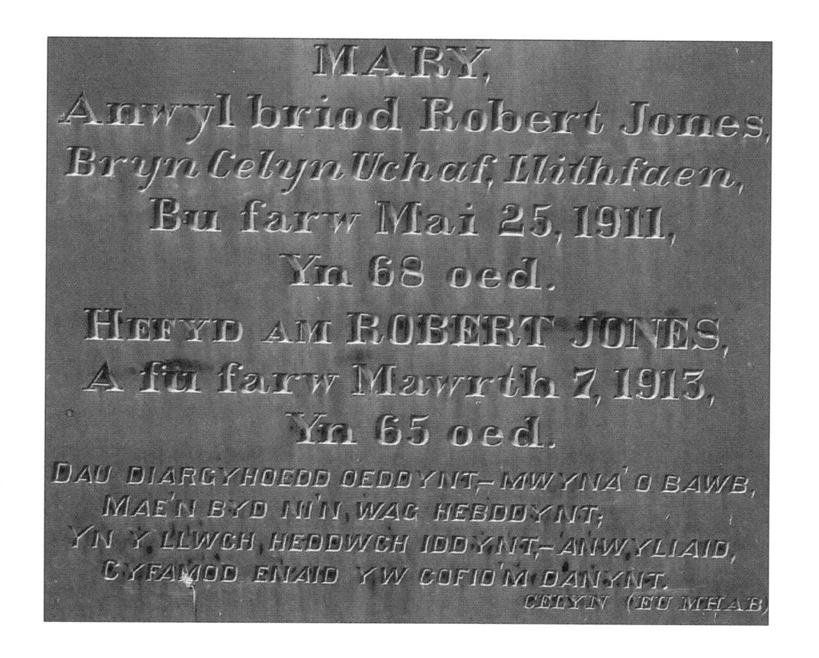

MELLTEYRN

Eglwys Sant Pedr mewn Cadwynau

544
Er serchus goffadwriaeth am WILLLIAM OWEN, Waterloo House, Sarn, yr hwn a hunodd yn yr Iesu Dydd Llun Chwefror 9fed 1903 yn 82 mlwydd oed.

Arwr ei ban, gwr hir ei ben – oesai'n
Gymwynaswr llawen
Oedd y sant; - dim defnydd sen
Yn mywyd William Owen.

ALAFON*

Hefyd ei annwyl briod, Mary Owen, hunodd Gorphenaf 24ain 1915 yn 90 mlwydd oed.
[Mellt01]

545
Er serchog gof am MARGARET, anwyl briod Edward JONES, Police Station, Sarn, yr hon a fu farw Goraf 25, 1881 yn 38 mlwydd oed.

Gwraig hynaws gywir ac anwyl – mewn cwsg
Sydd yma'n cael noswyl:
Ei phur oes yn ei phreswyl,
A roes hon ir Iesu'n ŵyl.
AP MORUS*
[Mellt02]

546
Er serchog goffadwriaeth am Capt. THOMAS GRIFFITH, Hendra, Abersoch (gynt o Trefaes), yr hwn a fu farw Gorphenaf 10, 1907 yn 66 mlwydd oed.

O su y don i aros dydd – wele'r
Lle hwyliodd Tom Gruffydd;
Foreu draw caiff frawd a rydd
Ei fwyn law i f'hen lywydd.

AP LLEYN*

[Mellt03, 3a]

547
… er serchus gof am WILLIAM HENRY, anwyl faban Evan ac Elizath WILLIAMS, Tŷ Engan, yr hwn a hunodd Mawrth 7ed, 1878 yn 6 wythnos oed.

Blodeuyn cyn gwyneb ledu – a wywodd
Ow! O fel y darfu;
Ei wedd deg yn y bedd du
Pwy edrych arno'n pydru.

[Mellt04, 04a]

548
Er serchus goffadwriaeth am MARY ELLEN, anwyl briod Capt. Robert GRIFFITHS a merch William Owen, Sarn. Bu farw Tachwedd 4ydd 1890 yn 26 mlwydd oed.

Mary Ellen er mawr alar – isod
Noswyliodd yn gynar;
At anian nef tynai'n war,
Rhy dduwiol oedd i'r ddaear.

AP MORUS*

[CHTG]

549

Underneath lie the remains of John Jones, Woolen Draper, Liverpool, (son of the late Gth Jones, Crygeran), who departed this life 24th Novr 1864 aged 37 years.
Here also lieth the remains of WILLIAM GRIFFITH JONES, eldest son of the said John Jones who slept in Jesus Dec. 3, 1879 aged 18 years.

Er ei ddysg a phob rhyw ddawn – dywywai'n
Brawd ieuangc gobeithlawn;
Echwyn oedd a'i grwgnach wnawn
Ein Ion sy'n trefnu'r uniawn.

[CHTG]

550

Er serchus goffadwriaeth am JOHN GRIFFITHS, Meillteyrn, yr hwn a fu farw Ebrill 9fed 1881 yn 57 mlwydd o.

Braw a fu aeth boreu i fywyd – o'n plith
Gyda'r plant i'r gwynfyd
Nychodd yn wan ei iechyd,
Nes gorphwys o bwys a byd.

[CHTG]

551
Er cof am DAVID, mab John ac Ellin WILLIAMS a fu farw Gorph. 31, 1882 yn 3 bl a 3m oed. Er cof am EVAN JONES mab John ac Ellin WILLIAMS, Hope, Sarn, yr hwn a fu farw Ebrill 1, 1859 yn 2 fl. a 3 mis oed.

I fynu daw Evan a David – bach
Heb ôl poen a gofid
I awyr ddigyfnewid
Wrth air Ion dan brydferth wrid.

(Englyn buddugol yn Eisteddfod y Sarn, 1883)

[CHTG]

552
Serch gof gareg am OWEN anwyl blentyn John ac Ellen WILLIAMS, Tŷ Newydd, Sarn, yr hwn a ddilynodd ei ddau hoff frawd Evan a David i oerfedd Rhagfyr 12ed 1883 yn 7 oed.

Rhyw dro byr o'r cryd i'r bedd – 'roes Owen
Mewn brys am y diwedd:
Ai'r enaid mawr ei rinwedd,
At ei dad i wlad y wledd.

AP MORUS*

[CHTG]

553
Underneath this stone lieth the body of ROBERT WILLIAMS, late of Cae Mawr, buried the 14th of July 1793 aged 67.

Digyngor y dwg angau – bob oedran
I bydru, fel finau:
Ystyr hyn, oh briddyn brau,
Gwêl dy daith, gwael do'i dithau.

[CHTG]

MORFA NEFYN

Eglwys Fair Fadlen

554
Er cof annwyl am HILDA WILLIAMS, Arddol, Y Ffôr, hunodd Mai 17, 2002 yn 87 mlwydd oed.

Gwên siriol oedd ei golud, - a gweini'n
        Ddi-gŵyn oedd ei gwynfyd;
    Bu fyw'n dda, bu fyw'n ddiwyd,
    A lle bu hon mae gwell byd.

[W. Rh. N.]*

[Morfa1]

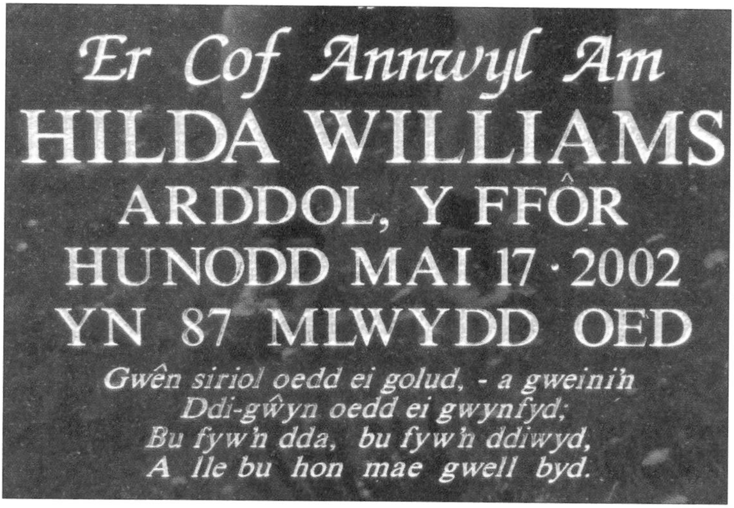

555
Tyner gof am GRIFFITH JOHN JONES, B.E.M., Priod ffyddlon, Tad a Thaid cariadus, 1932-2000

Gwron y môr a'i donnau, - yn y bad
Arbedwr bywydau;
I ŵr y gân, dyn bandiau,
Hedd yw'r bedd ar ymyl bae.

ROBIN

[Morfa2]

556
Er cof annwyl am JOHN IDWAL JONES, priod a thad caredig, Eastfield, Morfa Nefyn, 2 Chwefror 1914 – 30 Awst 1995.

Llain lonydd yn naear Llŷn – i arddwr
A roddwyd; gŵr mwyn, un
Dygn, diwyd ei fyd. Un
Heb un gelyn; hedd i'w hun.

R.G.J.*

[Morfa3]

557
Er cof am Ellen, annwyl blentyn John a Margaret

Thomas, Lonucha, Morfa Nevin, bu farw Gorph. 1, 1884, yn 3 bl. a 3 mis oed. Hefyd am a dywededig MARGARET THOMAS, bu farw Ebrill 27, 1902 yn 46 mlwydd oed.

'Am hynny byddwch chwithau barod
canys yn yr awr na thybioch y daw Mab y dyn.'

Daw Margaret yn iach eto – o'r dufedd
Er Duw fyn ei deffro,
Y ddaearol freuol fro, ysgydwir
A hon wahoddir i fwynhau ei heiddo.

[Morfa4,4a]

558
Er cof anwylaf am EVAN HUGHES, Erw Wen (gynt o Graianfryn) 1889-1962.

Un tyner ei gymeriad – un annwyl
Union ei gerddediad,
Un gododd dros ei geidwad
Yn ŵr glew i herio gwlad.

[Morfa6]

559
Er serchog gof am briod a mam annwyl GWYNETH ARFON ROBERTS, Y Dryslwyn, Morfa Nefyn a fu farw Mai 12fed 1985 yn 71 mlwydd o.

Yr hyn a allodd hon hi a'i gwnaeth

Hefyd ei gweddw HUGH ROBERTS, tad a thaid gofalus a fu farw Chwefror 3ydd 1991 yn 79 mlwydd o.

Er daearu dau orau – er y rhwyg
Er yr ing ar brydiau
Ni a ymrown i'w mawrhau
Oedwn mewn diolchiadau.

[Morfa5]

560
Er y cur, hyfryd yw'r côf am
OLIVE MAUREEN WILLIAMS
Highfield Bungalow, Morfa Nefyn.
12.1.1935 - 17.6.2008

Y wraig ffeind, y graig o ffydd – y fydwraig
Fedrus, y gofalydd.
Y fwynaf o Eifionydd
I ni'n fam dragwyddol fydd.

M.M.H.*

[Morfa7]

561
Yma'n Gorffwys Yng Ngofal Duw
WINIFRED ELISABETH OGWEN-JONES
Seibiant, Morfa Nefyn, a fu farw Tachwedd 2001 yn 95 mlwydd o.
Gweddw Ffyddlon y Diweddar John Ogwen-Jones, 1907-1971, Chemist, Morfa Nefyn, a Merch Gariadus Richard a Jane Jones, (1884-1972 ac 1880-1979) Cairnsmore, Morfa Nefyn, gynt o Rhiw a Pwllheli. Claddwyd llwch ei gŵr a'i rhieni yma.

Hi anwylai ei h'aelwyd. Rhoi 'i holl oes
Er lles fu ei breuddwyd;
Llaw yn llaw yn f'oriau llwyd
Yn y gofyn, fe gafwyd.

T.G.J.*

[Morfa8]

562
Er serchog gof am WILLIAM, mab Capt. a Mrs ROBT. JONES, Glanrhyd, Morfa Nefyn, a fu farw Mai 8, 1910 yn 29 mlwydd oed.

Am William gwybu'm wylo – nwyfus oedd
Myn fy serch ei gofio,
Wele fan cof am dano
Cwys ein grudd, cusan ei gro.

[CHTG]

563
Er serchog gof am Jane Elizabeth, anwyl briod Capt. Wm Thomas, Emu, Morfa Nevin, hunodd yn dawel Mawrth 29, 1918 yn 43 mlwydd oed.

'Yr hyn a allodd hon, hi a'i gwnaeth.'

Hefyd am a dywededig Capt. WILLIAM THOMAS, Prif Swyddog M.S. 'Sycamore' hunodd yn Constanza (Black Sea) Medi 11, 1925 yn 50 mlwydd oed.

Un gwylaidd ei galon – ydoedd
Deniadol a thirion
Rhedlif ei wenau rhadlon
Fyrhau'r daith, trwy ferw'r don.

[CHTG]

564
Cof annwyl am HENRY J. THOMAS, Fron Hyfryd, Morfa Nefyn, hunodd Ebrill 24ain 1870-1920. Hefyd ei briod Kate J. Thomas, 1875-1949.

Llawen gyfaill, iawn ei gofio – hwyliodd
Ar heli a'i gyffro
Daw annwyliaid dan wylo
I fin hedd ei hafan ô.

[CHTG]

NEFYN

Eglwys Santes Fair

565, 566, 567, 568
Er coffadwriaeth am ROBERT GRIFFITH, Penymaes, Nefyn, yr hwn a fu farw Tachwedd 29ain 1846 yn 56 oed.

Robert Griffith sydd is hon – henuriad
Fy'n arwain praidd seion.
Ei wobr ef, pan ddaw ger bron
Oi fedd careg, fydd coron.

Yn llywydd llong, llwydd a lles – ei ddwylo
Oedd ddalen oi gyffes;
Y nef wen yn ei fynwes,
Creodd rym caruaidd wres.

Hefyd am CATHERINE, ei wraig, yr hon fu farw Medi 12fed 1860 yn 68 oed.

Nid mynor gwyn sy'n arwydd – ou marw
Nid mawredd a dderfydd:
Ond dwyfol, anfarwol fydd
Yn Nuw, 'eu henw Newydd.'

Wedi'i blinfyd cryd y gro – sy' dawel
O dywydd i huno:-
Cawsant ddydd o dywydd, do:
Ond yn y nef mae'n haf yno.
Mab (PATROBAS*)

Hefyd am eu Mab, Robert Griffith (Patrobas), yr hwn a fu farw Ebrill 21ain 1863 yn 31 mlwydd oed.

[StM01, 02]

569
Underneath are interred the Remains of ROBERT, son of Captn Hugh ROBERTS of this Town, by Eleanor his Wife, who departed this life on the 13th day of Decr 1832 aged 22 years.

Dolur tra mawr iw deulu – iw cofio
Eu cyfaill mwynaiddgu:
Duw a fyn, daw i fynu,
O garchar y ddaear ddu.

[StM03]

570
Coffadwriaeth am JANE WILLIAMS, Gwrag [sic] Captn Seth Williams, yr hon a fu farw Mehefin 20fed 1855 yn 38 mlwydd oed.

Hi dorodd ei chalon dirion – gair hiraeth
Yn herwydd ei Meibion
Ai Gwr aeth yn gaeth dan don.
Mawr rwygiad y mor eigion.

[StM04]

571
Beddadail DAFYDD ac ELEANOR WILSON. Bu hi farw Ionawr 26ain 1843 yn 76 oed. Bu yntau farw Ionawr 7ed 1848 yn 81 oed. Gwedi bod o hono yn swyddog o'r Gyllidfa yn Porthdinlleyn am 35 o Flynyddau.

Uwch pob croes uwch loes na chlwy – y deuant
O dŷ'r bedd llygradwy,
Yn ddedwydd, wahoddadwy
I fro y mawl, heb farw mwy.
[StM05, 05a]

572

Dychwelwch feibion dynion.

Yma y gorwedd y rhan farwol o ROBERT GRIFFITH, diweddar Feister y Robert† o'r lle hwn, a ymadawodd a'r fuchedd hon ar y 12ed o Awst, 1846 yn ei 42ian flwyddyn o'i oedran. Hefyd MARY gwraig Robert Griffith, yr hon a ymadawodd a'r fuchedd hon ar y 18fed o Chwefror 1858 yn ei 54edd flwyddyn o'i hoedran.

Er wylo o'u hanwylyd, - eu hunig
Eneth yn ei hadfyd;
Ond er hyn, Duw fyn o fyd
A alwo Ef i eilfyd.

[StM07]

(†Adeiladwyd y Sgwner 'Robert' *[110 tunnell] yn Nefyn yn 1843, pan oedd Robert Griffith ei hun yr adeiladydd. Collwyd hi yn 1888.)*

573

Yma Y Gorwedd yr hyn ſydd farwol o JANE ROBERTS, Gwraig Harbert [sic] Griffith o'r dref hon: a Ymadawodd a'r byd hwn: Mai 13, 1821, ei hoed 76. Ar ei dymuniad canwyd y Penill canlynol yn ei hangladd:

Ni ddaw i ran y cyfriw rai,
Nac och na gwae drachefn:
'T'rhaid yfed dyfroedd mara mwy
'R'ol myned trwy'r Iorddonen.

HERBERT GRIFFITHS [sic] a Ymadawodd ar bywyd hwn Mai 6, 1831, ei oed 79.

Gorweddaf, hunaf mewn hedd, - fer ennyd
I fraenu mewn llygredd:
Er y llwgr a'r hyll agwedd,
Onid gwych fydd newid gwedd.
[StM08]

574
Underneath lie the Remains of HUGH ROBERTS, late maſter of the Schooner Catherine of this town, who died January 22nd 1827 aged 56.

Wele fan graian a gro – gorweddfa
Gŵr addfwyn sydd ynddo;
Bu dan sêr brudd-der drwy'r bro,
Y diwrnod cauwyd arno.

[StM06]

575
To the memory of WILLIAM ELLIS, Grocer, who departed this life the 3 of October 1835 yn 81.

Pob hedyn a fyn Efe – o'r dulawr
A'r dylif i'r frawdle;
Cywir gesglir o'r gysgle
Lychyn at lychyn i'w le.
[Robert ap Gwilym Ddu]*
[CHTG]

576

In memory of MARY ELLIS, daughter of Capt. William Ellis, Brig 'Alert' by Ann his wife. She died January 10th 1849 aged 22 years. Also the above named Ann Ellis, who died December 16th 1862 aged 72 years.

I'r gwys o'r eglwys yr aeth – Ann
A minau mewn hiraeth
Ei henaid yn ddihunaeth
Dringo i'r nef drwy angau wnaeth.

[CHTG]

577, 578

Yma y Gorwedd yr hyn sydd Farwol o HENRY HUGHES, Fron, a ymadawodd a'r bywyd hwn, Hydref 14, 1834. Ei oed 68.

Mawr elwin fu marwolaeth – nodwyd
I'm fythol fynediad helaeth
I fuddiol etifeddiaeth
Fel llif o fêl a llaeth.

Hefyd ELIZABETH, gwraig Henry HUGHES, a fu farw Rhagfyr 19, 1840. Ei hoed 72.

Hun dawel gawn ein deu-wedd – hyd foreu
Adferiad o lygredd
Ac yna i ogonedd
Ein dau'n fyw, deuwn o fedd.

[CHTG]

579

Er cof am ELIZABETH JONES, Pen Isa Rhes Pistyll, bu farw Mawrth 9ed 1868 yn 61 oed.

Oer len ei marwol anedd – o'i hogylch
A egyr ar ddiwedd
Daw'r afrifawl dorf ryfedd
Feirwon byd, i farn o'u bedd.

[Robert ap Gwilym Ddu]*

[CHTG]

NEFYN

Mynwent Gyhoeddus

580

Er serchog gof am Elizabeth Jones, Pant'rorsedd, Morfa Nefyn bu farw Gorphenaf 1, 1882 yn 74 oed. 'Nid marw hi eithr cysgu y mae.'
Hefyd Capt. JOHN JONES, ei Brawd, a ymadawodd ar fuchedd hon Gorphehaf [sic] 1, 1892 yn 90 oed.

Ef fu wrol i forio – a diau
Deall cryf oedd ganddo;
O'i deithiau hir y daeth o,
Am enyd yma i huno.

[Nefyn1]

581

Er serchog gof am CATHERINE WILLIAMS, annwyl briod Owen Williams, Prifathraw Ysgol y Cyngor Nevin, a hunodd Mawrth 4ydd 1919. Bu yn Brifathrawes (Adran y Genethod) Ysgol y Cyngor Nevin o 1878 hyd 1902. *[Carreg mewn cyflwr gwael.]*

Gauaf du gofidiau hon – a'i hir nos
Droai'n haf teg weithion
Mewn uwch bri maen iach ei bron,
Un o fil o'r nefolion.

EIFIONYDD*
[Nefyn4]

582
THOMAS GRIFFITH, mab hynaf Capt. Wm. Griffith Cerniog Bach, Nefyn a Mary ei wraig, a fu farw 1878 yn 27 mlwydd oed.

Yn ei oes fer hynaws fu – ei wenbur
Ddenai bawb iw garu.
Blinodd ar y ddaear ddu
Aeth i lus Bythol Iesu.

[Nefyn5]

583
Er cof am GWILYM ROWLANDS, Glan Dwr, Nefyn, priod a thad annwyl, a hunodd Tachwedd 1, 1975 yn 62 mlwydd oed.

Enaid a garai ganu – garai les,
Garai lwydd ei deulu:
Na'r brawd hwn fe wn na fu
Anwylach yn benteulu.

D.G.*

[Nefyn6]

584
Er cof am ELLEN GRIFFITH, Eryri, Nefyn, Priod a Mam annwyl, a hunodd Tach. 6 1962 yn 60 oed.

Mawr rin, ddwys fam, a rannodd – yn annwyl;
Dan wenu aberthodd:
O ferw byd i farw o'i bodd
Y gu Ellen a giliodd.

R.H.G.

[Nefyn7]

585

Er cof tyner am MALDWYN JONES, Rhug Villa, Nefyn, 1948-2008 Gŵr, tad a thaid annwyl.

Am fod bogal yn galw; - yn y gwyll
Mae na gwch yn weddw,
Môr a dyn, un ydyn nhw
Yn llunio'r cylch drwy'r llanw.

Y TIR MAWR*

[Nefyn8]

586

Er serchog gof am JOHN HENRY ROWLANDS, gynt o Gwalia, Nefyn, a fu farw Rhagfyr 19eg 1993 yn 46 mlwydd oed. Annwyl fab y diweddar William a Laura Rowlands.

Hiraeth am donnau'n torri – hyd lannau
Dy Lŷn oedd ddoe iti,
Ond mil gwaeth dy hiraeth di
Yn un a'th Lŷn eleni.

ALAN LLWYD*
[Nefyn9]

587, 588
Er cof am y Cadben HENRY PARRY, Llywydd yr Ysgwner Margaret Parry, yr hwn a fu foddi yn nghyd a holl ddwylaw y llestr uchod ar eu Mordaith o Gaer i Londonderry yn y flwyddyn 1848. Hefyd Margaret Parry, priod y dywededig Cadben Henry Parry yr hon a fu farw Awst 6ed 1861 yn 63 mlwydd oed.

Nid mynor gwyn sy'n arwydd – o'i marw
Nid mawredd a dderfydd:
Ysbrydol, anfarwol fydd
Yn Nuw, eu henw newydd.

Ei geiriau yn angau ingawl – oeddynt
Arwyddion heddychawl;
O gymmod, a hynod hawl
Yn y goron deg eurawl.

PATROBAS *
[Nefyn10, 10a]

(Adeiladwyd y sgwner Margaret Parry *[106 tunnell] gan Richard Parry yn Nefyn yn 1848.)*

589, 590

Er cof am John William Foulke, Bull, Nevin, bu farw Awst 14, 1863 yn 82 oed. Hefyd Elizabeth ei Wraig a fu farw Chwefror 25, 1888 yn 84 oed. Hefyd am ELIZABETH, Gwraig Robert O. JONES, Bull Inn, Nevin, yr hon a hunodd yn yr Iesu Medi 1af 1895 yn 46 mlwydd oed.

Gwraig weithgar hawddgar lawnhedd – ddaionus
Oedd yn ei glân fuchedd;
Ei rhan a wnaeth mewn rhinwedd,
Ai gwir barch gysegra'i bedd.

Ehedfan wnaeth oi hadfyd – i feddiant
Gwir foddion dedwyddyd;
N'ith siomir wedi'th symud,
Ir wyl fawr yn yr ail fyd.

Cedwch Gwyliwch Angylion,
Ei llwch hi dan y llech hon.

[Nefyn11]

591
Er cof am MARY ANNE, merch John ac Elizabeth OWEN, Nanhoron House, Pwllheli, bu farw Chwefror 1af 1873 yn 7 mis oed.

Yn flodyn o'r nef hi ledodd – ond awel
Hin dywyll a'i cuddiodd
Yn angau – hi ddihangodd
I'r byd lle chwery o'i bodd.

Hefyd Eth Anne, eu merch bu farw Mawrth 13, 1875 yn 5 mis oed.

[Nefyn12]

592
Er serchog gof am Dr WILLIAM THOMAS, M.R.C.S. L.R.C.P., ganed Ebrill 13eg 1882, bu farw Awst 8fed 1906.

Fe rodiai'n eangfrydig – arweinydd
Per wyneb, caredig;
Rho'i wên i'r claf a'r unig;
Ai glod rêd uwch ei gêl drig.

ALAFON*

[Nefyn13]

593
Er cof annwyl am ELLEN JONES, annwyl briod William Jones, Bronallt, Nevin, a hunodd Ionawr 2, 1940, yn 46 mlwydd oed.

Er y cystydd a'r lludded – a gafodd,
Fe gofiwn ei chlywed
Dan ei chroes yn dynn ei chred
Am Iôr a ddwg ymwared.

Hefyd William Jones a hunodd Chwefror 13 1962
Yr hwn sydd yn gwneuthur ewyllys Duw, sydd yn aros yn dragywydd

[Nefyn14]

594
HUGH DAVIES, Tŷ'n yn Mynydd, Boduan, bu farw 1912.

Un cryf oedd fel crefyddwr – Huw Dafis
Y dyfal amaethwr;
Pur hyd ei oes, parod ŵr,
Mewn eisiau'n gymwynaswr.

[ap Gwallter]*

[MAI ROBERTS: *Ardal Boduan, 1865-1965*, tud. 69.]

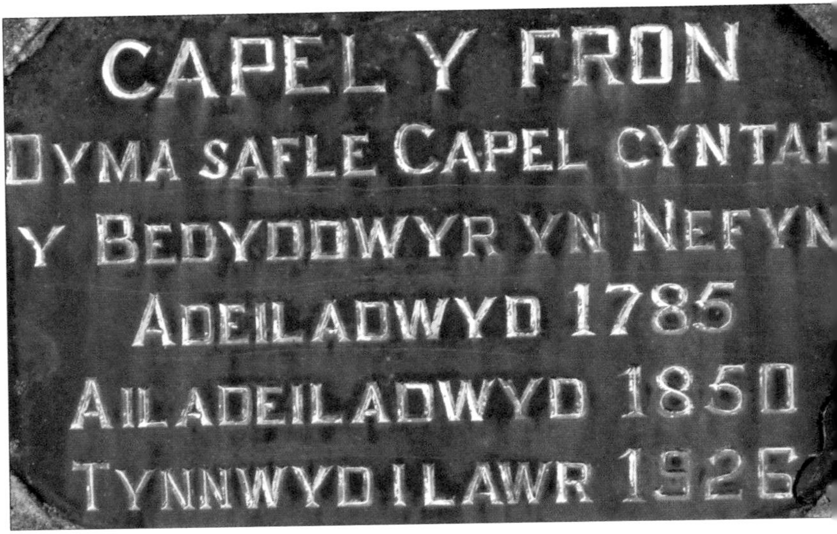

CAPEL Y FRON
DYMA SAFLE CAPEL CYNTAF
Y BEDYDDWYR YN NEFYN
ADEILADWYD 1785
AILADEILADWYD 1850
TYNNWYD I LAWR 1926

NEFYN

Y Fron

(Tynnwyd Capel Seion (B) i lawr yn 1926)

595

Er Côf am ROBERT WILLIAMS, tŷ canol, Morfa, fu farw Ionr 11: 1837 ei oed 74. HUMPHREY, mab ELIZTH WILLIAMS, fu farw Chwefr 14 1840, ei oed 22. ELIZTH WILLIAMS fu farw Mehn 2 1845 ei hoed 52. Er cof am ELIZABETH, gwraig ROBERT WILLIAMS Bryn Bach Morfa Nefyn, yr hon a fu farw Hydref 14eg 1871 yn 67 mlwydd oed. Hefyd am y dywededig ROBERT WILLIAMS, yr hwn a fu farw Mehefin 15ed 1878 yn 73 mlwydd oed.

O drallod hynod i hedd , - yn odiaeth
Newidwyd fy sylwedd:
Cysurus, y ces orwedd,
O stwr byd, yn isder bedd.
[Fron01, 01a, 01b]

596

Coffadwriaeth am CATHERINE, merch Robert HUGHES, Pwll y Gate, o Elizabeth ei wraig: fu farw Hydraf [sic] 4ydd 1834 yn 22 oed.

Cynar ir ddaear oer ddu – ei dodwyd,
Er didwyll Broffesu:
Daw'r Pryd y cyfyd Ior cu:
Hon iw lys anwyl Iesu.
[Fron02, 5]

597

Er cof am Capt THOMAS WILLIAMS, Pen rhos, Morfa Nefyn, bu farw Mai 17 1867 yn 55 oed.

Yma gorwedd mae gwron – y selog
Thomas Williams ffyddlon:
Gwr haeddawl, teg ei roddion,
A gloew sant fu'n Eglwys Ion.

Wm. PARRY

[Fron03]

598

In memory of MARGARET WILLIAMS, the wife of Thomas Williams, Bryn Golau in the Parish of Edeyrn, who departed this life on the 28th of January 1834 aged 42 years.

Ni ddaw 'nghyfeillion mwya' eu hedd
I'm hebrwng ond hyd lan y bedd -
Tro'nt bawb eu cefnau - dyma'r dydd
Gadawant fi'n fy ngwely pridd.

Ow! marw Gwraig, y mae oer gri – o gwae y rhwyg
I'w Gwr hoff ei cholli:
Ni wêl eilwaith liw lili
Byth o'i hôl un oi bath hi.

[Fron04]

599

In memory of JANE, wife of Robert JONES, Master Mariner of this Town who died Decr 15, 1855 aged 71. Also of THOMAS JONES, son of the above named Robert Jones by Jane his wife who died September 27th 1856 aged 36. Also of the above named ROBERT JONES who was lost in the "Four Brothers" in Conway Bay, Decr 29th 1860, aged 76. Hefyd am THOMAS JONES, mab John ac Alice Jones, Penymaes, Nefyn, yr hwn a fu farw Ionawr 10fed 1874 yn 30 mlwydd oed.

Y bedd yw diwedd y dyn, - o'i fawredd
Fe fwrir i'r priddyn.
Brau iawn yw'n hoes, barnwn hyn,
Ow! nid yw ond ewyn.

[Ieuan Brydydd Hir]*

[Fron06]

(Adeiladwyd y slŵp Four Brothers *[21 tunnell] yn Nefyn yn 1846.)*

600

Er serchog gof am ANN, anwyl briod Capt. Evan WILLIAMS Glynafon, Nevin, a fu farw Awst 7, 1906 yn 72 mlwydd oed.

Un garedig ei rhodiad – yn ei dull
Hynod oedd yn wastad;
Yn mhuredd ei chymeriad
Nid oedd briw o nodwedd brâd!

(CYFAILL)

Hefyd am Evan, eu anwyl blentyn, a fu farw Chwefror 15, 1868 yn 8 mis oed.

[Fron07, 07a]

601
Capt. Evan Williams, a fu farw Mawrth 10, 1919, yn 88 mlwydd oed. Bu yn Ddiacon ffyddlawn gyda'r Bedyddwyr yn Seion, Nefyn, am am 38 o flynyddoedd. 'Coffadwriaeth y cyfiawn sydd bendigedig.'
Hefyd am ANN JANE, merch Capt. E. ac A. Williams, ac anwyl briod Richard JONES, Palace Street, Nevin, a fu farw Mai 18, 1905 yn 29 mlwydd oed.

Ann anwyl dan eneiniad – yr hunodd
Er hyny i chymeriad;
Yn siriol ddeil i siarad
Mai y Nef oedd ei mwynhad!

(CYFAILL)

[Fron08]

602
Coffadwriaeth am SAMUEL JONES (mab J.Wm.Foulkes) fu farw Rhagfyr 6ed 1832, ei oed 23. ELIZABETH, gwraig JOHN WILLIAMS, fu farw Mawrth 8, 1843 ei hoed 65.

Rhedais o'm byr enrhydedd – or golwg
I'm gwelu oer anedd:
Gwelwch fy lletty gwaeledd,
Diama mai dyma medd.

[CHTG]

Pencaenewydd

PENCAENEWYDD

Capel (MC)

603

Er Serchog Gof am William Jones, Gate House, Trallwyn, ganwyd Awst 14, 1820, bu farw Mehefin 25, 1892. Hefyd am Catherine ei wraig, bu farw Gorffennaf 5 1892 yn 60 oed.

'Fy nyddiau sydd fel cysgod yn cilio a minnau fel glaswelltyn a wywais.'†

Hefyd am EBEN JONES, eu mab yr hwn a anwyd Rhagfyr 26 1851 ac a foddodd Awst 22, 1892, suddiad y barque 'Hope' a'r dueddau Newfoundland trwy ar ei mordaith adref o Restigouche, New Brunswick i Portmadoc.

Yn foreu James heini fwriwyd – o dan
Eirwon donau cuddiwyd
Y naf ba i'r un gair, hwn gwyd
O'r cleuddwr oer y claddwyd.

[† Psalm CII:11]

[CHTG]

PENLLECH

Eglwys Santes Fair

604

Er cof am Y Parch. JOHN BODFAN ANWYL, Bryn Bodfan, Penllech, mab John ac Ellen Anwyl. Bardd, Llenor, Geirfadurwr, a gweinidog da i Iesu Grist, a fu farw Gorffennaf 23ain 1949, yn 74 mlwydd oed.

Wedi bwriad y bore – ai obaith
R'wyn gwybod o'r gore
Y daw'r alwad o rywle
Gyda'r hwyr, am dwg i dre.

[Penllech]

(Yn y cwest cynhaliwyd ar Orffennaf 25ain dywedodd J.W.Hughes, a oedd yn byw gyda Bodfan, bod ei ffrind yn arfer ymdrochi ddwywaith bob dydd. Ar y diwrnod tyngedfennol aeth i'r traeth tua naw o'r gloch y bore ac wedyn tua thri o'r gloch y prynhawn, ar ôl 'mwynhau cinio da'. Darganfuwyd y corff yn y dŵr tua chwech o'r gloch gan Owen Williams, ysgolfeistr Bryncroes, a Heddwas R.H.Evans, Sarn. Yr oedd anafiadau i'r pen, fel canlyniad i blymio i'r dŵr, mae'n debyg. Pasiwyd rheithfarn o farwolaeth ddamweiniol. Roedd tua deg o weinidogion yn y cynhebrwng, yn cynnwys y Gwir Barch. J.C.Jones, Esgob Bangor.) – Gwybodaeth o'r Herald Cymraeg, *Awst 1af 1949)*

Penllech

605

1837-1916 EVAN WILLIAMS, Nant

Nid enwog oedd ond doniol – a medrus
O ymadrodd gwreiddiol
Yn y ddawn ymddiddanol
Ni bu'n wir i neb yn ôl.

BODFAN*

[CHTG]

Penrhos

PENRHOS

Mynwent Capel Bethel

606
Er cof am GRIFFITH GRIFFITHS, Tanybryn, Rhydyclafdy, Bu farw Ionawr 16eg1879 yn 68 mlwydd oed. Bu yn ddiacon ffyddlawn am 12 mlynedd.

Gwr hoffus iawn oedd GRUFFYDD – was addas
A swyddog llawn crefydd;
Yn goeth ei ddawn y gweithiodd ddydd
Yn gywir od i'r Gwaredydd.

T.E.G.*

[Penrh01,01a]

607
Er serchog gof am THOMAS JONES, 6 Efailnewydd. Bu farw Chwe. 16, 1916 yn 54 mlwydd oed.

Yma'n dwr i'r gwr sy'n gorwedd – ei foes
A saif fyth; a rhinwedd
Ei rodiad, uwch anrhydedd
Rhyw fynnor faen ar ei fedd.

W.J.W.*

[Penrh02]

608
Er cof annwyl am Elizabeth Anne Pritchard (gynt Tyddyn'ronen, Fourcrosses) priod David Pritchard, Bryngwenallt, Kingsland, Holyhead, bu farw Tachwedd 10, 1924 yn 42 mlwydd oed. Hefyd am Capt. DAVID PRITCHARD, fu farw Mai 10,1933 yn 55 mlwydd oed.

Di-fwstwr forwr a fu – yn addurn
A nodded i'w deulu;
Aeth o far y ddaear ddu
I lys gwyn melus ganu.

W.J.W.*

[Penrh03]

609
Er serchog gof am MARGARET, annwyl briod Owen WILLIAMS, Hendre, Efailnewydd, a merch hynaf Capt. David a Catherine Pritchard, Llwyn Beuno, hunodd yn yr Iesu Ionawr 27, 1921 yn 48 mlwydd oed.

Gwraig bur a diseguryd – ddilynodd
Lanaf lwybrau bywyd;
A ddoeth fam nad aeth o fyd
Ei rhagorach i'r gweryd.

W.J.W.*

[Penrh04]

610

I gofio'n annwyl am KATE WINNIE ROBERTS, Glan'rafon, Boduan, priod ffyddlon Richard Roberts a mam hawddgar ei phlant, hunodd Gorffennaf 15fed 1974 yn 64 mlwydd oed.

Yr hoff Fartha drafferthus – a'i henaid
Yn ynni croesawus:
O'r hoen brwd a rhin y brys
Hiraeth yn unig erys.

R. GOODMAN JONES*

[Penrh06]

611

Ellen, Annwyl briod W. J. Williams, y Fron, Efailnewydd a fu farw Gorff. 30, 1922 yn 53 mlwydd oed. Hefyd WILLIAM JOHN WILLIAMS, Y Fron, Efailnewydd, a fu farw Awst 21, 1935 yn 69 mlwydd oed.

Araf oedd fel haul; A'r farn amdano
Oedd mai dyn diragfarn
Bardd y Fron, beirniad cadarn,
Athro cerdd, a thriw i'r carn.

E.H.J.

[Penrh07]

612
Er serchog gof am ANNE HUGHES, anwyl briod William Hughes, Ty'nyffordd, Efailnewydd, ymadawodd ar fuchedd hon Awst 17, 1924 yn 69 mlwydd oed. Hefyd WILLLIAM HUGHES yntau. Cymwynaswr yn ei ddydd, blaenor yn Efailnewydd, 1876-1934, a hunodd Awst 3, 1934 yn 89 mlwydd oed.

Wele enwau ail-unir: - y geiriau
Ar garreg gofnodir.
A'r rhain eu hunain cyn hir
Ann a William, a welir.

A.LL.

[Penrh08]

613
Er serchog gof am ROBERT THOMAS WILLIAMS, annwyl briod Annie Williams, Y Bwthyn, Chwilog, 1873-1950. Hefyd ANNIE WILLIAMS, 1885-1970.

Cofia y Duw byw byth – o galon
A galw arno'n fynych
Cofia y daw'r rhaw ar rhych
Oll yn wael, lle ni welych.

G.O.

[Penrh09]

614

Er Cof Annwyl am WILLIAM WILLLIAM (GWILYM), a hunodd Medi 13eg 2008 yn 90 mlwydd oed. A'i briod KATIE WILLIAMS a hunodd Mehefin 11eg 2006 yn 72 mlwydd oed, Llyfnwy, Rhydyclafdy.

Ymdawelaf, mae dwylo – Duw ei hun
Danaf ymhob cyffro;
Yn nwfn swyn ei fynwes O
Caf lonydd. Caf le i huno.

[Ben Bowen]*

[Penrh10]

615

Er cof annwyl am Dad a Mam CHARLES JONES 1884-1917 (Ar y Mor). ELLEN J. JONES 1885-1958, Gwyddfor, Mynytho.

Hydref, Hydref du hefyd oedd y mis
Rhoddi Mam mewn gweryd;
O'n hanfodd aeth i wynfyd,
I'r bedd aeth un orau'r byd.

Y PLANT*

[Penrh11]

616

Er cof annwyl am DEWI, unig blentyn W.O. a L. JONES, Sonia, Pwllheli, 1933-1952

O golli Dewi un dydd, - di, angau,
Gostyngaist lanc celfydd;
Ond mwy byth heb godwm bydd
Hedd ei yrfa ni dderfydd.

W.M.*

[Penrh12]

617

Er cof annwyl am MARGARET (PEGGY) LLEWELYN, Trefgraig Plâs, Rhoshirwaun, bu farw Gorffennaf 28, 1979 yn 52 mlwydd oed. Bu'n garedig wrth bawb.

Gwae ehedeg o Peggy – o aelwyd
Ei hanwyliad 'leni;
Er hyn cofied y rhieni
Mai y nef a'i mynnai hi.

GWILYM ROBERTS TREFRIW*

[Penrh13]

618
I Gofio'n Dyner am SOL OWEN, Glyn Rhosyn, Penrhos, 1905-1967. Hefyd ei annwyl briod GWYNETH ELIZABETH SOL OWEN, MBE. Cyfansoddwr, cerddor a chymwynaswraig hael. 1914-2000. Rhieni hoff Michael a Llewelyn.

Ym Methel mae'n dawelach – is y maen
 Nid does mwy gyfeillach;
 Dim ond tyner forder fach,
 I rannu'r hen gyfrinach.

J.R.*

[Penrh14]

619
Er cof am ein rhieni annwyl KATE ROBERTS, 8, Bron y De, Pwllheli a hunodd Medi 15, 1979 yn 66 mlwydd oed. ROBERT W. ROBERTS (TANTOR) a hunodd Mai 9, 1980 yn 66 mlwydd oed.

Heulwen dy fuchedd olau – i lwydwyll
A fachludodd gynnau;
O'i hôl a'm dydd yn hwyrhau,
Diflanned fy haul innau.

ALAN LLWYD*

[Penrh15]

620
Er cof annwyl am briod a thad tyner JOHN THOMAS EVANS, 7, Stryd-y-Llan, Pwllheli, 1916-1988.

Gŵr di-ail garai'i deulu – a'i gariad
Yn gaer wych o'u deutu;
Wedi'r syfrdan wahanu
Yn nyth ei serch hiraeth sy.

G.R.J.

[Penrh16]

621

Er cof annwyl am HENRY JOHN JONES, Sŵn-y-Môr, Llwynhudol, Pwllheli, priod a thad tyner, a hunodd Mawrth 18, 1995 yn 62 mlwydd oed.

Oriau gwyn digymar gest – â'th enwair
Wrth ennill sawl gornest.
Uniawn oedd y gwaith a wnest
Yn gain o hyd a gonest.

D.J.J.*

[Penrh17]

622

I Gofio'n Dyner am ALBERT EVANS (BERTIE), Church View, Llaniestyn, priod, tad a thaid annwyl, a hunodd Chwefror 3, 1982 yn 64 mlwydd oed.

Yn Rehoboth cafodd rywbeth – prynu'r gwir
Pan 'roedd ganddo bopeth.
Diacon ffyddlon, a di-feth,
Am achos mawr; a chymleth.

J.G.

[Penrh18]

623
Er serchog gof am MORRIS ROBERTS, Penrhynydyn, yr hwn a hunodd yn yr Iesu, Ebrill 25 1881, yn 35 oed. Hefyd OWEN MORRIS a JANE, anwl [sic] Blant Morris a Catherine Roberts, a rhai a fuont feirw Ebrill 9, 1883, yn 6 a 5 mlwydd oed.

Yr un pryd i gryd y gro – aeth y ddau
Chwith i ddyn eu cofio:
Ninau attynt awn etto
Yn ein trefn, pan ddaw ein tro.

TUDWAL*

[Penrh19]

624
Er serchog gof am OWEN WILLIAMS MORRIS, mab Wm ac Ellen Morris, Cae Garw, Llaniestyn, a fu farw Tach. 23, 1893 yn 12 mlwydd oed.

O'i ddydd gwych yn ddeuddeg oed – ag awel
Y gwywodd mewn mwynoed;
Yn ei ran, cryf synwyr roed
Yn union fel gwr henoed!

BEREN*

[Penrh20, 20a]

625

I gofio JOANNA, annwyl briod Emlyn JONES, athrawes hoff a mam dyner, 1907-1962.

I rai ieuainc athrawes – un hawddgar oedd
A gwraig galon-gynnes;
Daw er huno drwy'i hanes
Falm â'i rin fel Mai a'i wres.

W.M.

Hefyd ei merch Shân Emlyn, 1936-1997, mam a nain annwyl. Hedd perffaith hedd.

[Penrh21, 21a]

626

Er cof am JOHN TREFOR JONES, Ffridd, Mynytho, priod, tad a brawd annwyl, hunodd Ionawr 6, 1992 yn 57 mlwydd oed. John Brongadair

Curio wnaeth y Saer Cerrig – o wendid
a blinder anhymig;
Gŵr llawn o ddawn, un di-ddig
a gŵr od o garedig.

DIC GOODMAN*

[Penrh22]

PENRHOS

Eglwys Sant Cynfil

627

Coffadwriaeth mai dyma'r fan lle claddwyd JANE WILLIAMS, gwraig William Jones Ty'n yr ynn, yr hon a fu farw Gorphenaf 6: 1844 yn y 75 flwydd o'i hoedran.

O'i symud yn fud i fedd, - gwall oesawl,
Collasom bob rhinwedd,
Wraig ddiddan yn ei hannedd,
Cywir hoen, yn caru hedd.

Hefyd er Cof am y Dywededig William Jones, yr hwn a fu farw Mawrth 30, 1849 yn 79 mlwydd oed.
[Rhos01, 01a]

628

Er cof am ELIZABETH, merch Henry a Jane ROBERTS, Llaindelyn, yr hon a fu farw Ionawr 11, 1865 yn 28 mlwydd oed. Hefyd am ei brawd ROBERT ROBERTS, yr hwn a fu farw Hydref 14, 1904 yn 76 mlwydd oed.

Cerdda'n ddall heb ball'n y byd – a gweithia'n
Gyweithas a diwyd
Iesu gadd ei oes i gyd
Nes gwyra'i nos y gweryd.

HEILIG*
[CHTG]

PENTREUCHAF

Mynwent Gyhoeddus

629

Er cof am THOMAS EVAN, annwyl fab Evan a Margaret THOMAS, Ty Corniog, a hunodd Hydref 15ed 1967 yn 21 mlwydd oed.

Un prynhawn a'r gwawn ar goed – i dy'r llwch
Aed a'r llanc ysgafndroed.
Oer annedd gyda'r henoed
Yn hogyn hardd ugain oed.

J.R.*

[PentreU1]

630

GRIFFITH EVANS, Brynteg, Brynbachau, a hunodd Chwefror 17, 1970 yn 49 mlwydd oed.

O roi gorthrymder gweryd – ar hoffter
Crefftwr di-seguryd
Aeth i'r ddaear fyddar, fud.
Ddewr afiaith cerddor hefyd.

J.E.

[PentreU2]

631
Er serchog gof am briod a thad tyner, GRIFFITH WILLIAMS, Gwynus, Pistyll, 1890-1980

Wedi'r angladd daw'r englyn – wedi'r byw
            Daw'r byth bythoedd gyntun;
    Hen arfod ddaeth i'w therfyn
    Hen ŷd y wlad aed o Lŷn.

    (John Roberts Williams [gwybodaeth gan G.W.])

[PentreU3]

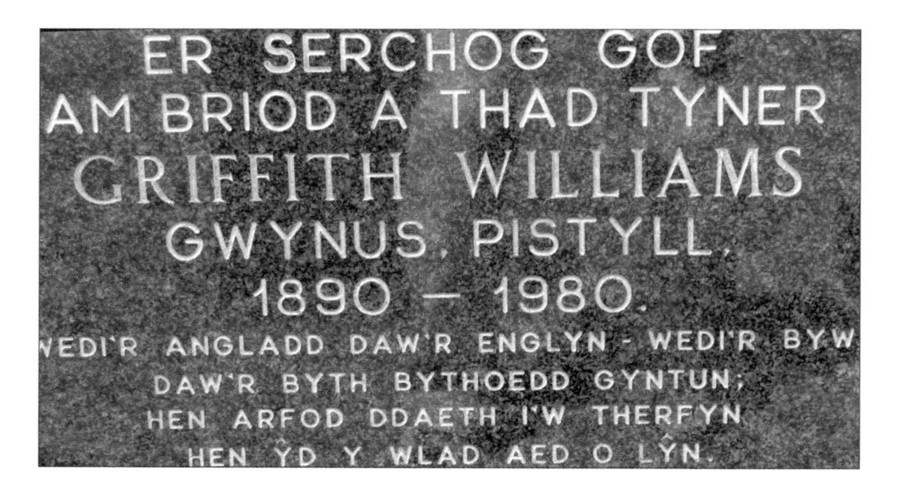

632
Er cof am NANCY (NAN) HUGHES, gwraig, mam, nain a chwaer annwyl, Perthi, Y Ffôr. A hunodd yn

dawel Ebrill 9fed 2007 yn 65 mlwydd oed.

Gwên siriol oedd ei golud – a gweini'n
Ddi-gŵyn oedd ei gwynfyd,
Bu fyw'n dda, bu fyw'n ddiwyd
A lle bu hon, mae gwell byd.

[W. Rhys Nicholas]*

[PentreU4]

633

Yma a orweddai STANLEY ROGOWSKI, Gors, Ty'r Rhos, Llithfaen, 1946-2005. Tad a Chariad gofalus a Chyfaill diffuant.

Gonest fu hwn ac annwyl – dymunol
A mwyn ymhob gorchwyl:
Llawn deall, un call a gwyl,
O! Hiraeth, cofio'i arwyl.

[PentreU5]

PISTYLL

Eglwys Beuno Sant

634

Er coffadwriaeth am JANNET, gwraig William GRIFFITH, Cerniog, yr hon a fu farw Ionawr 22ain 1856 yn 67 mlwydd oed.

Ryw foreu anarferol – er gwyro,
 I'r gweryd yn farwol,
 Gyda nerth hi gwyd yn ol,
 Ar wedd Iesu'n urddasol.

[Pistyll1, 1a]

635
Er cof am GRIFFITH, mab Evan a Jane OWEN, Gwynys, yr hwn a fu farw Chwefror 3ydd 1861 yn 36 mlwydd oed.

Gruffydd ga'dd grefydd y groes – iw galon
        A gwyliodd rhag anfoes:
    Daeth y dydd mewn ffydd y ffoes
    I lawenydd ail einioes.

[Pistyll2]

636
Er serchog gof am HANNAH ELLEN, anwyl ferch John a Hannah ROBERTS, Llwynysgaw, Pistyll, a fu farw Ebrill 25, 1905 yn 25 mlwydd oed.

Cynar drwy dranc ai Hanna – uchel barch
        Wylia'i bedd, ond cofia
    Drist un - adfyr Iesu da
    Mo'i hardd em y mhridd yma.

[Pistyll3]

637
To the memory of GRIFFITH, son of William WILLIAMS of Cefnyrhengwrt in the Pariſh of Llanwnda by Dorothy his Wife, who Drounded at Portynllaen Bay, March 27th 1818, aged 16 years.

Trallodau, beiau bywyd – ni welais
Nag wylwch o'm plegyd:
Wyf iach o bob afiechyd,
Ac yn fy medd, gwyn fy myd.

[Edward Richard]*

[Pistyll4]

638

Er serchog gof am CATHERINE JONES, anwyl briod William Jones, Ty Isaf Minffordd, Pistyll a fu farw Hydref 3, 1906 yn 70 mlwydd oed.

Prudd ddiwrnod rhoi'r pridd arni – a'i gadael
Gyda'r llu sy'n tewi
Daw teg adeg i godi – Catherine Jones
Er rhaid aros nes i'r wawr dori.

[CHTG]

GLWYS DENIO
1850

PWLLHELI

Mynwent Eglwys Sant Deneio

639

Er serchog gof am ANN, anwyl briod William DAVIES, Gof, New Street, Pwllheli, bu farw Mawrth 12 1909 yn 59 mlwydd oed. Hefyd am y dywededig WILLIAM DAVIES, bu farw Mehefin 29 1929 yn 84 mlwydd oed.

Gwawr a dyr pan egyr dorau – ei fedd
Daw'n fyw o byrth angau;
Goruwch oer bridd, carchar brau,
Y gwêl fyd heb glefydau.

[Den01]

640

Er serchog gof am EDWARD JOHN, anwyl blentyn Robert a Catherine MORGAN, Baptist Square, Pwllheli, bu farw Tachwedd 22, 1904 yn 5 mlwydd a 10 mis oed.

Curloes oedd rhoi cwrlid – ar ei wyn gorff
Eiriangu dros enyd;
Ond ein Ner wna adferyd
Edward o'i fedd i wyn fyd.

Hefyd am Catherine Ellen, eu anwyl blentyn bu farw Ionawr 24, 1906 yn 3 mis oed. Hefyd am Evan Parry eu

hanwyl blentyn fu farw Mehefin 20, 1908 yn 5 mlwydd oed.
Gadewch i blant bychain ddyfod ataf fi.

[Den02]

641
Er serchog gof am WILLIAM JONES, 6 Baptist Square, Pwllheli, bu farw Mehefin 9ed 1903 yn 58 mlwydd oed.

Gwr oedd a garai heddwch – ei fywyd
Fu yn llawn tawelwch
Hyd ei arch: na amharchwch
Wely hedd ei farwol lwch.

R.F.W.*[Den03]

642
Er coffadwriaeth am Ann, gwraig William Jones, Pwllheli, Saer Maen, yr hon a fu farw Gorf yr 8d 1849 yn 67 oed. Hefyd am a dywededig WILLIAM JONES, a fu farw Ionawr 23 1876 yn 92 oed.

Gwr hoff, calongywir rydd – hynaws oedd
Hen sant gloyw'i grefydd;
Ei was da, rol pwys y dydd
Alwai Ion i'w lawenydd.

[Den04]

643

Sacred to the memory of MARTHA, wife of Robt PRICHARD of Ffridd, Deneio, who died January 30th 1847 aged 71.

A Martha, ni ymwrthyd – y DUWDOD
Awdwr mawr ei bywyd;
Na! hi ddâw fel newydd ŷd
Ar ei air o oer weryd.

[Den05]

644

Underneath this ſtone lieth the bodies of 6 children of Capt. Richard WILLIAMS of Pen y mount, Pwllheli, by Eleanor his wife.

VIZ

CATHERINE		Jan. 10th 1793		3 months
EVAN		Sept. 20th 1799		5 weeks
JOHN	was buried	Nov. 26th 1802 -	aged	2 weeks
CATHERINE		April 10th 1804 -		2 months
WILLIAM		Oct. 25th 1805		4 months
WILLIAM		Feb. 24th 1809		30 months

Bydd clod babanod beunydd – yn felys
Iawn ſawl am achubydd;
Cantorion yn Sion ſydd
Llu anwyl mewn llawenydd.

[Den06, 06a]

645
In memory of JOHN, an infant of William EVANS of Pwllhely, Mariner, by Jane his wife, who died October the 16th 1785 aged six months and alſo their daughter Gwen, who was Buried January 20th day of 1794 aged three years. And likewiſe of the above named WILLIAM EVANS, who departed this life on the 15th day of June 1797 in the fiftieth year of his life.

Wele'r fann, eirian wryd – mewn gwir ffydd
Lle gorphwys f'Anwylyd;
Cofiwn ddydd barn y cyfyd,
O lŵch bedd i loywach byd.
[Den07, 07a]

646
Underneath are interred the Remains of JOHN DAVIES, of Royal Oak Tavern, Pwllheli, who departed this life on 31st day of Decr 1838 aged 36 years.

Cofiwch diwigiwch eich agwedd – bob oedren [sic]
Sy'n edrych fy anedd;
Arafwch mae'n daith rhyfedd
Symud o'r bywyd i'r bedd.

Also of Jane his wife who d. November 27th 1876 aged 67 years.
Also of Jane Jones, beloved wife of Henry Griffith Jones, Bryncynan, Nevin, who died December 18th 1888 aged 53 years.
[Den08]

647

UNDERNEATH are depoſited the Mortal Remains of MARY, late wife of Richard GRIFFITH of Pwllheli, Ship Builder, who departed this life on the 6th day of May AD 1807 aged 38 years.

GWEL a chred ſaled fy ſylwedd – doi dithau
I deithio'r un agwedd;
Bu'm ddigon llon y llynedd,
Heno'n fud yn hyn o fêdd.

Alſo UNDERNEATH are interred the Remains of ANNE GRIFFITH, the Second wife of the above Said Rd Griffith who departed this life on the 5th day of Sept. A:D:1811 aged 29 years.

[Den09]

648, 649

Underneath are depoſited the remains of Capt. GRIFFITH ELLIS of Carnarvon, Mariner, who Departed this life the 7th day of March 1781 at the youthful Period of 21 years.

Dy gamp, wrol gamp ar weilgi – darfy
Ac mewn dirfawr g'ledi,
Aeth Clŵy'n dôſt i'th Calon di
Naws hylldoſt nes ei hollti.

Trôes gloes drwy einioes dy Rieni – groes
Greſyn ddarfod Colli
(Gyfaill anwŷl) d'orchwyl di,
Gyda'r Hwyl a Dwr heli.

[Den10, 10a]

650
A'r Meirw yng Nghrist a gyfodant yn gyntaf. – 1 Thes. IV 16
UNDERNEATH lie the Remains of MARGARET, late wife of Owen MORRIS of Tai-cochion, who Departed this life on the 27th day of December A:D: 1800 in the 42nd Year of her Age.

WELE Fêdd Gwraig rinweddol – Bêr-hoffodd
Y brif-ffordd santeiddiol; [sic]
Diau rhedodd dir hudol
Adre i NEF heb droi'n ôl.

[Den11]

651
Er cof am Griffith, mab Griffith HUGHES, Joiner, King's head St o Ann ei Wraig a fu farw Mehefin 26, 1847 yn 7 mis oed. Hefyd am y dywededig GRIFFITH a fu farw Awst 28, 1847 yn 29 oed.

GRUFFUDD hoff, gwir ffydd a hwyl – Fwynhai ef
Yn Nuw cadwai noswyl;
Fe ddaw'r awr, o'i fedd i'r wyl
Esgyna mewn gwisg anwyl.

HEILIG*

[Den12]

652
Er coffadwriaeth am JAMES WILLIAMS, Nailor, Pwllheli, a fu farw Mawrth 15ed 1859 yn 44 oed.

Blinder i'm hamser o hyd – o gofid
A gefais o'm mebyd;
Nychais, yn wan o iechyd
Nes gorphwys o bwys y byd.

Hefyd Mary Williams, chwaer y dywededig uchod a fu farw Mehefin 5ed 1876 yn 47 oed.

[Den13, 13a]

653
In memory of ELLEN, the beloved daughter of the Revd William GRIFFITH, late of this Town, who died Febry 23rd 1853 in the 50th Year of her Age. Also four children, Charlotte, Elizabeth and two dead born infants.

Blinder i'm hamser o hyd – o gofid
A gefais o'm mebyd;
Nychais, yn wan o iechyd
Nes gorphwys o bwys y byd.
[Den14]

654
Underneath are interred the Remains of EVAN GRIFFITH of Pwllheli, Cooper, who departed this life the 1st day of October 1832 in the 57th year of his age.

Er marw a hir drwm orwedd – cyfodaf
Caf adael pob llygredd;
Or ddaear dôf ar ddiwedd,
Heb wael boen, heb ôl y bedd.

Also the Remains of Catharine, wife of the said Evan Griffith who departed this life the 28th of Jany 1849 aged 85 years.

[Den15]

655
UNDERNEATH are interred the remains of the Children of Capt. Thomas WILLIAMS of the Schooner Miriam† of Pwllheli by Catherine his wife.

Ann	d	March 5th 1840	a	7 months
Catherine	i e	March 25th 1841	g e	10 years
Thomas	d	March 22nd 1850	d	8 years.

In memory also of EVAN, son of the above named Thomas and Catherine WILLIAMS, who died Jany 19th 1854 on a voyage to Callao in 49 south lat: & 168 east long: Aged 19 years.

Ban pallo haul uwch ben Pwllheli – Llŵch
Y llangc hwn gaiff godi;
Dwyfol Fraich a deifl i fri
Adfeilion cnawd iw foli.

E. VARDD*

(†Adeiladwyd y sgwner Miriam *[72 tunnell] ym Mhwllheli yn 1828, a thorriwyd hi yn 1879.)*

[Den16]

656

Er cof am ANN, gwraig Robert JONES, adeiladydd tai a ffontydd, Portmadoc, gynt o Bwllheli, yr hon a fu farw Ebrill 22ain 1853 yn 57 mlwydd oed.

ANN a wyddai'r man iddi – roi ei phwys
Drwy ffydd mewn caledi
Nes o'i bedd yr hedodd hi
O'r glyn i dir goleuni.

[Den17]

657
In memory of ELEANOR, wife of John Pritchard, Painter Plumber, Pwllheli, who died April 3rd 1868 aged 77 years. Also the above JOHN PRITCHARD, died July 24th 1868 aged 76 years.

Yn eu dyddiau dau oeddynt – dianair;
Brudd yw'r dôn am danynt;
Wedi oes deg dystaw y'nt
Yn y llwch heddwch iddynt.

[Den18]

658
Here lieth the body of JOHN LLOYD JONES, son of Griffith Jones of Cross keys, Pwllheli, by Mary his wife, who died 24th April 1828 aged 11 months.

Yr Iesu'i hûn o'i râs hynod – Iôn doeth
Fendithia fabanod;
Tros blant bach mewn afiach nôd
Mae'n Feichiau am nef uchod.

[Den19]

659
Er cof am HUGH PRICE, Feltiwr *[sic]†*, yr hwn a fu farw Rhagr 26in 1857 yn 69 oed. Hefyd am ANN, ei Wraig yr hon a fu farw Mai 18ed 1859 yn 80 oed.

O wele ddau anwylyd – yn y llwch
Yn llechu, dros enyd;
Cofia daw llef au cyfyd:
Yn nydd braint mewn newydd bryd.

[Den20,20a]
(† = h.y. ffeltiwr: gwneuthurwr hetiau ffelt)

660
Er serchog gof am THOMAS HUGHES, 25 Abererch Road, Pwllheli, yr hwn a fu farw Chwefror 16eg 1887 yn 77 mlwydd oed.

Myned oedd rhaid i minnau – ar alwad
Rheolwr fy nyddiau;
Cysgod yw dyd [sic] briddyn brau
Yn oer ingawl awr angau.

[Den21]

661
Yma y cedwir yn ddirgel yr hyn oedd farwol or [sic] DAVID JONES, Saer Maen, Sand Street, Pwllheli, yr hwn a hunodd yn yr Iesu Mawrth 31ain 1873 yn 69 mlwydd oed.

Bore a hwyr bydd barod – daw dwthwn
Doi dithau i'r beddrod;
Cais ffydd fywiol nefol nod
Yn Iesu cyn d'od isod.
[Den22]

662, 663
Er coffadwriaeth am WILLIAM WILLIAMS, Painter, mab Wm a Mary Williams, Pwllheli, yr hwn a fu farw Awst 19, 1867 yn 37 oed.

Ban pallo haul uwch Ben Pwllheli – llwch
Y Llangc hwn geiff godi;
Dwyfol fraich a deifl i fri
Adfeilion Cnawd iw foli.

E. FARDD*

Hefyd am JOHN WILLIAMS, eu mab yr hwn a fu farw Mehefin 4, 1881 yn 40 mlwydd oed.

Myned oedd raid i minnau – ar alwad
Rheolwr fy nyddiau;
Cysgod yw dyn briddyn brau
Yn oer ingawl awr angau.

[Den23,23a]

664, 665
Er serchog gof am WILLIAM GRIFFITH, 37 North Street, Pwllheli, bu farw Rhagfyr 18, 1893 yn 74 mlwydd oed.

Drwy oes faith a'i gwaith igyd – mor onest
Mor uniawn ei fywyd;
A'i goffa, ŵr da, diwyd
A barha yn bêr o hyd.

Hefyd ANN GRIFFITH, ei briod, yr hon a fu farw Mehefin 14, 1898 yn 80 mlwydd oed.

Drwy oes hir hi drysorodd – iddi'i hun
'Y rhan dda,' a chafodd;
Nerth i fyw'n Gristion wrth fodd
Y Gwr a ffyddlawn garodd.

[Den24, 24a]

666
Er serchog goffadwriaeth am yr Henadur H. Ph. JONES†, (Heilig*), Caroline House, Pwllheli, bu farw Mawrth 26, 1907, yn 74 mlwydd oed.

Gofid adawai'n gyfan – wedi gwaith,
Medi gwobr ga weithian;
Yn llon oll o hyn allan
Caiff Heilig hoff eilio can.

PEDROG*

[Den25]

(†Pan fu farw'r Henadur [ar ôl 'cystudd blin am amser maith'] fe'i ddisgrifwyd yn Yr Herald Cymraeg *[Ebrill 2, 1907] fel 'un o wyr mwyaf dymunol a pharchus y dref... Carai len a cherddoriaeth, a barddoniaeth yn arbenig.')*

667

Er coffadwriaeth am WILLIAM WILLIAMS, Penlone [sic] Lleyn, Pwllheli, bu yn gwasanaethu swydd diacon yng Nghapel Penmount am 57 o flynyddoedd ac a fu farw Chwefror 22ain 1874 yn 77 mlwydd oed.

Am enyd gadewch im huno – codaf
        Nid cadwyn yw'r amdo;
    Clai yw y clicied a'r clo – ddatodir
    Minau a elwir fyr i'm hanwylo.

        W.W.

[Den26]

668

Er serchog gof am JOHN H. JONES, Crown Hotel, Pwllheli, yr hwn a hunodd yn yr Iesu, Ebrill 28ain 1886 yn 69 mlwydd o.

Er llwydo, gwywo'i deg wedd – yn y glyn
O dan gloiau llygredd;
Cyfyd i hael-fyd a hedd,
Yn dawel yn y diwedd.

IEUAN O LEYN*

[Den27]

669

Er serchog gof am MARY ROBERTS, 21 New Street, Pwllheli, bu farw Hydref 30, 1877 yn 32 mlwydd oed.

'Yn nghanol ein bywyd yr ydym mewn angau.'

Hefyd am ei mam, ELEANOR ROBERTS (gynt) Feathers Inn, Pwllheli, bu farw Hydref 8, 1892 yn 78 mlwydd oed.

Arweinyddes rinweddol – yn ei thŷ
Un doeth oedd a siriol;
Rhyw deimlad galarnadol
Ac oer aeth a geir o'i hôl.

[CHTG]

670
Er serchog gof am ANN, anwyl briod David ROBERTS, 2 New Street, Pwllheli, yr hon a fu farw Ionawr 12ed 1884 yn 57 oed.

Gloyw iawn fu ei glân fywyd – a'i i'r bedd
Ar bwys ei hanwylyd;
Ac Ef mewn parch a'i cyfyd,
Ar ddydd barn ar ddiwedd dydd.

PEDR WALDO

[CHTG]
671
Er cof am THEOPHILUS OWEN, Morwr, Lleyn Street, yr hwn a fu farw Mawrth 6, 1873 yn 44 mlwydd oed.

O drallod hynod i hedd – yn odiaeth
Newidiwyd fy sylwedd;
Cysurus y ces orwedd
O stŵr byd yn isder bedd.

[CHTG]

672
Er cof am blant William a Jane E. Williams:
William Francis, fu farw Mehefin 13, 1875 yn 8 mis oed.

Hefyd Ellen, fu farw Mai 15, 1876 yn 3 mis oed.
Hefyd WILLIAM FRANCIS WILLIAMS, Tailor and Draper, Pwllheli, yr hwn a fu farw Ionawr 3, 1880 yn 34 mlwydd oed.

Blinder fu'm hamser o hyd – a gofid
A gefais o'm mebyd;
Gweithiais yn wan o iechyd
Nes gorffwys o bwys y byd.

[CHTG]

673

Er parchus gof am WILLIAM, mab William a Mary JONES, Church Street, Pwllheli. Efe a ddioddefodd yn dawel, yn hir a maith cystydd ysbaid dwy flynedd ac a hunodd yn yr Iesu Mehefin 26, 1876 yn 23 mlwydd oed.

Iach fyth o'i fynych fethiant – fydd William
Mewn nefoedd a'i nwyfiant;
Cwch y sêr yn iachus sant,
Eigion o ogoniant.

HEILYG*

[CHTG]

674
Er serchog gof am AUBREY DAVIES, High Street, Pwllheli, yr hwn a ymadawodd â'r fuchedd hon Hydref 23ain 1882 yn 61 mlwydd oed.

Is y maen hwn erys mewn hedd – gyfaill
Cofir ac edmygedd;
Nodau o fawl hyd ei fedd
Ganai a cha'dd ogonedd.

EDEYRNFAB*

[CHTG]

675
Er cof am JOHN EVANS, Corn Hill, Porthmadoc yr hwn a fu farw Mehefin 22 [?] yn 48 mlwydd oed.

Gŵr a ga ei wir garu – cywir ....
Ac o wreiddiol allu;
Yn lân ei barch dilyn bu
Trwy ei oes gyda'r Iesu.

GWI..... *[Carreg wedi ei thorri.]*
[CHTG]

676
Er cof am JOHN RICHARD JONES, anwyl blentyn Richard a Margaret Jones, Kingshead Street, Pwllheli, yr hwn a fu farw Gorphenaf 25, 1870 yn 1 mlwydd a 9 mis oed. Hefyd er cof am JOHN RICHARD JONES yr

hwn a fu farw Rhagfyr 1af 1877 yn 9 mis oed.

O'r un byd yn yr un bedd – anwyliaid
Coeliwch, sy'n cydorwedd,
Ond deuant yn y diwedd,
I'r un wlad at yr un wedd.

[CHTG]

677
Er cof am ANN EVANS, merch Evan ac Ann Evans, Portmadoc, a fu farw Mai 4, 1879, yn 19 mlwydd oed.

Un dawel iawn od – oedd hi
Fe ddywed ei chydnabod
Ei hawydd byw o hyd oedd bod
Yn burach, ie'n Barod.

[CHTG]

678
Er serchog gof am WILLIAM ROBERTS, 9 Rhydliniog, Pwllheli, bu farw Gorphenaf 7, 1900, yn 43 mlwydd oed.

Nychu yn wan ei iechyd – wnai William
Anwylaf drwy'i fywyd;
Ond i lonfawr delyn fyd [sic]
Gadawai'r boen gyda'r byd.
HEILIG*
[CHTG]

679
Er cof am JAMES GRIFFITH, Tower, Pwllheli, bu farw Mai 4ydd 1866 yn 52 oed.

Gorwedd yr wyf mewn gweryd – er mawr elw
Na wylwch o'm plegyd:
Iach wyf o bob afiechyd,
Ac yn fy medd gwyn fy myd.

[Edward Richard]*

[CHTG]

680
Er cof am ANN ELIAS ROBERTS, merch John Elias, Morwr, Pwllheli, o Mary ei wraig, bu farw Mai 20, 1866 yn 10 mis oed. Hefyd JANE, eu merch bu farw Tachwedd 26, 1874 yn 14 mlwydd oed.

Oes Jane gu ni bu ond bêr – mewn gweryd
Mae'n gorwedd dros amser;
Ond i'w nhôl hi daw ei Nhêr
Fry i wlad anfarwolder.

DRUISYN

[CHTG]

681

Er serchog gof am MARGARET EVANS, anwyl briod Ellis Evans, Tinman, 15 Lleyn Street, Pwllheli, a fu farw Mehefin 3ydd 1912 yn 87 mlwydd oed.

'Ti a ddeui mewn henaint i'r bedd fel y cyfyd ysgafn o ŷd yn ei amser'†
Hefyd am eu hanwyl fab John Evans, a fu farw Tachwedd 6ed 1915 yn 56 mlwydd o.

Yn llaw ei oes bu'n llesol – dug iddi
Deg addysg gelfyddol;
A'i gywir waith geir o'i ôl
A syna'r oes bresenol.

[CHTG]
[† - Job, V; 26]

682

Er serchog gof am OWEN JONES, 47 North Street, Pwllheli, bu farw Mawrth 6ed 1894 yn 61 mlwydd oed. Hefyd am THOMAS ei fab fu farw Ionawr 4ydd 1862 yn 14 mis oed. Hefyd am ELIZABETH JONES ei briod (gynt o'r Clogwyn) yr hon a hunodd ar y 13 Hydref 1905 yn 69 mlwydd oed.

Eu hen wisgoedd ddyosgant [sic] – a rhai hyn
Ar ei hôl adawant;
Yn y nefoedd gwisgoedd gant
Newyddion na heneiddiant.
[CHTG]

683
Er serchus goffadwriaeth am JANE, gwaig David LEWIS, Penloun [sic] Street, Pwllheli, yr hon a fu farw Mai 1, 1886 yn 64 mlwydd oed. Hefyd am y dywededig DAVID LEWIS a fu farw Mehefin 4, 1886 yn 68 mlwydd oed.

Hwy i Iesu hunasant – a'r einioes
I rinwedd roddasant;
Ar fyd gwell hir feddi gânt
Gaeau gwynion gogoniant.

CADVAN*

[CHTG]

684
In fond memory of HENRY FRANCIS JONES, beloved child of E.P. & M.M. Jones, 4 Ala Road, Pwllheli, born December 7, 1895 died November 1 1901.

Ei wên iachus mewn iechyd – a giliodd
O'n golwg mewn enyd
Yn elfen y nefol fyd
Gwena o'i fodd-gwyn ei fyd.

HEILIG*

[CHTG]

685, 686, 687

In memory of WILLIAM, son of Owen PARRY, Chandler, Pwllheli, by Ruth, his wife, who died July 18, 1870 aged 25.

Ah! I'r bedd gwaeledd gwelwch – yn ieuanc
O'i newydd brydferthwch;
Ond er i draul daiar drwch – ddial cam
Etto William a gwyd mewn tawelwch.

Also Catherine Jane, daughter of Owen and Ruth PARRY, who died August 26, 1885 aged 26 years. JOHN, their son lost of the Ship Lightning by Cape of Good Hope July 25 1863 aged 17.

Er dued trymed y tro – a chwerwed
Eich hiraeth amdano;
Bellach gwell yw ymbwyllo
I wlad well y galwyd o.

In loving remembrance of RUTH, wife of Owen PARRY, 5 Market Street, Pwllheli, who died the 10th day of July 1885 aged 66 years.

Di gyngor y dwg angau – bob oedran
I bydru fel finnau;
Ystyr hyn, o briddyn brau
Gwêl dy daith gwael doi tithau.

[CHTG]

688

Er coffadwriaeth am SARAH, merch Henry a Jane JONES, Baker, King's Head Street, yr hon a fu farw Mehefin 28, 1869 yn flwydd ac 8 mis oed.

Un a'i gwedd trwy haint y gwddw – a giliodd
I gôl y bedd'n welw;
Daw o'i lawr medd Duw a'i lw
I fyw er iddi farw.

[CHTG]

689

Er coffadwriaeth serchog am SARAH, anwyl briod Capt. Evan DAVIES, 35 Admiral Street, Liverpool, yr hon a fu farw Chwefror 8, 1909 yn 38 mlwydd oed. Hefyd yr uchod Capt. Evan Davies, 1859-1936. Hefyd ei briod Mary Davies, 1876-1941.

Tir siomiant oer sy' yma – hiraeth byw
Wrth y bedd alara;
Ond mewn nef wen, heulwen ha
Byth siriol gobaith Sarah.

PEDROG*

[CHTG]

690, 691

Er serchog gof am DAVID, anwyl blentyn David a Ann ROBERTS, 19, Kingshead Street, Pwllheli, bu farw Tachwedd 25, 1893 yn 2 flwydd a 7 mis oed.

Is hon rhodd un tlws hynod – o dan glo
Yn y glyn am gyfnod;
Ond etto bydd dattod – daw i fynu
I gol Iesu o'r gwely isod.

E.P.

Hefyd y dywededig ANN ROBERTS, bu farw Chwefror 23, 1906 yn 48 mlwydd oed.

Mam glodus yma glydwyd – fu'n siriol
Fwyn seren i'w haelwyd;
Gadawai'r boen gyda'r byd
Anwylion a'i hanwylyd.

HEILIG*

[CHTG]

692

Er serchog gof am JOHN WILLIAMS, Clogwyn, Denio, bu farw Hydref 5, 1906 yn 65 mlwydd oed.

'Ymhell o sŵn y byd a'i bwys
Heb boen yn llwch y bedd.'

Hefyd am ei anwyl briod CATHERINE WILLIAMS, a hunodd Mawrth 18, 1925 yn 87 mlwydd oed.

Ni hunodd un tirionach – o un cwrdd
Na'r wraig hon na hoffach;
Felly ag uwch gyfeillach
Gwyn ei byd "Mam Clogwyn Bach".

R.E.W.
[CHTG]

693
Er serchog gof am JANE ROBERTS, anwyl briod Owen Roberts, 44 New Row Terrace, Pwllheli, yr hon a hunodd yn yr Iesu Tachwedd 18, 1905 yn 75 mlwyddo.

Eiddo Iesu oedd isod – a'i eiddo
Yw heddyw'n ei wyddfyd
Efo'r iach dorf fawr uchod
Yn eu gwledd sy'n taenu glod.

IOAN MADOG*
[CHTG]

694
Er parchus gof am Laura Jones, anwyl briod Evan Jones, Melbourne House, Sand Street, Pwllheli, yr hon a fu farw Chwefror 10, 1903 yn 55 mlwydd oed.
'Nid marw hi eithr gysgu y mae.'†

Hefyd eu hanwyl fab ROBERT WILLIAM, yr hwn a fu

farw Mawrth 25, 1905 yn 29 mlwydd oed.

Hardd fu'i garuaidd fywyd – hynaws oedd
Trwy nos hir ei adfyd;
Ac er ei gloi'n gweryd
Ei fwyn wedd gofiwn o hyd.

R.E.W.
(† Mathew, IX 24)
[CHTG]

695, 696
Er cof am ELLEN, merch John JONES, Nailor, o'r dref hon, yr hon a fu farw Mawrth 1af 1866 yn 27 oed.

Byw am enyd bum mau – yn rhodio
Ar hyd yr un llwybrau;
Daw dwthwn y doi dithau
I'r cul dyffryn, briddyn brau.

Anelais i drwy anialwch – dyrys
I diroedd tywyllwch;
Pallai'm nerth a'm prydferthwch
Gwael yw fy llun, gwael fy llwch.

[CHTG]
697
Underneath are interred the remains of WILLIAM WILSON, Gent., Cae'r Plan, the Parish of Penrhos, who departed this life on the 17th day of December 1837 aged 38 years.

Am farw y myfyriom, mae i'n haros
Mewn oriau na thybiom,
O ddiwrnod a ddaw arnom
Mae'n dod, barod y b'om.

[CHTG]

698

Er coffadwriaeth am OWEN ROBERTS, Asiedydd, Pwllheli, yr hwn a fu farw Chwefror 3ydd 1848 yn 58 oed.

Blinder fu'm hamser o hyd – o gofid
A gefais o'm mebyd;
Gweithiais, yn wan o iechyd
Nes gorphwys o bwys y byd.

[CHTG]

699

Er cof am ELIZABETH, gwraig Robert JONES, Lôn Abererch, yr hon a fu farw Gorphenaf 18ed 1869 yn 62 oed.
Dewisodd mewn pryd Iesu – yn gyfaill
Hwn[?] gafodd yn glynu;
A ddry trwy'r bedd ei gwedd yn gu
I'w hardd ffurf er iddi farw.

[CHTG]

700
To the memory of John WATKINS, Jnr. Of the Crown and Anchor who died August 19th 1836 aged 18. Also of Gwen, sister of the above named and daughter of John Watkins by Gwen his wife, who died January 31st 1849 aged 22 years.

Blessed are the pure in heart for they shall see God.

To the memory of Gwen Watkins, wife of John Watkins of the Crown and Anchor and daughter of the late Mrs Rice who died October 13th 1831 aged 34. In loving memory of EDWARD WATKINS, son of the above John and Gwen Watkins, born May 12th 1820, died June 21st 1898.

Un dymunol da'i amynedd – isod
Geir oesau yn gorwedd;
E sai'i lwch eto'n sylwedd
Gair Iôn glyw, daw'n fyw o'i fedd.

[CHTG]

701
Here lieth the body of EVAN JONES of Pwllheli, Maltster, who died October 7th aged 85. Also MARGARET, wife of the above named. She died November 6th 1812 aged 88. Here also lieth the body of ANN, wife of Robert OWEN of Pwllheli, Mariner, who died March 7th 1822 aged 59.

Er gorwedd yn farwedd fyd – mewn daear
A difa'n cnawd hefyd;
Ein cyrph yn gyfan a gyfyd
Er ola farn yn yr ail fyd.

[CHTG]

702
To the memory of OWEN WILLIAMS of Pwllheli, Tailor, who died May 18th 1834 aged 28 years. Also the remains of JOHN, eldest son of the above named Owen Williams by Ann his wife, who died November 4th 1848 aged 21.

O'i flodau boreu bwriwyd – i oerfedd
A'i yrfa orphenwyd;
Teg loywddyn a'i ti gladdwyd
Ameu'r ym ai yma'r wyd.

[Robert ap Gwilym Ddu]*
[CHTG]

703
Bedd SAMUEL OWEN, Crydd, Pen Lôn, Pwllheli, bu farw Ebrill 11eg 1855 yn 29 oed.

Cyn geryd canai garawl – fawl parod
Fal peraidd salm dduwfawl;
Ond o'i enau pridd ddynawl
Dystaw mwy, nid oes dim mawl.
[CHTG]

704

In memory of OWEN WILLIAMS of Pwllheli, Tidewaiter†, who died the 8th day of March 1853 aged 84.

Teithiais a hwyliais fôr heli – mynwent
Yw'r man rwy'n angori;
'Rôl gofal dyfal rwyf fi
Mewn tywod yma'n tewi.

[CHTG]

(†'Tidewaiter: A customs officer who awaited the arrival of ships coming in with the tide, and boarded them to prevent the evasion of custom-house regulations' - Shorter Oxford English Dictionary.*)*

705

Er coffadwriaeth am ELIZABETH, merch Henry a Jane JONES, Baker, Kingshead Street, yr hon a fu farw Gorphenaf 16eg 1857 yn 2 flwydd a 10 mis oed.
Er im ddod dan dywod dwys - oer amdo
O'r ymdaith i orphwys,
I fri caf godi o'r gwys
Ryw adeg i baradwys.

[CHTG]

706
HUGH PRITCHARD, Cyfreithiwr, Pwllheli, 1879-1920

Ymdawelaf, mae dwylo – Duw ei Hun
Danaf yn mhob cyffro,
Yn nwfn swyn ei fynwes o
Caf lonydd - caf le i huno.

BEN BOWEN*
[Pwll1]

PWLLHELI

Mynwent Gyhoeddus

707

I gofio'n dyner am ELIZABETH GRIFFITH, Priod, Mam a Nain annwyl, 6, Ffordd y Maer, Pwllheli, (Pencaerau gynt) hunodd Ionawr 26, 1987 yn 67 mlwydd oed.

Yn dawel â gwên deuai – a mynych
        Gwneud cymwynas fynnai;
    Pob rhodd o'i chalon roddai;
    Un o rin yr addfwyn rai.

DIC GOODMAN*

[Pwll2]

708

Er cof annwyl am ROBERT JOHN THOMAS, Alma, Lon Abererch, bu farw Ionawr 20, 1979 yn 62 mlwydd oed. Priod cariadus Mair a thad tyner a gofalus Bethan a Mari.

Yr hylaw weithiwr tawel – a welodd
        Y goleu a'i arddel
    A swyn sant cyson ei sêl
    I'w geidwad nes ein gadel.

ELIAS DAVIES*

[Pwll3]

PENLAN
1863

PWLLHELI

Capel Penlan (A)

709

Er Serchog Gof am CATHERINE, anwyl briod Robert JAPHETH, Pen-Rhyd-Lyniog. Yr hon a fu farw Mai 20, 1883. Yn 58 mlwydd oed.

'Trwy ing a phoen cyn trengodd – erch isder
A chystudd hir gafodd:
Deheulaw Duw ai daliodd,
Yn y bwlch hunai oi bodd.'

Hefyd y dyweddedig Robert Japheth, a fu farw Mawrth 5, 1901, yn 79 mlwydd oed.

[Penlan 1]

710

DAVID WILLIAMS, Joiner, mab William a Jane Williams, Ala, Pwllheli, yr hwn a fu farw Chwefrr 18ed 1874.

Gŵr duwiol, celfyddgar diwyd – oedd ef
Ac addfwyn ei ysbryd
Er huno daw rhyw enyd
O law ei fedd i loyw fryd.

HEILIG*

[Penlan 2]

711

Er cof am BRIAN JONES, priod a thad annwyl, Tan-y-Foel, Rhiw, hunodd Ionawr 19, 2001 yn 50 mlwydd oed.

Heulwen ar hyd a glennydd – a haul hwyr
A'i liw ar y Mynydd;
Felly Llŷn ar derfyn dydd –
Lle i enaid gael llonydd.

[J. Glyn Davies]*

[Rhiw1]

Y RHIW

Capel Nebo (A)

712

Er cof am fy annwyl briod JOHN JONES, Nebo Bach, Rhiw, 1894-1970

Aeth o ganol y 'Pethau' – heb waeledd
Heb elyn ond angau;
Ein hiraeth drwy'r gororau
Ar ei ôl sydd yn parhau.

CHARLES JONES,* MYNYTHO

Hefyd ei briod Kate Jones 1902-1979 Cwsg a gwyn eich byd
[Rhiw2]

713

Bedd y Parch JOHN JONES, Nebo, bu farw Medi 3 1827 yn 53 mlwydd oed. Gweinidogaethodd am flynyddoedd yn ffyddlon yn Lleyn, &c.

Yn dawel iawn a diwyd – heb ei ail
Bu ef yn ei fywyd;
Mawr ofal, o'ym'rai hefyd,
A llwyr boen er gwella'r byd.

[Rhiw3]

Y RHIW

Capel Pisgah (W)

714
Er cof annwyl am JOHN PARRY HUGHES, Tŷ Canol, Pencaerau, hunodd Ionawr 16, 1986 yn 87 mlwydd oed.

I'w eithaf bu'n amaethwr – i'w dwthwn
Bu'n ddoethaf cynghorwr;
Dwyn i gof oedd dawn y gŵr,
Y gair union: gwerinwr.

GRIFF*

[Pisgah1]

715

Underneath lieth the mortal remains of DAVID WILLIAMS, late of Tŷ'n-y-Muriau who departed this life on the 5th day of June in the year of our Lord 1819 aged 59 years.

Ar ei ol paham y wylwn – ei enw
Wr hynaws a barchwn:
Daw y pryd y cyfyd cofiwn
I le uwch Haul ei lŵch hwn.

Also Sidney, wife of the above named David Williams who departed this life on the 6th day of August 1842 in the 75th year of her age.
[Aelrhiw1, 1a]

Y RHIW

Eglwys Sant Aelrhiw

716
Er cof am JOHN, bachgen Thomas ac Elizabeth EVANS, Creigiau Mawr, Talysarn, Llanllyfni, yr hwn a fu farw Medi 25, 1881 yn 3 mlwydd oed.

Byw lechi wnaeth John, fel blodyn – tirion;
Ond torwyd ef wedyn,
Iesu a fu'n tori'r rhosyn
I'w roddi i'w Dad o ardd dyn.

[Aelrhiw2]

717
Er cof am SAMUEL OSWALD anwyl blentyn Samuel ac Eliza WILLIAMS, Tan'Rardd, Rhiw bu farw Gorphenaf 16 1913 yn 3 mis oed. Hefyd ei chwaer CATHERINE MARY bu farw 22 Chwefror 1918 yn 20 mlwydd oed.

Heddyw! Catherine Mary addien – mun dlos
Mewn du lwch [?] daearen:
Ond daw rhyw Ddydd yn llawen
O gwsg oer yn y gwisg wen.

[Aelrhiw3, 3a, 3b]

Rhos-fawr

RHOS-FAWR

Capel Penuel (B) Tyddyn Shon

718, 719, 720
Er serchog gof am ANNE, merch David ac Annie LLOYD, Factory, Rhydygwystl, bu farw Mehefin 21, 1867 yn 21 mlwydd oed.

Ei llais, hyfrydlais y fro, - a melus
Y moliant oedd ynddo;
Hi doddai henaid iddo, - wrth ei bodd
Wedi denodd aml angel i diwnio.

Hefyd am MARY, eu merch, bu farw Medi 4, 1877 yn 19 mlwydd oed.

Heddyw, ar ddor y ddaear ddu, hollol
Gall rhiaint dawelu;
O gaeth fedd daw'r eneth gu,
Yn dlws waith dwylaw Iesu.

Hefyd am MARGARET eu merch, bu farw Medi 26, 1878 yn 25 mlwydd oed.

Hynod alar! Pwy nad wyla, ro'i un
Un mor anwyl i'r gladdfa
Ond dydd barn yn glir wiria
Fod Iôn yn dirion a da.

[Tyddyn08a, 08b]

721
Er cof serchog am JOHN GRIFFITH (Maesyn), Gwar y Rhos, a hunodd yn yr Iesu Medi 7, 1920 yn 78 mlwydd oed. Hefyd ei anwyl briod ANN GRIFFITH a hunodd yn yr Iesu, Medi 23, 1920 yn 79 mlwydd oed.

Darbodus a, da yn eu dydd, - a fu
Ann fwyn a John Gruffydd;
Disigl yn ngrêd y bedydd,
A chadarn, i'r farn a fydd.

ISEIFION*

[Tyddyn02]

722, 723
Er coffadwriaeth am ELLIN ROBERTS anwyl wraig DAVID ROBERTS, Tŷn Rhos fawr, yr hon a fu farw Gorphenaf 29, 1879 [8?] yn 70 oed. Hefyd am y dywededig DAVID ROBERTS a fu farw Ionawr 31ain 1882 yn 73 mlwydd oed. Hefyd am OWEN WILLIAMS, anwyl briod MARGARET, merch y dywededig DAVID ac ELLEN ROBERTS, bu farw Medi 13eg 1904 yn 50 mlwydd oed.

Trin cynghan nefol danau, - oedd awydd
Owen yn ei ddyddiau;
Dyna'i fwyd a'i wynfydau,
Pur o hyd, - eto'n parhau.
ISEIFION*

Hefyd ei briod MARGARET WILLIAMS, bu farw Hydref 15ed, 1920 yn 69 mlwydd oed.

Bun fywiog drwy ei bywyd, - ei llafur
Sy'n llyfrau y ddeu-fyd;
Rhaid addef y daw hefyd,
Yn Gan o'i bedd, - Gwyn ei byd.

ISEIFION*

[Tyddyn01]

724
Er serchog gof am OWEN JONES, Penbryn-rhos, Rhosfawr, fu farw Ebrill 3, 1905 yn 65 mlwydd oed.

Huna'n felys "'rhen filwr", - Owen Jones,
Yma'n iach noswyliwr;
A'i fawl fel syml ryfelwr,
I'r Iesu gwyn 'roes y gwr.

[CHTG, Tyddyn03]

725
In memory of MARGARET, wife of Capt. Jeremiah PARRY, of Pwllheli, who died August 20th, 1844 aged 42 years. Also Capt. JEREMIAH PARRY of Pwllheli who died on the 28th of July 1868 aged 70 years.

Mi hwyliais y mor heli, Ond Mynwent
Yw'r man Gwnes Angori;
Llon bu'm Llais uwch a Lli,
Ond tawel Yma'n Tewi.

[Tyddyn07]

726

Er coffadwriaeth am ELIZABETH gwraig John GRIFFITH Gwar Rhos, yr hon a fu farw Awst 24ain, 1848 yn 38 oed. Hefyd am y dywededig JOHN GRIFFITH ei gwr yr hwn a fu farw Ebrill 14eg, 1867 yn 58 oed.

Gwr hoffus oedd John Griffith, - credadyn
Cry' didwyll ei grefydd;
Un gafodd gred a bedydd,
O eigion ffynon y ffydd.

CYNDDELW*

[CHTG]

727

Er serchog gof am THOMAS PAYNE, Caernarvon Road, Pwllheli, a fu farw Mawrth 22, 1889 yn 31 mlwydd oed. Hefyd am THOMAS EVANS, anwyl briod ELLEN EVANS, 30 Caernarvon Rd., Pwllheli, bu farw Mawrth 20, 1931 yn 79 mlwydd oed.

Ymaith y teithiodd 'Homo' - awenydd
Dymunol wnaeth gilio;
Ei bennill wna'i enill o –
Yn gyfaill gwerth ei gofio.
[Tyddyn06]

728

Er cof am ELIZABETH WILLIAMS, gwraig WILLIAM WILLIAMS, Ynyswaen, Llannor, yr hon a fu farw Ebrill 19eg, 1863 yn 52 mlwydd oed.

Hon oedd Fam ddinam, ddoniol, - yn rhodio
Ar hyd yr iawn reol;
Hyd ei bedd bu'n rhinweddol, - yn caru
Enw da Iesu ai blan dewisol.
MAESYN*
[Tyddyn05]

729

Er serchog gof am ANN ROBERTS, Hendre Bach, Rhosfawr, hunodd yn yr Iesu Ebrill 19, 1905 yn 70 mlwydd oed. Hefyd ei hannwyl briod GRIFFITH ROBERTS hunodd yn yr Iesu Ebrill 9, 1910 yn 83 mlwydd oed. Bu yn Ddiacon a thrysorydd yn Eglwys Penuel, Tyddynshon am 46 o flynyddoedd.

Griffith ac Ann ddau anwyl, - a fuont
Ddifwlch yn mhob gorchwyl;
Gyda gair i gadw gŵyl, - yn bybyr
Yr Ion a egyr eu bedd'r un egwyl.
ISEIFION*
[Tyddyn04]

BETHESDA

RHOSHIRWAUN

Capel Bethesda (B)

730
Er cof annwyl am JOHN HUGHES, Fronoleu, Rhoshirwaun a hunodd Mehefin 25, 1935 yn 63 mlwydd oed.

Ddwys awenydd a'i swynion, - un oedd mawr
Sydd yn mud fro meirwon
Câr hynaws, cywir union,
Sydd yn nghell yn hunell hon.

Parch. ROGER JONES*

[Rhoshir2]

731
Er cof annwyl am ELLIS ROBERTS, Pengroeslon Bach, Pengroeslon, a fu farw Medi 28, 1980 yn 72 mlwydd oed.

Gwron addfwyn di-gwyno – er ei gur
A'r garwaf gystuddio:
Annwyl frawd tawel ei fro
Inni'n rhy dawel heno.

GLENFIL JONES*

[Rhoshir3]

732
Er cof am ROBERT IAN, plentyn annwyl Carys ac Arthur WILLIAMS, Rhyg Villa, Nefyn, fu farw Mehefin 12, 1982 yn 7 mlwydd oed.

Est, Robert Ian annwyl – yn ifanc
O ofal dy preswyl;
Yn lle haf a di-ball hwyl
Dan hiraeth dydd dy arwyl.

G.R.*

[Rhoshir4]

733
Er coffadwriaeth am MARGARET, gwraig John WILLIAMS, Penrhos, yr hon a fu farw Ionr. 31, 1851 yn 58 oed.

Awelon oerion a yrai – Marged
A'i mawr gur a adawai
Trwy'r llen ar aden yr ai
I nef y nef y nofiai.

[CHTG]

734
Er serchog gof am MARGARET, priod John HUGHES, Tyn Rhos, Aberdaron, bu farw Chwefror 3, 1892 yn 61 oed.

Blinder i'm hamser o hyd – a gofid
A gefais o'm mebyd
Nychais yn wan o iechyd
Nes gorphwys o bwys a byd.

[CHTG]

735
Er cof am EVAN, mab John a Margaret HUGHES, Tyn Rhos, a fu farw Mawrth 25, 1868 yn 7 mis oed.

Ar ei ol pam yr wylwn – ei enw
Yn anwyl a barchwn
Daw'r pryd y cyfyd cofiwn
I le uwch haul ei lwch hwn.

[CHTG]

736
Er cof am THOMAS, mab Evan RICHARD, Gilfach, yr hwn a hunodd Awst 6ed [?] yn 23 oed.

Mynnai arddel mewn urddas – is y groes
Iesu Grist a'i deyrnas;
Da oedd ei fywyd addas
Hyd ei fedd trwy ryfedd ras.

[CHTG]

AD
1881
RHYDYCLAFDY

RHYDYCFLAFDY

Capel (MC)

[Mae dwy gofeb o flaen y capel hwn:]

737

I gofio'r Parch TOM NEFYN WILLIAMS. Yma traddododd ei bregeth olaf Nos Sul, Tachwedd 23 1958. Mathew, 6 Bennod, 6 Adnod: "Ac wedi cau dy ddrws".

Bu was gwir, heb seguryd – i'w Arglwydd
Dan eurglod ac adfyd;
Ac o'i bregethau i gyd
Y fwyaf oedd ei fywyd.

W.M.*

[Rhyd1]

738

Oddiar y garreg hon gerllaw Eglwys y Plwyf hwn y traddodwyd y Bregeth Gyntaf yn Lleyn gan HOWEL HARRIS ar ei ymweliad cyntaf a'r wlad oddeutu 2 o'r gloch Dydd Llun Chwefror 2fed 1741. Ei destun ydoedd: 'Deled dy deyrnas'.

Uwch annghôf mêl adgofion – a hiraeth
Am HARRIS gŵyd weithion;
Wele Côf-bwlpud hylon
Geiriau grâs yw'r garreg hon.
1893 BEREN*

[Rhyd2]

TUDWEILIOG

Eglwys Sant Cwyfan

739
Er cof am ROBERT WILLIAMS, Nyffryn Bella, Dinas, priod hoff Mary a thad tyner David ac Ann, a hunodd Tachwedd 9, 1975 yn 43 mlwydd oed.

Nos Sul aeth i noswylio – ai alw
O aelwyd ddi-gyffro
Duw ei hun: yn dymuno
Hawl iw dŷ ai aelwyd o.
[Tud01]

740
In affectionate remembrance of RICHARD, eldest son of William & Mary WILLIAMS, Tyddyn mawr Penllech, who died on the 5th of March 1886 on board the ship 'Cambrian Monarch' about 120 miles off Scilly Islands, while on her passage from Pisagua† to Falmouth, aged 17 years and was interred here March 12th.

Duw bia cadw bywyd – cu anadl
Ac einioes ac iechyd;
Hawl a fedd i alw o fyd
Man y myno mewn munyd.
[Tud02]

(†Roedd Pisagua [yn Chile, De America] yn borthladd

bwysig yn y fasnach nitradau, [fel gwrtaith] yn y bedwaredd ganrif ar bymtheg. Dim ond 260 yw'r boblogaeth yn awr, tra bo dros 800 o bobl yn byw yn Nhudweiliog. Gyda llaw, sylweddolodd y Sbaenwyr gwreiddiol fod blas drwg ar y dŵr. Dyna darddiad enw'r lle.)

741

Er serchus gof am CATHERINE anwyl briod Daniel GRIFFITH, Ty-isaf, Tydweiliog a hunodd yn yr Iesu Rhagfyr 2il 1915 yn 77 mlwydd oed.

Tawel enaid, haelioni – ydoedd hon
Ffrind dda mewn caledi;
Diweniaith ei daioni,
Llaw lân oedd ei llaw lawn hi.

J. R. TRYFANWY*
[Tud08]

742

Er cof am ELLEN, gwraig JOHN DANIEL ROBERTS, Penygongl o'r plwyf hwn, yr hon a fu farw Mehefin 8ed 1873 yn 69 oed.

I'r saint rhagorfraint i gyd – oll iddynt
Eu llwyddiant a'u hadfyd:
Gwen y nef a gant hefyd
Ac yn y bedd gwyn eu byd.
S. LL.
[Tud04]

743

In memory of ELIZABETH, relict of ROBERT WILLIAMS, Gent., of Bryntirion in this parish who departed this mortal life of the 22nd day of July 1836 aged 90 years.

Ar ddelw ei hardd anwylyd – yn bur
Daw'r boreu y cyfyd.
O'r du oer fedd ddaear fud
I'w foli fyth mewn ailfyd.

The above named Robert Wiliams, Gent., died at Rochdale, where he was buried, May 15th 1799 aged 54 years.

[Tud05]

744

Er cof am GRIFFITH THOMAS, Cefn Madryn yr hwn a fu farw Tachwedd 3ydd 1865 yn 63 oed. Hefyd am ELLEN THOMAS, anwyl briod y dywededig uchod, yr hon a fu farw Hydref 5ed 1881 yn 73 mlwydd oed.

Troelli y nyfnder trallod – mwy i mi
Mae mam yn y beddrod:
Ac o fy Nuw! os caf y nod
Yn iach y cwrddwn uchod.

[Tud06]

745
Er cof am GRIFFITH, anwyl fab William a Catherine HUGHES, Penygraig Tydweiliog, yr hwn a fu farw 22ain Ebrill 1898 yn 10 mlwydd oed. Hefyd ei Frawd gollodd ei fywyd ym mrwydr Loose [sic] Ffraingc 25 Fedi 1915 yn 33 oed.

WILLIAM DANIEL Mae dy enw – ini
Yn anwyl iw gadw,
Y dewr mewn rhyfel dwrw
Dros ei wlad a roes ei Lw.

[Tud07]

746
I gofio'n dyner am HUMPHREY HUGHES LLEWELYN, priod, tad a thaid annwyl, Graeanfryn, Morfa Nefyn, ganwyd Mai 23 1921 bu farw Chwefror 26 1991.

Hwn o'i benyd a'i boenau – hwn o'r niwl
Aeth i'r Nef Wen olau,
A chefnu ar gywch ofnau
I'r Wlad bur heb gur na gwae.

DIC GOODMAN*

[Tud03]

747

John Roberts, Tan y Graig Bach, Llaniestyn fu farw Ebrill 1 1896 yn 73 mlwydd oed. Hefyd am Margaret Roberts ei briod fu farw Awst 31 1900 yn 77 mlwydd oed. Hefyd er cof am eu wyr JOHN R. ROBERTS A.O.C. fu farw yn Salonica 20 Gorphenaf 1918, gynt o Tanygraig Bach, Llaniestyn a Meirion House, Llangollen yn 39 mlwydd oed.

Ei ddymuniad oedd am huno – yn ochr
Ei Daid a'i Nain; etto
Gwelodd yn a'i galwodd o
O'r byd yn well ar beidio.

[CHTG]

748
JOHN JONES, Joiner, Nevin, who departed this life March 18 1833 aged 86

Daw diwrnod hynod o hedd – pan gyrchir
O garchar y dyfnfedd:
Duwiolion o wiwlon wedd
I felus wir orfoledd.

[CHTG]

749
This stone was erected by Wm Jones Cefnleisiog in memory of his only beloved son ROBERT JONES by Elinor his wife he died March 31, 1818 aged 18. In memory also of ELIZABETH, daughter of the above William and Elinor Jones, who died August 31, 1826 aged 21.

Gorwedd yn isder gweryd – mewn ceufedd
Mae'n cyfaill tawelfryd:
Ond ner cofier a'i cyfyd
O Ddu wael fedd i ail fyd.

[CHTG]

750
ELLA, daughter of Richard and Anne DAVIES, Weirglodd Fawr, Penllech, who died August 27, 1894

aged 21 years.

Yn ir aeth hon i orwedd – i fynwes
Yr hen fynwent lwydwedd:
R'ifanc a'r hen mor ryfedd
Ant yr un fath tua'r hen fedd.

[CHTG]

751

In loving memory of OWEN, son of Richard and Anne DAVIES, Weirglodd Fawr, Penllech, who died May 1, 1891 aged 19 years.

Wedi agor ei degwch – o ganol
Ei gynnar brydferthwch:
A wywodd, llithrodd i'r llwch
Yn ol ni ddaw na wylwch.

[CHTG]

TREFOR

Mynwent Gyhoeddus

752
Er cof annwylaf am MARY G. ROBERTS (MAY) Ty'r Felin, Gyrn Goch, 1898-1977

Ni chudd bedd ei rhinweddau – er i'w gwys
        Fynd a'r gân a'r gwenau;
    Ar ei hol dal iw mawrhau
    Wna'i hoes o gymwynasau.

        R. J. ROBERTS* (ei phriod)

Hefyd ei phriod Robert J. Roberts, 1896-1981 Mewn hedd

[Trefor01]

753
O barch i briod a thad tyner WILLIAM ROBERTS, Hendre, Trefor, 1881-1967

Hael ardalwr di-elyn, - a luniai
        Delyneg ac englyn;
    A welai em mewn emyn,
    A'i sgwrs yn yr Iesu gwyn.

        GWYNDAF*

A'i briod a mam garedig SARAH JANE, 1883-1970

Wedi'r boen, ni roed i'r bedd
Rieni mwy eu rhinwedd.

R. J. Roberts*
[Trefor02]

754
Er cof tyner am ANITA WYN JONES, priod a mam annwyl, Graig, Trefor, Hunodd Hydref 21, 1975 yn 30 mlwydd oed.

Edwinodd, hunodd dan wenu – do wir,
Ac nid aeth, rwy'n credu,
Un fwy hardd, i'r ddaear ddu,
Na'i chlysach i law Iesu.
[Trefor03]

755
Er cof annwyl am G. CHARLES DAVIES, priod hoff Amy, Gorffwysfa, Trefor, 1917-1999

Â'i ddidwyll hardd gerddediad – i dŷ Dduw
Rhodiodd ef yn wastad,
Heb i gulni, bri, na brad
Amharu ei gymeriad.

R. J. ROBERTS*

[Trefor04]

756
Er cof annwyl am OLGA JONES, priod ffyddlon Robin, Brynmor, Trefor, fu farw Chwefror 3, 2003 yn 80 mlwydd oed.

Gwên siriol oedd ei golud – a gweini'n
Ddi-gŵyn oedd ei gwynfyd,
Bu fyw'n dda, bu fyw'n ddiwyd
A lle bu hon, mae gwell byd.

W.Rh.N.*

[Trefor05]

YNYS ENLLI

Mynwent Gyhoeddus

757
Er Serchog Gof am Capten REES GRIFFITH, anwyl briod ANN GRIFFITH, Hen Dy, Enlli. Yr hwn a fu farw Mawrth 24, 1900, yn 73 mlwydd oed.

Darfu ei deithiau dirfawr – dros foroedd
Drwy ferw blin trystfawr,
Yr olaf daith ar elawr
Oedd i wely llety'r llawr.

[CHTG]

NODIADAU BYWGRAFFYDDOL

(Rwyf yn dra diolchgar i Gareth Neigwl am ei ychwanegiadau; hefyd i'r sawl yr ymgynghorodd ef â nhw. Os nad oes cydnabyddiaeth, mae'r nodion hyn yn gymysgedd o wybodaeth yn y llyfrau y sonwyd amdanynt yn y Llyfryddiaeth, tud. 9)

ALAFON: [Carnguwch; Eglwys Llanbedrog; Mellteyrn; Nefyn]
Owen Griffith Owen, 1847-1916. Gweinidog (MC) a bardd. Ganwyd ym Mhant-glas, lle'r oedd ei dad yn cadw'r dafarn ar y pryd. Ychydig o addysg fore a gafodd, a dechreuodd weithio'n gynnar fel gwas bach ar fferm. Symudodd pan oedd tua 12 mlwydd oed i fyw gyda modryb iddo yn ardal Carmel, Arfon, ac aeth i weithio yn Chwarel Dorothea, Tal-sarn. Bu wedyn yn glerc yn Chwarel y Braich, Llandwrog Uchaf. Dechreuodd farddoni a chystadlu pan oedd yn ieuanc. Pan oedd tua 29 mlwydd oed penderfynodd fynd i'r weinidogaeth gyda'r Methodistiaid Calfinaidd; bu yn Ysgol Clynnog, yng Ngholeg y Bala, ac ym Mhrifysgol Caeredin am rai tymhorau, ond ni raddiodd. Ordeiniwyd ef yn 1885. Ni bu yn briod. '... yr oedd yn bersonoliaeth hoffus iawn; yr oedd pobl, plant, ac anifeiliaid gan gynnwys adar gwylltion yn hoff o Alafon.' *(YBC)*

'As a poet he excelled in writing simple, pensive lyrics, but his englynion are also memorable. His hymn (translated from the English) Glân geriwbiaid a seraffiaid *to the tune Sanctus is still very popular.' (OCLW)*

ALAN LLWYD: [Bwlch; Chwilog; Nefyn; Penrhos]
Alan Lloyd Roberts yn wreiddiol. Fe'i ganwyd yn Nolgellau yn 1948 a'i fagu ar fferm yng Nghilan, Llŷn. Addysgwyd ym Mhrifysgol Bangor. Enillodd y Gadair a'r Goron yn Eisteddfod Genedlaethol Rhuthun 1973 ac eto yn Eisteddfod Genedlaethol Aberteifi 1976. Mae'n awdur toreithiog.

ALUN a A.T.H.: [Bwlch]
Alun T. Hughes, Abersoch, gynt o Lanengan.

AP GWALLTER: [Boduan; Nefyn]
Robert Davies, Pen-y-groes, Boduan; beiliff ym Mhlas Boduan.

AP LLEYN: [Mellteyrn]
William Jones. Ganwyd yn Sarn Mellteyrn yn 1878. Aeth i ddilyn galwedigaeth ar y môr pan oedd yn 14 mlwydd oed, ar fwrdd y sgwner *Minna Elkan* o Nefyn. Yn ddiweddarach, yn dilyn damwain oddi ar arfordir gorllewinol De America pan gollodd ran o'i goes, cafodd waith ar y dociau yn Lerpwl. Bu'n arolygu llwytho a dadlwytho llongau ei hen gwmni, nid yn unig yn Lerpwl ond hefyd mewn porthladdoedd eraill ym Mhrydain ac ar y cyfandir. Cymerai ran flaenllaw ym mywyd crefyddol, diwylliannol a chymdeithasol Cymry Lerpwl. Daeth i amlygrwydd fel bardd a chafodd ei urddo gyda'r enw barddol 'Ap Lleyn' yn Eisteddfod Llangollen. Bu farw yng Nghymru tua'r flwyddyn 1955.

AP MORUS: [Mellteyrn]
Bu'n byw yn Nhŷ'r Ysgol, Llangwnnadl. Tad-yng-nghyfraith Dr Jôs, Botwnnog.

ARIFOG: [Llithfaen]
J. O. Jones, masnachwr, New Brighton Stores, Llithfaen. Ganwyd ei dad ('John Jones y saer') yn Llanystumdwy a bu'n ysgrifennydd Capel MC Llithfaen am hanner can mlynedd.

'I du ei dad, un o Eifonydd fwyn yw'r amryddawn Arifog, er mai oddi ar fro Llithfaen y gwelodd gyntaf wawr bywyd a byd. I un â meddwl gafaelgar fel yr eiddo ef, ca'dd ym Mottwnog yr hyn fu'n fantais i loewder meddwl, yn gystal ag i eangder gwybodaeth. ... Enillodd ddwy o Gadeiriau, y naill ym Mangor, a'r llall yn Nhowyn Meirionydd. Heddyw, rhydd a bardd fwy o'i fryd a'i amser ym maes y cynllunydd, a hyfforddwr mewn areitheg, neu adrodd, nag ar farddoni.'

Ysgrifennodd Arifog hanes achos Capel MC Llithfaen, lle dywed am y capel newydd: 'Cynhaliwyd y gwasanaeth cyhoeddus cyntaf gan Evan Roberts, y Diwygiwr, Rhagfyr 12fed 1905.' (*Beirdd Gwerin Eifionydd,* Cybi)

BARDD TREFLYS: [Llanfaelrhys]
Richard Roberts, 1818-1876. Mab Thomas Roberts, Garthmorthin, Treflys, rhwng Porthmadog a Chricieth. Yr oedd o deulu Dafydd y Garreg Wen. Pan oedd tua 20 oed aeth i fyw gyda'i ewythr Griffith Roberts, yn y Tŷ Mawr, Treflys, ac yno treuliodd ei oes, yn ddi-briod. Yr oedd yn aelod selog o gymdeithas lenyddol Ellis Owen, Cefn-y-Meusydd (gweler isod). Claddwyd ef ym mynwent eglwys Treflys.

Yn ei gyfrol *Beirdd Gwerin Eifionydd a'u Gwaith*, mae Cybi yn dyfynnu englyn Bardd Treflys ar fedd Dic Aberdaron:

Ieithydd uwch ieithwyr wythwaith, - gwir ydoedd,
Geiriadur pob talaith:
Aeth Angeu a'i bymthengiaith:
Obry'n awr mae heb 'r un iaith.

Dyma sydd ar fedd Bardd Treflys ei hun:

Gu wr, rhawg erys ar go'i ragoriaeth,
Cywirdeg ydoedd, caredig odiaeth;
O Seion o'i ol cyfyd swn alaeth
Am ei llawn noddwr trwm yw Llenyddiaeth.

(*Cartrefi Cymru*, Owen M. Edwards)

BEN BOWEN: [Llanbedrog; Penrhos, Bethel; Pwllheli]
Ben Bowen 1878-1903. Efrydydd a bardd; chweched plentyn Thomas a Dinah Bowen, Treorci, Rhondda. Addysgwyd ef yn Ysgol Fwrdd Treorci, Ysgol Golegol Pontypridd, a Choleg y Brifysgol, Caerdydd. Yn löwr ifanc, dan ddylanwad cymdeithasau llenyddol lleol, bu ganddo ddiddordeb y tu hwnt i'w oed mewn barddoniaeth. Erbyn cyrraedd ei 18 oed yr oedd wedi ennill cydnabyddiaeth fel bardd addawol. Gadawodd y pwll glo yn 1897 er mwyn paratoi ar gyfer gweinidogaeth y Bedyddwyr; yn yr un flwyddyn cyhoeddodd gasgliad byr o farddoniaeth, *Durtur y Deffro*. Torrodd ei iechyd yn 1899 ac oherwydd hynny fe fethodd

orffen ei flwyddyn gyntaf yng Ngholeg y Brifysgol, Caerdydd. Rhoes tysteb genedlaethol gyfle iddo dreulio Ionawr 1901 hyd Gorffennaf 1902 mewn gwledydd tramor, yn bennaf yn Kimberly, Deheudir Affrica. Erbyn hyn yr oedd wedi ei drwytho'n dda mewn llenyddiaeth Gymraeg a Saesneg. Ymddiddorai yn syniadau gwyddonol ei ddydd a'u harwyddocâd diwinyddol ac yr oedd yn efrydydd trwyadl o lenyddiaeth yr Almaen. Parodd ei erthyglau (ar bynciau athrawiaethol) mewn cyfnodolion Cymraeg ddadlau chwerw ac ymosodiadau personol. Wedi iddo ddychwelyd i Gymru diarddelwyd ef gan ei eglwys – Moriah, Pentre. Aeth cyflwr ei iechyd yn waeth a bu farw yn Nhonpentre, Awst 1903.

Y mae'r *Oxford Companion to the Literature of Wales* yn dweud amdano fel hyn: '... *he began work in the local colliery when he was 12 years old, by which time he was said to be a competent* englynwr.'

Cynhwysodd Thomas Parry englyn Ben Bowen 'Ymdawelaf, mae dwylo – Duw ei hun' yn ei gyfrol *The Oxford Book of Welsh Verse* (1962).

BEREN (T.E.G.): [Brynmawr; Dinas; Helyg, Llangybi; Penrhos, Bethel; Rhydyclafdy]

Thomas Evan Griffith, mab i Evan Thomas Griffith a'i wraig Ellen. Ganwyd yn Bodgadle, Rhydyclafdy (cartref ei fam) yn 1852. Priododd gydag Ellen Griffith, merch Gallt y Beren, Rhydyclafdy, a ganwyd iddynt ddwy o ferched. Cymerai ran flaenllaw gyda materion crefyddol, cymdeithasol a gwleidyddol. Bu'n flaenor gyda'r Methodistiaid Calfinaidd yn Rhydyclafdy, ac yn aelod o Gyngor Gwledig Llŷn. Ef oedd y cynghorydd sir cyntaf dros y rhanbarth hwnnw. Gweithiodd yn egnïol dros ddirwest yn ei flynyddoed cynnar. Bu Beren farw yn 1914 yn 62 oed Ac fe'i claddwyd ym Mynwent Eglwys Llanfihangel Bachellaeth, gyda'r arysgrif hwn ar ei fedd: 'Haleliua Iddo ef / Ai ddynau aur y nef.'

BODFAN: [Bryncroes; Llangwnnadl, Eglwys; Llangwnnadl, Hebron; Penllech]

John Bodvan Anwyl. Ganwyd yng Nghaer yn 1875 i deulu'r

Anwyliaid o Gaerwys. Dechreuodd ei yrfa fel gweinidog gyda'r Annibynwyr ond ymddeolodd am ei fod yn fyddar. Cofir amdano'n bennaf fel geiriadurwr Spurrell. Yn 1921 fe'i penodwyd yn Ysgrifennydd y Geiriadur Cymraeg oedd ar waith dan nawdd Bwrdd Gwybodau Celtaidd Prifysgol Cymru. Ar ôl ymddeol, ymsefydlodd yn Llangwnnadl a bu farw yno ar 23 Gorffennaf 1949 pan foddodd oddi ar draeth Penllech. Fe'i claddwyd ym mynwent Eglwys Penllech. Nid oedd yn briod. Ymysg ei gyhoeddiadau mae *Englynion* (Wrecsam, 1933).

B.R.: [Aberdaron, Eglwys Newydd]
Berwyn Roberts, Dinbych.

CADVAN: [Pwllheli, Deneio]
John Cadvan Davies, 1846-1923. Ganwyd yn Llangadfan. Aeth i'r weinidogaeth (Wesleaidd) yn 1871. Yr oedd yn un o olygyddion llyfr emynau'r Wesleaid yn 1900 ac fe ymddengys nifer o'i emynau ynddo yn ogystal ag yn *Llyfr Emynau y Methodistiaid Calfinaidd a Wesleaidd*, 1927. Yr oedd yn amlwg mewn eisteddfodau fel beirniad ac arweinydd ac roedd yn Archdderwydd yn 1923.

CELYN: [Chwilog; Llithfaen]
'Er dros ffin ein Cwmmwd, ac yn lled bell, erbyn heddyw, yn naear Eifionydd y tyfodd y boncyff y mae Celyn yn flaguryn addawol o hono... Enillodd swm helaeth o wobrau yng Nghyfarfodydd Llenyddol Lleyn ac Eifionydd, un adeg. Llwyddodd hefyd i enill Cadair yn Aber Erch, o dan feirniadaeth Eifion Wyn, yr hwn roddasai enw da i'w henillydd.' (*Beirdd Gwerin Eifionydd*, Cybi)

CENNIN neu **CENIN**: [Chwilog; Llangybi, Helyg]
'Mae ef yn hysbys fel englynwr pert, a chyfansoddwr barddoniaeth ddarluniadol, neu adroddiadol, teilwng o ansawdd a natur ei awen ramantus... ceir yn ei gân ddeigryn yn gystal a gwên.' (*Beirdd Gwerin Eifionydd*, Cybi)

CHARLES JONES: [Llanbedrog]
O Fynytho; brawd y Prifardd Moses Glyn Jones. Bu'n athro yn Ysgol Botwnnog.

CYBI: [Chwilog; Llanaelhaearn; Llanarmon; Llangybi, Eglwys; Llangybi, Helyg; Llithfaen]
Robert Evans, 1871-1956. Bardd, postmon a llyfrwerthwr (gyda stondin yn Neuadd y Farchnad, Pwllheli, bob dydd Mercher). Ganwyd yn Elusendy, Llangybi. Addysgwyd ef yn Ysgol y Cyngor, Llangybi ac wedi bod yn gweini ffermydd Eifionydd bu'n bostmon yn yr ardal am y rhan fwyaf o'i oes. Cynhyrchodd gryn lawer o farddoniaeth, yn neilltuol awdlau, marwnadau ac englynion mynwentol. Nid oes mynwent yn Eifionydd nad oes yno englyn neu doddaid o'i waith. Ei arwyr oedd beirdd Eifionydd a gwnaeth gymwynas fawr drwy gyhoeddi eu gwaith, e.e., *Beirdd Gwerin Eifionydd a'u Gwaith.* (1914). Bu farw yn Ysbyty Pwllheli a chladdwyd ef ym mynwent Capel Helyg, Llangybi, lle mae englyn gan neb llai na Cynan yn talu teyrnged iddo. Gweler 453.

CYNAN: [Llangybi, Helyg]
Albert Evans Jones, 1895-1970. Ganwyd ym Mhwllheli. Derbyniodd ei addysg yn Ysgol Elfennol ac Ysgol Sir Pwllheli a Choleg y Brifysgol, Bangor, lle graddiodd yn 1916. Yn yr un flwyddyn ymunodd â'r *RAMC* a bu'n gwasanaethu yn Salonica ac yn Ffrainc. Ar ôl y rhyfel aeth i Goleg y Bala ac yn 1920 ordeiniwyd ef a'i sefydlu yn weinidog yr Eglwys Bresbyteraidd ym Mhenmaen-mawr. Yn 1931 fe'i penodwyd yn diwtor yn Adran Allanol Coleg Bangor.

Hanes hogyn o gefn gwlad yn wynebu temtasiynau sydd yn y bryddest 'Mab y Bwthyn' a enillodd iddo goron yr Eisteddfod Genedlaethol yn 1921. Enillodd y goron yn 1923 ac yn 1931 hefyd. Cyhoeddodd gasgliad o'i farddoniaeth, *Cerddi Cynan* yn 1959. Ymhlith ei ddramâu y mae *Hywel Harris* (1932) ac *Absalom fy Mab* (1957). Fel Archdderwydd trawiadol (1950-4, 1963-6) gwnaeth Cynan lawer i roi trefn a lliw i seremonïau'r Orsedd. Urddwyd Cynan yn farchog yn 1969.

CYNDDELW: [Botwnnog; Llanaelaearn; Rhos-fawr]
Robert Ellis, 1810-1875. Gweinidog gyda'r Bedyddwyr, bardd a hynafiaethydd. Ganwyd yn Nhy'n-y-Meini, yn agos i Ben-y-bont-fawr. Gwas fferm ydoedd o 1822 hyd 1835. Dechreuodd bregethu yn 1834. Roedd yn ŵr amryddawn, yn bregethwr esboniadol, athrawiaethol, yn gryn feistr ar Gymraeg pulpudol ei ddydd. Oherwydd ei ddawn siarad naturiol, ei ffraethineb a'i wybodaeth eang, yr oedd yn un o ddarlithwyr enwocaf ei cyfnod.

DEWI ARFON: [Carnguwch; Llannor]
David Hugh Jones, 1833-1869. Gweinidog (MC), ysgolfeistr a bardd. Ganwyd yn y Tŷ Du, Llanberis, yr hynaf o bedwar o blant, a brawd iddo oedd Griffith Hugh Jones ('Gutyn Arfon') awdur y dôn *Llef*, a gyfansoddwyd er cof am Dewi Arfon. Ymadawodd â'r ysgol yn 11 mlwydd oed ac aeth gyda'i dad i weithio yn y chwarel. Astudiodd yn ddyfal yn ystod ei oriau hamdden a meistrioli rheolau barddoniaeth, cerddoriaeth, rhifyddeg a gramadeg Cymraeg a Saesneg. Aeth i Goleg Borough Road, Llundain, ac ymhen blwyddyn enillodd dystysgrif athro. Yna bu am bedair blynedd yn athro yn Ysgol Frytanaidd, Llanrwst, lle daeth yn gyfeillgar iawn â Trebor Mai. Tra oedd yn Llanrwst y dechreuodd ymddiddori mewn barddoniaeth.

Dechreuodd bregethu ac yn 1862 aeth yn ddisgybl i Ysgol Eben Fardd. Ordeiniwyd ef i waith cyflawn y weinidogaeth yn 1867.

Gŵr bregus ei iechyd ydoedd a gorfu iddo adael Clynnog a dychwelyd adref i Lanberis ac yno bu farw fore'r Nadolig, 1869. Rhagorai fel englynwr, yn arbennig fel englynwr bedd-argraffiadau, a'i englyn mwyaf adnabyddus yw ei feddargraff i John Jones, Tal-y-sarn:

Clogwyni – coleg anian – wnaeth ryfedd
        Athrofa i Ioan;
    Âi yn null gwron allan,
    Mawr ŵr Duw, rhoes Gymru ar dân!

Nid yw'r englyn hwnnw ar fedd John Jones ym mynwent Llanllyfni ond yn hytrach ar y gofgolofn yn Nolwyddelan.

D.J.J.: [Penrhos, Bethel]
D. J. Jones, Llanbedrog.

D. J. ROBERTS, Lerpwl: [Llanaelhaearn]
Camgymeriad am R. J. Roberts* yn ôl Geraint Jones, Trefor.

D.O: [Bwlch]
Y Parchedig Brifardd Dafydd Owen, Abersoch. Enillodd y Gadair yn Eisteddfod Genedlaethol Sir Benfro (1972).

EBEN FARDD: [Bwlch; Clynnog Fawr; Pwllheli, Deneio]
Ebenezer Thomas, 1802-1863. Bardd, ysgolfeistr a siopwr yng Nghlynnog Fawr. Ganwyd yn Nhanlan, yn ymyl Llangybi, yn fab i Thomas Williams, gwëydd, a Catherine Prys, aelodau selog gyda'r Methodistiaid Calfinaidd yng nghapel Ysgoldy, Pencaenewydd, lle'r ymunodd y mab â'r seiat yn 1811. Cafodd addysg mewn ysgolion yn Llanarmon, Llangybi ac Aber-erch, a dysgodd grefft ei dad. Yr oedd wedi dechrau ymhel â barddoniaeth cyn bod yn 15 oed ac wedi dod i adnabod Robert ap Gwilym Ddu a Dewi Wyn. Enillodd gadair am ei awdl 'Dinistr Jerusalem' yn Eisteddfod Powys yn 1824, awdl arwrol orau'r bedwaredd ganrif ar bymtheg yn ôl *Gwyddoniadur Cymru*.
'Ystyrid Eben Fardd yn ei oes yn un o brif feirdd Cymru, a gellir dweud fod ynddo fwy o anianawd y gwir fardd nag odid neb o feirdd eisteddfodol y bedwaredd ganrif ar bymtheg.' (*YBC*)

Bu farw ei wraig a'i fab a dwy o'i ferched o'i flaen. Yn ei gerdd 'Myfyrdod yn Mysg y Beddau' y mae ei syniadau yn agos at nifer o englynion coffaol mynwentydd Llŷn ac Eifionydd:

Mae'r ieuanc yma'n gorwedd
    Yr unwedd â'r rhai hen,
Y rhai fu gynt yn rhwysgfawr,
    Fe ddarfu'u gwawr a'u gwên;
Mae pawb yn ddiddig yma;

Ni chenfigenna gŵr;
Gorweddant mewn bedd isel,
Lys dawel, le di-stŵr.

Ef hefyd yw awdur yr emyn gyfarwydd:

O! Fy Iesu bendigedig,
Unig gwmni f'enaid gwan,
Ym mhob adfyd a thrallodion
Dal fy ysbryd llesg i'r lan;
A thra'm teflir yma ac acw
Ar anwadal donnau'r byd,
Cymorth rho i ddal fy ngafael
Ynot Ti, sy'r un o hyd.

Byddai ei gyfeillion a'i gymdogion yn dibynnu arno i ysgrifennu beddargraffiadau iddynt. Yn ei ddyddiadur, 23 Mai, 1831 ysgrifennodd: *'Mr Robt. Thomas asked me to compose two englynion on his father and grandmother's graves, promised to comply.'* (*Detholion o Ddyddiadur Eben Fardd*, E. G. Millward)

EDEYRNFAB: [Edern]
Y Parch. S. T. Jones, Rhyl. Mab y Ship, Edern.

EDWARD RICHARD: [Ceidio; Llandygwnning; Llanfaelrhys; Llangïan; Llangybi, Helyg; Llithfaen; Pistyll; Pwlheli, Deneio]
1714-1777, ysgolfeistr, ysgolhaig, a bardd. Ganwyd yn Ystradmeurig, Ceredigion, lle'r oedd ei dad yn deiliwr a thafarnwr. Cafodd wersi mewn Groeg a Lladin gan ei frawd; aeth i Ysgol Ramadeg y Frenhines Elisabeth, Caerfyrddin. Tua 1735 dychwelodd i Ystradmeurig i gadw ysgol a daeth ei ysgol yn enwog. Ychydig iawn a ysgrifennodd: dwy fugeilgerdd, dwy gerdd i bont Rhydfendigaid a beddargraff plentyn, yr unig enghraifft o'i waith sydd wedi dod yn dra chyfarwydd. Yn ei *Hanes Llenyddiaeth Gymraeg* hyd 1900, mae Thomas Parry yn gwneud sylw o'r ffaith fod Edward Richard 'yn dilyn y bardd Lladin Fferyll

(Vergil), ac yn arbennig feistr mawr y fugeilgerdd bur, y Groegwr Theocritus, a hynny mewn manion trawiadol iawn.'

Ar gyfer bedd geneth fach y cyfansoddwyd yr englyn sy'n ymddangos yn Llangïan, Llithfaen a Phistyll yn wreiddiol, mae'n debyg. Heblaw am yr un sy'n dechrau gyda 'Trallodau, beiau bywyd...' ceir ail englyn:

Glân yr â baban i'r bedd – a difrad
Yw dwyfron trugaredd;
Mewn henaint mae anhunedd,
Brad a gwae i bryd a gwedd.

EIFION WYN: [Chwilog; Llangybi, Helyg]
Eliseus Williams, 1867-1926. Bu Eifion Wyn yn athro ysgol cyn dod yn glerc i gwmni llechi yn ei dref enedigol, Porthmadog. Cofir amdano'n bennaf am ei delynegion, yn enwedig y rhai sy'n ymwneud â byd natur, megis y rhai a ganodd i fisoedd y flwyddyn. Dadorchuddiwyd cofeb uwch ei fedd yn Chwilog gan David Lloyd George yn 1934. Dyfynnir ei eiriau 'Pam, Arglwydd y gwnaethost Gwm Pennant mor dlws, / A bywyd hen fugail mor fyr?' ar feddargraffiadau.

EIFIONYDD: [Chwilog; Nefyn]
John Thomas, 1848-1922. Ganwyd mewn bwthyn gerllaw plasty Clenennau, Penmorfa. Collodd ei dad pan oedd yn fachgen ifanc ac ni chafodd ysgol ddyddiol o gwbl. Pan oedd ond yn 9 oed a heb fedru darllen nac ysgrifennu, aeth yn brentis i swyddfa argraffydd yn Nhremadog. Dysgodd grefft argraffu a bu'n gweithio wedi hynny ym Mhwllheli, y Rhyl a Machynlleth. Dechreuodd bregethu gyda'r Annibynwyr a bu yng Ngholeg Aberhonddu 1872-4. Aeth i weithio i Gaernarfon i swyddfa *Y Genedl Gymreig*, yn gysodydd i ddechrau, yna ar ochr busnes y newyddiadur hwnnw ac wedi hynny yn olygydd iddo. Yn 1881-2 golygodd ddwy gyfrol, *Pigion Englynion fy Ngwlad*. Yr oedd yn un o sylfaenwyr Cymdeithas Gorsedd y Beirdd a bu'n Gofiadur iddi am dros 30 mlynedd. Enillodd wobrwyon mewn eisteddfodau am englynion a hir-a-thoddeidiau.

ELIAS DAVIES: [Pwllheli]
Un o Aber-erch ond yn frodor o Geredigion (lladdwyd ei daid yn nhanchwa Cilfynydd). Bu'n rheolwr Banc Barclays, Pwllheli am nifer o flynyddoedd.

ELIS AETHWY: [Chwilog]
Y Parch. Elis Aethwy Jones, Bryn Awel, Llanllechid, awdur *Y Bryniau a Cherddi Eraill* (1968).

ELLIS OWEN neu **E.O.:** [Aber-erch; Botwnnog; Bryncroes]
Ellis Owen, 1789-1868. Amaethwr, hynafiaethydd a bardd. Yr oedd yn ddi-briod a threuliodd ei oes yn Nghefn-y-Meysydd, Ynyscynhaearn, gyda'i fam a'i chwiorydd. Addysgwyd ef gyntaf mewn ysgol a gynhelid yn Eglwys Penmorfa, yna anfonwyd ef i ysgol yn Amwythig i ddysgu Saesneg a threuliodd weddill ei oes fel amaethwr yn Nghefn-y-Meysydd. Yn ei oes ef yr oedd Eifionydd yn enwog am ei beirdd a'i llenorion ac yn 1846 sefydlodd Ellis Owen Gymdeithas Lenyddol Eifionydd er hyrwyddo diwylliant ei ardal. Bu cryn fri arni am tua 12 mlynedd ac yno casglai amaethwyr ieuainc y fro at ei gilydd i drafod pynciau llenyddol ac addysgol dan arweiniad Ellis Owen. Fel bardd nid oedd mor enwog â'i gyfoedion Dewi Wyn a Robert ap Gwilym Ddu ond cyfansoddodd lawer o englynion a cherddi byr a lluniodd ugeiniau o englynion beddargraff ar gais ei gyfeillion ac ardalwyr Eifionydd.

ELWYN: [Llangïan]
Y Prifardd Elwyn Roberts, bardd y goron, Eisteddfod Bro Dwyfor, 1975.

EMRYS: [Aber-erch]
Efallai mai'r Parch. William Ambrose, Porthmadog, 1813-1875 yw hwn.

G. ERYRI: [Llanfaelrhys]
William Roberts, 1844-1895? Ganwyd ym Mhorthmadog.

Dywedir mai gwneuthurwr hwyliau ydoedd wrth ei alwedigaeth. Enillodd gryn nifer o wobrwyon am farddoniaeth mewn eisteddfodau lleol ac yn yr Eisteddfod Genedlaethol. Ef oedd bardd y gadair yn Eisteddfod Genedlaethol Caernarfon 1877.

GLENFIL JONES: [Rhoshirwaun]
Brodor o Wauncaegurwen a glöwr. Yn ddiweddarach aeth yn weinidog gyda'r Bedyddwyr ym Manceinion ac yna i gylch Llanbedr Pont Steffan. Bu tŷ ganddo yn Llangwnnadl ac yno y sefydlwyd cyfeillgarwch rhyngddo ac Ellis Roberts, testun yr englyn. Roedd yn gendlaetholwr pybyr a physgotwr brwd.

G.LL.O.: [Chwilog]
Gerallt Lloyd Owen, 1944-2014. Enillydd y Gadair yn Eisteddfod Genedlaethol Bro Dwyfor, 1975 ac yn Eisteddfod Genedlaethol Abertawe, 1982. Caiff ei ystyried yn un o brif feirdd yr ugeinfed ganrif yng Nghymru.

G. PERIS (Gutyn Peris): [Llanfaelrhys]
Griffith Williams, 1769-1838. Ganed ef yn Waunfawr. Symudodd i fyw i Landygái, ger Bangor ac yno y bu am weddill ei oes yn chwarelwr yn Chwarel y Penrhyn. Daeth yn oruchwyliwr yn y chwarel yn ddiweddarach. Roedd yn ffigwr dylanwadol ym mywyd llenyddol a diwyllianol ardal Arfon, Gwynedd, yn enwedig yn yr adfywiad llenyddol yno ar ddiwedd y ddeunawfed ganrif a dechrau'r bedwaredd ganrif ar bymtheg. Cyhoeddodd ei unig gyfrol o farddoniaeth, *Ffrwyth yr Awen*, yn 1816. Pan fu farw yn 1838 cyfansoddodd Robert Parry (Robin Ddu Eryri, 1804-1892), un o'i ddisgyblion barddol, farwnad iddo ar y Pedwar Mesur ar Hugain.

GUTYN EBRILL [Aber-erch]:
Griffith Griffiths, 1828-1909. Ganwyd yn Cross Foxes, Gwanas, Dolgellau. Gohebydd cyson â'r wasg yng Nghymru ynghylch ymfudo i Wladfa Patagonia. Ymfudodd yno a sefydlu Gorsedd y Beirdd gyntaf y Wladfa; ef oedd ei Harchdderwydd cyntaf.

GRIFF: [Rhiw, Pisgah]
Griff Williams, Pontarddulais, gynt o Bencaerau.

G.W.: [Llandygwnning]
Gareth 'Neigwl' Williams. Cyhoeddodd *Ar y Tir Mawr* (2012) a *Neisiach yn y Gymraeg?* (2013). Dywedodd am englyn Llandygwnning 372: 'Nid fi ydi awdur y paladr mewn gwirionedd; pan ddaeth Beti ei weddw draw i ofyn imi sgwennu englyn i'w roi ar y garreg, dywedodd, "Dwi isio i ti ddweud 'i fod o'n fyw ac iach i 'ngho i a'r hogia, er gwaetha'r hen fedd 'na ac y bydd o efo ni tra byddwn ni".'

GWILYM ROBERTS: [Penrhos; Rhoshirwaun]
Bu farw ym mis Rhagfyr 2010, yn 91 mlwydd oed. Roedd yn enedigol o Drefriw a bu'n athro yn Ysgol Ramadeg Llanrwst ar ôl cyfnod yn dysgu yn Llandrindod. Roedd yn englynwr brwd ac yn arfer cyflwyno'i waith yn rhodd i gyfeillion ar achlysuron arbennig. Cafodd y golygydd yr englyn hwn ganddo, er enghraifft, ar ôl colli ei wraig:

Llawenydd gyfrannodd Llinos – i'th fwth
A'th fyd di a'r plantos;
Rhoed Duw ei hun drwy'r ddunos
Ei wyrth o nerth yn y nos.

GWNUS: [Llanaelhaearn]
'Mab i Robert a Jane Parry, Cefn Gwnus, ger Pistyll. 'Yn nhueddau Llithfaen, yng Ngwnus, y ganed Bardd arall, sef, Gwnus, yr hwn, weithian a erys yn Llyn Lleifiad. Mae yr hyn ganodd Gwnus yn arddangos awen firain, ac arni ôl diwylliant nid bychan. Ac ystyried hyny, gresynem na bai'r bardd yn oruchwyliwr mwy diwyd a ffyddlon ar ei dalent gawsai gan Awdwr Natur. Tybiwn iddo enill Cadair ney ddwy.' (*Beirdd Gwerin Eifionydd,* Cybi)

GWYLFA: [Bwlch]
Richard Gwylfa Roberts, 1871-1935. Gweinidog gyda'r

Annibynwyr a bardd. Ganwyd ym Mhenmaen-mawr a mynychodd Ysgol Botwnnog a Choleg Bala-Bangor. O 1898 hyd ei farw bu'n fugail y Tabernacl yn Llanelli. Yr oedd yn bryddestwr llwyddiannus; enillodd goron yr Eisteddfod Genedlaethol ddwywaith (Ffestiniog, 1898 a Chaerdydd, 1899). Yn 1898 cyhoeddodd gyfrol o farddoniaeth, *Y Drain Gwynion*. Yr oedd yn gofiadur Gorsedd y Beirdd ar adeg ei farw.

GWYNDAF: [Trefor]
E. Gwyndaf Evans, 1913-1986. Gweinidog (A) ac athro. Ganwyd yn Llanfachreth; graddiodd gydag anrhydedd mewn Cymraeg ac Athroniaeth yn Aberystwyth yn 1935. Daeth i amlygrwydd pan enillodd gadair Eisteddfod Genedlaethol Caernarfon yn 1936, yr ieuengaf erioed i ennill y gadair yn y Genedlaethol. Ef hefyd oedd yr Archdderwydd ieuengaf pan gafodd ei ddewis i'r swydd yn 1966.

H.I.H. neu **HARRI:** [Bwlch]
Harri Isfryn Hughes, Sarn Bach. Aelod o dîm Talwrn Llanengan am flynyddoedd.

HEDD WYN: [Bwlch; Llaniestyn]
Ellis Humphrey Evans, 1887-1917. Bardd y Gadair Ddu. Enillodd y gyntaf o'i chwe chadair yn y Bala yn 1907. Mae pawb yn gyfarwydd â hanes ei awdl 'Yr Arwr': cyn ymuno â'r fyddin yr oedd hi ar y gweill ganddo a chyfansoddodd fwy na'i hanner yn Nhrawsfynydd. Gorffennodd hi yn y gwersyll yn Litherland a'i phostio o Ffrainc i gystadleuaeth y gadair yn yr Eisteddfod Genedlaethol. Pan alwyd ei ffugenw (*Fleur de Lys*) yn Eisteddfod Genedlaethol Penbedw ar 6 Medi, cyhoeddwyd ei farwolaeth; syrthiasai ym mrwydr Cefn Pilkem, 31 Gorffennaf. Cyhoeddwyd cyfrol o'i ganeuon, *Cerddi'r Bugail* yn 1918 ac ailargraffiad yn 1931.

Yn ogystal ag amgylchiadau truenus ei farwolaeth, mae englynion coffa R. Williams Parry wedi cadw ei enw'n fyw ym meddwl y Cymry:

Y bardd trwm dan bridd tramor, y dwylaw
Na ddidolir rhagor:
Y llygad dwys dan ddwys ddôr,
Y llygaid na all agor.

HEILIG neu **HEILYG:** [Penrhos, Eglwys; Pwllheli, Deneio; Pwllheli, Penlan]
Yr Henadur **H. Ph. JONES**, Caroline House, Pwllheli, c.1830-1904. Gweler Pwllheli, Deneio, englyn rhif 666.

HERMAN JONES: [Llithfaen]
1915-1964. Gweinidog (A) a bardd; ganwyd yn Neiniolen a chafodd ei addysg yno ac yn Ysgol Brynrefail ac yna yn y Coleg Normal ym Mangor. Derbyniwyd ef i Goleg Bala-Bangor yn 1938 a graddiodd gydag anrhydedd yn y Gymraeg yn 1941 ac yn MA yn 1953. Cafodd ei ordeinio yn 1943 pan oedd yn weinidog yn Salem, Porthmadog. Symudodd i Jerusalem, Porth Tywyn yn 1954 ac yno y bu hyd ei farw yn Ysbyty Bangor o ganlyniad i drawiad ar y galon yn 1964. Yr oedd yn bregethwr gyda galw mawr am ei wasanaeth a pherthynai i draddodiad y pregethu barddonol. Blodeuodd yn gynnar fel bardd gan ennill gwobrau lu mewn eisteddfodau lleol cyn ennill y goron yn Eisteddfod Genedlaethol Aberteifi, 1942, am ei bryddest 'Ebargofiant'. Canai'n gynnil, crefftus a thelynegol.

H. GARRISON WILLIAMS, L.G.S.M.: [Chwilog]
1918-1998. Cerddor, athro a phregethwr cynorthwyol; yn wreiddiol o'r Ffôr. Roedd yn ŵyr i Henry Jones Williams (gweler Plenydd* isod). Cofir amdano fel cerddor yn bennaf, yn arweinydd cymanfaoedd, yn feirniad, organydd a chyfansoddwr cerddoriaeth. Yn y flwyddyn 2000 cyhoeddwyd *Cerddi'r Cerddor*, sef cyfrol o'i farddoniaeth gan Mrs Edith Wyn Williams ei weddw. Yn addas iawn, ysgrythrwyd ar garreg ei fedd ym mynwent Chwilog linell gyntaf yr emyn-dôn 'Gwahoddiad': 'Mi glywaf dyner lais'.

HUGH DERFEL HUGHES: [Llangïan]
1816-1890. Ganwyd ym Melin y Cletwr, Llandderfel, lle'r oedd ei dad yn felinydd. Ar ôl treulio cyfnod fel gwas fferm yn ei ardal enedigol, cafodd le fel pwyswr yn Chwarel y Penrhyn, Bethesda. Priododd yn 1846 ac ymsefydlu yn Nhregarth, lle bu byw hyd ei farw. Dechreuodd farddoni yn gynnar a hoffai astudio hanes Cymru, hynafiaethau, daeareg a llysieueg er na chafodd addysg yn yr un ohonynt. Crwydrodd drwy Gymru i werthu ei lyfr cyntaf, *Blodeu'r Gân*, 1844. Ei gân orau yw'r 'Cyfamod Disigl' a gyfansoddodd wrth groesi'r Berwyn â'i bladur ar ei ysgwydd, o'r cynhaeaf yn Sir Amwythig. Aeth y pennill olaf, 'Y Gŵr fu gynt o dan hoelion' yn rhan o gyfoeth emynau'r genedl. Roedd yr ysgolhaig Syr Ifor Williams yn ŵyr i Hugh Derfel Hughes.

HWFA MÔN: [Llangwnnadl, Eglwys]
Rowland Williams, 1823-1905. Gweinidog gyda'r Annibynwyr. Enillodd y gadair yn Eisteddfod Genedlaethol Caernarfon, 1862 a daeth yn Archdderwydd yn 1894. 'Fel yn hanes y rhelyw o'i gyfoeswyr aethai'r gynghanedd yn feistres arno yn lle bod yn llawforwyn iddo, ac o ganlyniad ni chyfansoddodd ddim o werth parhaol.' (*YBC*)

HYWEL TUDUR: [Clynnog Fawr; Bwlch]
Howell Roberts, 1840-1922. Bardd, pregethwr a dyfeisydd. Ganwyd ym Mron yr Haul, Llangernyw, yn drydydd o wyth o blant. Symudai'r teulu yn aml gan mai adeiladu a gwerthu tai oedd gwaith eu tad. Dechreuodd ymddiddori mewn mesur tir a dod yn bur fedrus yn y grefft. Pan oedd yn 13 oed rhoes gynnig ar bregethu a thua'r un amser ymaelododd â Chymdeithas Lenyddol ym Mhandy Tudur. Yn 1861 enillodd dystysgrif Cymraeg yng Ngholeg Hyfforddi Caernarfon ond ni allodd gael mynediad i'r Coleg Normal am nad oedd lle iddo. Penderfynodd ymgartrefu yng Nghlynnog lle'r oedd Eben Fardd 'hynafol batriarchaidd' yn cadw ysgol a'r post. Gwahoddwyd ef i gynllunio ysgol newydd yn y pentref fel y gallesid ei haddasu'n dai, pe deuai galw. Troes i ymddiddori fwy-fwy mewn dyfeisiadau ac, yn arbennig, yn

egwyddor 'mudiad parhaus'. Cynlluniodd, ac adeiladu, llong awyr (yn ôl ei ferch) yn rhan o adeiladau gwesty Beuno Sant. Derbyniwyd ei gynllun (rhif 110,201) ar gyfer *'A propeller or driving wheel to put in motion vehicles, boats and flying machines'* gan y *Patent Office* ar 14 Hydref 1916. Ef a gynlluniodd a chodi Bryn Eisteddfod, Clynnog (ei gartref). Yr oedd yn ddiarhebol am golli'r trên. Ef oedd un o brif ysgogwyr Cwmni Moduron Clynnog & Trefor ('Moto Coch') tua 1912. Rhagwelai ddyfais a alluogai pobl i weld lluniau o wledydd pell. Yr oedd yn bregethwr cymeradwy, ysgrifennai i gylchgronau a newyddiaduron Cyfundebol a beirniadai mewn eisteddfodau lleol, yn arbennig Cylchwyl Lenyddol a Cherddorol Capel Uchaf – adeilad arall y bu a wnelo â'i gynllunio. Priododd ferch Hafod y Wern, Clynnog, a bu'n amaethu yno ynghyd â bugeilio'i braidd yn eglwysi (MC) Seion, Gyrn Goch a Chapel Uchaf. Ganwyd iddynt bump o blant. Wedi marw ei wraig priododd chwaer y Parch R. Dewi Williams a ganed iddynt fab a merch. Bu farw yn sydyn 3 Mehefin 1922 a'i gladdu ym mynwent eglwys Clynnog, er mai yn ardal ei febyd y dymunai gael bedd. Cymerodd yr enw 'Tudur', mae'n debyg, am fod ei gartref gwreiddiol yn agos iawn at Bandy Tudur. Un o'r pentref hwnnw oedd ei ail wraig.

IAGO TRICHRYG: ('Trichrug' yn gywir): [Dinas; Llangybi, Eglwys]

James Hughes, 1779-1844. Gweinidog gyda'r Methodistiaid Calfinaidd yn Llundain, bardd ac esboniwr Beiblaidd. Ganwyd yn y Neuadd-ddu, Ciliau Aeron, Sir Aberteifi. Cafodd ychydig o addysg elfennol yn ei ardal a phrentisiwyd ef yn of. Cafodd droedigaeth yn 1797 ac ymaelododd â'r Methodistiaid yn Llangeitho. Aeth i Lundain yn 1799 ac ymsefydlodd yn Deptford, lle bu'n flaenllaw gyda chychwyniad achos crefyddol Cymreig. Dechreuodd bregethu yn 1810 ac ordeiniwyd ef i'r weinidogaeth yn Sasiwn Llangeitho 1816. Codwyd capel newydd gan ei eglwys yn Jewin Crescent a galwyd arno yntau i'w bugeilio yn 1823. Ei waith llenyddol mawr yw ei Esboniad ar y Beibl; bu ef ei hun farw cyn gorffen y gwaith ond aeth eraill ati i'w gyhoeddi a bu

'*Esboniad Siams Huws*' mewn bri mawr am genedlaethau.

Claddwyd ef ym mynwent Bunhill Fields, Llundain - '*Unconsecrated ground used for centuries as a burial place for Non-conformists, Dissenters or other people who died outside the Church of England*'. Mae Iago mewn cwmni nodedig yno, gyda rhai fel John Bunyan, William Blake, Daniel Defoe, Isaac Watts a George Fox, sefydlwr y Crynwyr.

Dewisodd yr enw Trichrug i gofio'r bryn gyda'r enw hwnnw, nid nepell o Aberaeron.

IEUAN BRYDYDD HIR (neu **IEUAN FARDD**): [Nefyn, y Fron] Evan Evans, 1731-1788. Offeiriad, bardd ac ysgolhaig. Addysgwyd ef yn Ysgol Edward Richard yn Ystradmeurig ac yna yng Ngholeg Merton, Rhydychen. Urddwyd ef yn ddiacon yn yr Eglwys Anglicanaidd yn Llanelwy yn 1754 ac yn offeiriad yn 1755, a thrwyddedwyd ef i wasanaethu fel curad ym Manafon, sir Drefaldwyn. Datblygodd yn fardd crefftus yn y mesurau caeth, a gwelir ei gadwyn o englynion, 'Llys Ifor Hael' mewn amryw o flodeugerddi:

Llys Ifor Hael! Gwael yw'r gwedd, - yn garnau
Mewn gwerni mae'n gorwedd;
Drain ac ysgall mall a'i medd,
Mieri, llu bu mawredd.

Cyhoeddodd *Some Specimens of the Poetry of the Antient Welsh Bards* yn 1764. Ac yntau'n glerigwr gwladgarol, dadleuodd yn frwd yn erbyn penodi esgobion di-Gymraeg a chyhoeddodd gerdd Saesneg '*The Love of our Country*' yn 1772 sy'n ceisio amddiffyn Cymru yn erbyn ymosodiad gan estroniaid. Oherwydd hyn, ac oherwydd ei fod yn rhy hoff o slotian, ni chafodd ei ddyrchafu'n uwch na statws curad. Siom chwerwach iddo oedd methu â chael y gefnogaeth a fynnai i gyhoeddi barddoniaeth y traddodiad Cymreig clasurol.

Mae'n ddiamau mai Ieuan Fardd oedd ysgolhaig Cymraeg mwyaf ei gyfnod: gwyddai fwy na neb o'i gyfoeswyr am gynnwys y llawysgrifau Cymraeg a geid mewn gwahanol llyfrgelloedd preifat ac ymgydnabu hefyd â gwaith ac amcanion yr ysgolheigion Cymraeg mawr o gyfnod y Dadeni ymlaen.

'His fondness for strong drink, to which, in the words of Samuel Johnson, he was "incorrigibly addicted", has been blamed for his lack of preferment, but he also incurred the wrath of some who might have been his allies by his criticism of the anti Welsh attitudes of the bishops of the Wales of his day, the Esgyb-Eingl as he scornfully called them in a long essay.' (OCLW)

IEUAN O LEYN: [Brynmawr; Llanaelhaearn; Pwllheli, Deneio]
John Henry Hughes, 1814-1893. Gweinidog a bardd. Ganwyd yn Ty'n-y-Pwll, Llaniestyn. Cafodd addysg yn Ysgol Botwnnog ac yna yng Ngholeg Aberhonddu; ordeiniwyd ef yn Llangollen yn 1843. Priododd Miss Jane Jones o Langollen yn 1845. Ymhen dwy flynedd ar ôl hynny, ymgymerodd i ofalu am Eglwys Gynulleidfaol Saesneg yn Demerara, British Guiana. Ar ôl saith mlynedd daeth yn ei ôl i Brydain a bu'n gweinidogaethu gyda'r Saeson yn West Hartlepool, Horsley-upon Tyne, Newent yn Sir Gaerloyw ac yna Cefnmawr, Wrecsam. Ysgrifennodd gryn dipyn o farddoniaeth rydd a daeth yn adnabyddus iawn yn ei gyfnod fel awdur y gerdd 'Beth sy'n Hardd?' Cyhoeddwyd cyfrol o'i bregethau yn Saesneg.

IOAN MADOG: [Clynnog Fawr; Pwllheli, Deneio]
John Williams, 1812-1878. Gof a bardd. Ganwyd ger Rhiwabon ond symudodd ei deulu i Dremadog pan oedd yn fachgen. Bu mewn ysgolion yn Nhremadog, sir Ddinbych ac yng Nghaernarfon. Yn y cyfamser dysgodd alwedigaeth ei dad. Ymddiddorodd mewn barddoniaeth yn gynnar ac enillodd mewn sawl eisteddfod. Cafodd ei urddo'n fardd yn Eisteddfod y Bala, 1836. Dywed 'Cynhaiarn' fod iddo gryn fedr yng ngwneuthur offer haearn i'w defnyddio ar y llongau a adeiladid ym Mhorthmadog. Claddwyd ym mynwent Eglwys Ynyscynhaiarn.

Mae'r bardd cyfoes John Idris Jones yn ŵyr i John Williams ac yn ei gerdd 'Ioan Madog, Poet, Ancestor' mae'n sôn am ei daid fel:

A blacksmith who shaped hoops
For ships. Portmadog built them.
So many you could dance from deck to deck
The moil of labour in your ears mixed
With the rich note of the native tongue.

Disgynnydd arall iddo yw Nia Medi, awdur a nofel *Omlet* (2005).

ISEIFION: [Carnguwch; Chwilog; Llangybi, Helyg; Rhosfawr]
William Henry Roberts. Ganwyd yn 1855, yn fab hynaf i Henry ac Elizabeth Roberts, Plas yng Ngharnguwch, ond magwyd ym Mhenfras Isaf gyda'i daid a nain hyd 1884. Ar ôl priodi symudodd i fyw i'r Ffôr. Bu farw Iseifion yn 1923 ac mae wedi'i gladdu ym mynwent Chwilog.

'Er yn fore, yr oedd mewn llenyddiaeth swyn grymus iddo, yr hyn a gymerodd y ffurf o ysgrifau a thraethodau manwl, yn ogystal â barddoniaeth naturiol, wedi hynny.' (*Beirdd Gwerin Eifion a'u Gwaith*, Cybi)

ISLWYN: [Botwnnog; Dinas]
William Thomas, 1832-1878. Gweinidog gyda'r Methodistiaid Calfinaidd. Mesurwyr tir a pheirianwyr oedd ei ddau frawd ac fe ddechreuodd yntau ddysgu eu crefft ond gwelodd ei frawd-yng-nghyfraith ddeunydd pregethwr ynddo a danfonwyd ef i ysgolion yn Nhredegar, Casnewydd, a'r Bont-faen ac i athrofa'r Dr Evan Davies yn Abertawe. Yn y dref honno syrthiodd mewn cariad â merch ifanc ond pan oeddent ar fin priodi bu farw'r ferch ac fe effeithiodd hynny'n drwm ar ei fywyd a'i farddoniaeth. Ordeiniwyd ef yn 1859 ond ni bu erioed yn fugail eglwys.

Bu Islwyn yn gystadleuydd brwd mewn eisteddfodau ond yn gystadleuydd aflwyddiannus ar y cyfan. Enillodd gadeiriau yn eisteddfodau'r Rhyl (1870) a Chaergybi (1872). Nid enillodd gadair yr eisteddfod genedlaethol, er iddo ymgeisio droeon amdani. Tybiai ar ddiwedd ei fywyd iddo esgeuluso pregethu'r efengyl wrth gystadlu gymaint. Mae ei emyn 'Gwêl uwchlaw cymylau amser' yn adnabyddus.

J. GRIFFITH: [Dinas]
John Griffith. Ganwyd yn Bodgaea' Uchaf, Bryncroes a bu'n byw yn Trofa, Sarn yn ddiweddarach.

J. H. JONES: [Llanaelhaearn]
John Henry Jones, Tyddyn Llan, Llangybi.

J. HUGHES: [Aberdaron, Hen Eglwys]
J. Hughes, Fronolau, Rhoshirwaun. Un o feirdd y Rhos.

JOHN GLYN DAVIES: [Aberdaron, Newydd; Dinas; Llandygwnning; Rhiw, Nebo]
1870-1953. Ysgolhaig, awdur caneuon a bardd. Ganwyd yn Lerpwl, yn fab i John a Gwen Davies. Masnachwr te oedd ei dad a'i fam yn ferch i John Jones, Tal-y-sarn. O 1899 hyd 1907 gweithiodd yn Aberystwyth yn casglu llyfrgell Gymraeg a fyddai'n sylfaen ymhen amser i Lyfrgell Genedlaethol Cymru. Yn 1907 fe'i penodwyd ar staff Llyfrgell Prifysgol Lerpwl ac wedi hynny cafoddd swydd yn Adran Gelteg y brifysgol. Bu'n bennaeth yr adran honno o 1920 hyd ei ymddeoliad yn 1936. Roedd yn hoff iawn o wlad Llŷn a threuliai ei wyliau yn Edern. Caiff ei adnabod yn bennaf fel awdur *Cerddi Portinllaen* (1936) ac mae caneuon megis 'Fflat Huw Puw' yn boblogaidd iawn hyd heddiw. Ceir yn y gyfrol o farddoniaeth a gyhoeddwyd wedi ei farw, *Cerddi Edern a Cherddi eraill* (1955), amryw delynegion hyfryd:

Hen leuad wen, uwch ben y byd,
    A ddoist o hyd i Gymro
A aeth yn bell o'i wlad ei hun
    O Lŷn i San Ffransisco.

JOHN ROWLANDS (neu **J.R.**): [Carnguwch; Chwilog; Penrhos; Pentreuchaf]
Gyrrwr lori laeth a bardd, 1911-1969. Ganwyd yn y Rhiw ac yn yr ysgol elfennol yno y cafodd ei addysg gynnar. Yn ffodus iddo ef, yr ysgolfeistr ar y pryd oedd R. H. Gruffydd, bardd a llenor da, a than

ei gyfarwydd ef dechreuodd John Rowlands brydyddu pan oedd yn blentyn ysgol. Bu farw ei dad pan oedd yn blentyn ac oherwydd hynny ni chafodd gyfle i fynd ymlaen â'i addysg fel y dymunai. Wedi gweithio ar ffermydd am rai blynyddoedd, cafodd le fel gyrrwr lori laeth i Hufenfa Rhydygwystl. Bu farw yn 58 mlwydd oed a chladdwyd ef ym mynwent Chwilog, lle mae englyn (gan R.G.J) yn coffáu ei yrfa a'i ddawn fel englynwr. Cyhoeddodd ei farddoniaeth yn *Olwynion Aflonydd – Englynion a Cherddi* (Gwasg Tŷ ar y Graig), sy'n cynnwys portread ohono gan Dyfed Evans. Yn *Olwynion Aflonydd* ymddengys englyn arall gyda'r beddargarff i Thomas Evan Thomas:

Daeth y wylaidd daith olaf – i'w ran ef
Ar hen ŵyl cynhaeaf,
Oer annedd i'r tirionnaf,
A hedd hir yn niwedd haf.

Dyma englyn coffa John Rowlands i Tom Nefyn:

O lewyrch Galilea – a Chanaan
Cychwynnodd ei yrfa;
Daliodd i'r funud ola'
Yn dyst i'r Newyddion Da.

L.O.G.: [Aberdaron, Hen Eglwys]
Lewis Owen Griffith.

LLYFNI HUGHES: [Bwlch]
Pen-y-groes, 1889-1961/2. Cyfansoddwr nifer o alawon telyn. Cyhoeddodd, gyda Mallt Hughes, *Aelwyd y Delyn I, II, III* a *IV* (1944, 1951).

MADRYN: [Carnguwch]
Robert Parry (1863-1936), mab John Parry, Cefn Pentre.

MAESYN: [Rhosfawr]
John Griffith, Gwar y Rhos, Rhos-fawr, c.1842-1920 (gweler Rhosfawr, rhif 721).

MEIRIADOG: [Chwilog]
John Edwards, 1813-1906. Bardd, llenor a golygydd. Ganwyd yn Llanrwst ac yn yr Ysgol Ramadeg yno y derbyniod ei addysg cyn bwrw prentisiaeth fel argraffydd. Treuliodd ran fwyaf ei oes yn Llanfaircaereinion. Yr oedd yn Fedyddiwr Campbelaidd taer iawn ac yn Rhyddfrydwr digymrodedd. Ystryrid ef yn ei ddydd yn awdurdod ar ramadeg a chystrawen Gymraeg ac yn feistr ar reolau'r gynghanedd. Bu'n llwyddiannus iawn fel cystadleuydd eisteddfodol, gan ennill nifer o gadeiriau.

M. G. JONES: [Llanengan]
Y Prifardd Moses Glyn Jones, 1913-1994. Brodor o bentref Mynytho. Enillodd y gadair yn Eisteddfod Genedlaethol Caerfyrddin 1974 am ei awdl 'Y Dewin'.

M.H.: [Carnguwch]
Y Prifardd Mathonwy Hughes, 1905-1999. Ganwyd yn Bryn Llidiart, Cwm Silyn. Bu'n is-olygydd *Y Faner* a darlithydd C.A.G. Enillodd y gadair yn Eisteddfod Aberdâr yn 1956.

NICANDER: [Llangybi, Eglwys]
Morris Williams, 1809-1874. Ganwyd yng Nghaernarfon yn fab i William Morris a Sarah ei wraig, morwyn ar fferm Dewi Wyn, a William Morris yn was i Robert ap Gwilym Ddu. Bu yn yr ysgol yn Llanystumdwy cyn cael ei brentisio'n saer. Dechreuodd brydyddu yn ifanc a gwelwyd bod ynddo ddeunydd ysgolhaig. Swcrwyd ef felly i fantesio ar gyfleusterau addysgol pellach. Aeth i Ysgol y Brenin yng Nghaer ac yna i Goleg Iesu, Rhydychen. Graddiodd yn BA yn 1835 ag anrhydedd yn y clasuron. Ordeiniwyd ef yn Llanelwy yn 1836. Bu'n rheithor yn Llanrhuddlad, Môn, o 1859 hyd ei farw. O Eisteddfod Aberffraw yn 1849 pan enillodd y gadair bu'n flaenllaw yn y byd llenyddol, gan ennill a beirniadu droeon yn

yr Eisteddfod Genedlaethol. Cafodd Morris Williams yr enw 'Nicander' yn ystod ei gyfnod yn astudio'r clasuron. Yr oedd y Nicander gwreiddiol yn fardd Groegaidd o'r ail ganrif Cyn Crist. Nid oes gan ysgolheigion modern feddwl uchel o'i waith: *'Nicander wrote a poem on* Antidotes to the Bites of Wild Creatures *which is as deadly as the hazard he professed to cure.' The Oxford History of the Classical World* (OUP, 1986).

O. JONES, Plasgwyn: [Llanaelhaearn]
Owen Jones, Y Ffôr. Tafleisydd ac adroddwr adnabyddus. Ceir erthyglau amdano ym mhapur bro Eifionydd, *Y Ffynnon* gan Geraint Jones, Trefor.

OWAIN LLEYN (neu **YWAIN**): [Bryncroes; Llanengan; Llanfaelrhys]
'*Of the notable men, other than those mentioned elsewhere,* ***Owen Owen****, "Owain Lleyn," born in 1786, deserves special notice. He lived in a farm of the name of Bodnithoedd. He was a man of more than ordinary intellectual capacity, and gained notoriety among his contemporaries by his bardic attainments. He was greatly sought after as a writer of 'englynion' and epitaphs, some of which are to be seen upon tombstones in Meyllteyrn Churchyard and several other Churches in Lleyn Deanery.'* (Y Parch. T. E. Owen, Ficer Botwnnog yn *Hanes Eglwysi a Phlwyfi Lleyn*, Pwllheli 1910)

Yr oedd yn gryn fardd a llenor yn ei ddydd ac yn berthynas i'r bardd a'r hynafiaethydd Elis Owen o Gefnymeysydd yn Eifionydd. Efallai iddo gael deunydd ei englyn i'r brithyll wrth grwydro glan afon Soch ar derfyn ei dir ei hun:

Yn ei awydd un eon – yw brithyll
Yn brathu abwydion;
Chwim ei dro yn llywio'n llon,
Drwy lif y dryloyw afon.

Ac yn sicr ddigon yn ei stad ddi-briod ei hun y cafodd ddeunydd ei englyn i'r 'Hen Lanc':

Cu hoyw fab, hen lanc wyf fi, - byw'r ydwyf
Heb wraig i'm tafodi;
'Wna plant ddim mwyniant i mi –
Fy hunan 'rwy'n fwy heini.

PATROBAS: [Llanengan; Nefyn; Nefyn, Eglwys]
Robert Griffith, bardd, 1832-1863. Ganwyd yn Penymaes, Nefyn yn fab i Robert a Catrin Griffith. Aeth yn fasnachwr, eithr bu farw o'r ddarfodedigaeth yn ddyn cymharol ifanc gan adael gwraig a dau o blant. Mewn oes fer llwyddodd i gyfansoddi toreth o gerddi ar wahanol destunau. Casglwyd rhai o'i gerddi mwyaf poblogaidd at ei gilydd a'u cyhoeddi yn 1862, *Byr Ganeuon gan Patrobas*, Pwllheli.

Cafodd Robert Griffith ei enw barddol o lyfr y Rhufeiniaid 16:14, lle mae Paul yn danfon ei gyfarchion at gwmni o Gristionogion yn Rhufain: 'Anherchwch Asyneritis, Phlegon, Hermas, Patrobas, Mercurius, a'r brodyr sy gyd â hwynt.'

PEDROG: [Boduan; Llanbedrog]
John Owen Williams, 1853-1932. Gweinidog gyda'r Annibynwyr a bardd. Ganwyd yn y Gatws, Madryn, a'i fedyddio yn Eglwys Llanfihangel Bachel!aeth. Bu farw ei rieni pan oedd yn blentyn a chymerwyd ef i fod dan ofal ei fodryb yn Llanbedrog. Dechreuodd weithio pan oedd yn 12 oed. Yr oedd yn brentis o arddwr yn y Gelliwig pan oedd yn 16 oed ac oddi yno aeth i erddi ger Caer. Yn 1876 symudodd i Lerpwl ac am wyth mlynedd bu'n gweithio mewn masnachdy yno. Pan oedd yn 25 cymhellwyd ef i ddechrau pregethu ac yn 1884 ordeiniwyd ef yn weinidog yn Eglwys Kensington, Lerpwl a bu yno hyd nes iddo ymddiswyddo oherwydd afiechyd yn 1930.

Fel bardd, enillodd lu o wobrwyon pwysig: y gadair genedlaethol yn Abertawe (1891), Llanelli (1895) a Lerpwl (1900). Ef oedd yr Archdderwydd o 1928 hyd 1931.

PLENYDD: [Llanarmon; Llangybi, Helyg]
Henry Jones Williams, Hafod, Y Ffôr. Ganwyd yn y Ffôr yn 1844, yn fab i Watkin ac Ann Williams, Siop. Traddododd ei araith gyntaf mewn capel pan oedd yn 14 oed. Cafodd ei ddewis i arwain y gân yn ei gapel ymhen blwyddyn wedyn a phan oedd tua 17 oed cafodd ei ddewis yn flaenor. Ymsefydlodd fel masnachwr yn ei bentref genedigol. Ychwanegodd at y siop gyffuriau meddygol a daeth y lle yn gyrchfan i'r ffermwyr i gael cyngor, a chyffur, i dyn ac anifail. Pan ddaeth y don o frwdfrydedd dirwestol - y *Good Templars* fel y'u gelwid – gwelwyd ynddo drefnydd a darlithydd penigamp. Penodwyd ef i swydd ar unwaith ac erbyn tua 1879 yr oedd yn Deilwng Brif Demlydd.

'Heddyw, ychydig ŵyr fawr am Blenydd y *bardd* a'r *cerddor*. Cymerodd ei awen ffurf arall, ac er daioni uwch, o bosibl, er's talm o amser bellach. Heblaw cyfieithu llyfr neu ddau i'r Gymraeg, parha i ysgrifenu i'r cylchgronau, ffrwyth ei brofiad cyhoeddus, yn fwyaf unionyrchol. Ond barddoniaeth diodl, megis, yw hynt a hanes gwr naturioled ag efe.' *Beirdd Gwerin Eifion*, Cybi.

Bu Plenydd farw yn 82 mlwydd oed yn 1925 ac ychydig yn ddiweddarach cyhoeddwyd cyfrol deyrnged iddo, *Plenydd, yr Areithydd dirwestol enwog: Hanes ei fywyd a detholiad o'i weithiau* (Y Parch. John Lloyd Jones [Gol.], Argraffdy'r Methodistiaid Calfinaidd, Caernarfon, 1929).

R.G.T.: [Llangybi, Eglwys]
Efallai mai Robert G. Thomas, Mynachdy Bach a fu farw ym mis Mawrth 1922 yw hwn.

RICHARD GOODMAN JONES neu **DIC GOODMAN:** [Boduan; Bwlch; Chwilog; Llanfaelrhys; Morfa Nefyn; Nefyn; Penrhos, Bethel; Pwllheli]
Ganwyd yn 1920. Gweithiodd mewn llawer o swyddi, o werthu yswiriant i fod yn athro yn Ysgol Pont-y-Gof. Yn ei flynyddoedd cynnar yr oedd yn aelod adnabyddus o'r gymuned, yn aml yn cymryd rhan mewn eisteddfodau o gwmpas y wlad. Cyhoeddodd sawl cyfrol o farddoniaeth, gan gynnwys Hanes y Daith, *Caneuon*

y Gwynt a'r Glaw (1975) ac *I'r Rhai sy'n Gweld Rhosyn Gwyllt* (1979). Mae'n fwyaf adnabyddus fel englynwr.

R.F.W.: [Llannor; Pwllheli, Deneio]
Robert Francis Williams, 1877-1916. Ganwyd ef yn y Fron, Efailnewydd. Collodd ei rieni pan oedd yn ieuanc a'i adael yng ngofal ei ddwy chwaer a'i frawd. Pan ddaeth i oedran i droi allan i'r byd, fe'i prentisiwyd yn argraffydd ym Mhwllheli. O dan nawdd pellach ei frawd, W. J. Williams (gweler Penrhos, Bethel rhif 611) a oedd yn gerddor a chyfansoddwr coeth, daeth yntau hefyd i garu llenyddiaeth ac i ymhyfrydu yn neilltuol yn y gynghanedd. Meddai ar wybodaeth eang iawn ac roedd ganddo farn aeddfed ar wahanol faterion. Breintiwyd ef â chlust y cerddor a gallai chwarae'r crwth ers pan oedd yn fachgen ieuanc. Bu farw Mehefin 16, 1916 yn 38 mlwydd oed. Claddwyd ef ym mynwent Bethel, Penrhos.

Dyma'i englyn i'r 'Friallen':

Anrheg gynnar y Gwanwyn – inni holl
Yw'r friallen ddillyn;
I'w chanfod fel bathodyn
Euraidd glwys ar wyrdd y glyn.

R.J.: [Aberdaron, Eglwys Newydd; Llandygwnning]
Bob Jones, Penmorfa. Un o bum englyn er cof am Griffith Jones Williams.

R. J. ROBERTS: [Trefor]
Robert John Roberts, Tanrallt, Ffestiniog. Gweithiai fel gwyliwr nos i gwmni Owen Owens, Lerpwl. Awdur dwy gyfrol: **Clychau'r Gynghanedd** a **Dolanog**.

ROBERT AP GWILYM DDU: [Aberdaron, Hen a Newydd; Aber-erch; Boduan; Bwlch; Llanaelhaearn; Llanfaelrhys; Nefyn, Eglwys; Pwllheli, Deneio]
Robert Williams, 1766-1850. Bardd ac amaethwr. Ganwyd 6

Rhagfyr 1766, yn fab i William Willliams a Jane o'r Betws Fawr, ffermdy ym mhlwyf Llanystumdwy. Tebyg mai yn un o ysgolion y gymdogaeth y cafodd addysg gyffredinol ac mai gan rai o feirdd Eifionydd y dysgodd gelfyddyd barddoniaeth. Treuliodd y rhan fwyaf o'i oes yn amaethwr ond cafodd hamdden i ddilyn diddordebau megis llenyddiaeth Gymraeg, diwinyddiaeth, cerddoriaeth a hynafiaethau. Daeth ei gartref yn gyrchfa i Gymry diwylliedig ac adwaenid ef yng Ngwynedd fel bardd a gŵr gwybodus ac annibynnol ei farn. Yr oedd tua hanner cant pan briododd â merch ifanc a wasanaethai (mae'n debyg) ym Mhlas Hen, yn gyfagos i'r Betws. Ganed iddynt un ferch, Jane Elizabeth, ond bu hi farw yn 1834 yn 17 oed (o'r ddarfodedigaeth). Un o alarnadau dwysaf yr iaith yw'r awdl a ganodd ei thad ar ei hôl. Bardd crefyddol oedd ef yn bennaf a'i brofiadau crefyddol a'i symbylodd amlaf i ganu ond ni chymerodd Robert Williams mo'i fedyddio ac ni fu'n aelod eglwysig. Claddwyd ef ym mynwent Aber-erch.

Ei weithiau mwyaf adnabyddus yw'r emyn 'Mae'r gwaed a redodd ar y groes' a'r englyn canlynol:

Myned sydd raid i minnau – drwy wendid
I'r undaith â'm tadau;
Mae 'mlinion, hwyrion oriau,
A'm nos hir yn ymnesáu.

'Yng nghofrestr plwyf Aberdaron, trannoeth dydd Nadolig 1813, cofnodwyd bedydd "William Roberts, base son of Robert Williams, Bettws Fawr, Llanystindwy, farmer, & Margaret Jones, Tynewydd, spinster.' *Gwreiddiau Gwynedd*, 'Teulu Robert ap Gwilym Ddu' gan J. Dilwyn Willliams, Hydref/Gaeaf 2010.

ROBERT WILLIAMS PARRY: [Llangwnnadl, Hebron]
1884-1956. Bardd, brodor o Dal-y-sarn. Enillodd gadair Eisteddfod Genedlaethol Bae Colwyn, 1910. Cyhoeddodd *Yr Haf a Cherddi Eraill* (1924) a *Cherddi'r Gaeaf* (1952). Ymddengys ei englyn adnabyddus ar dalcen Neuadd Mynytho:

Adeiladwyd gan dlodi – nid cerrig
Ond cariad y'w meini;
Cydernes yw'r coed arni,
Cyd-ddyheu a'i cododd hi.

'Roedd Dic Goodman.* (morwr, ac athro yn ddiweddarach) yn Neuadd Goffa Mynytho pan agorwyd hi i'r cyhoedd. Roedd yn aelod o ddosbarthiadau nos R. Williams Parry, oedd yn cyfarfod yn Ysgol Foel Gron ar y pryd, ac yn ystod y seremoni gofynnwyd i Williams Parry a oedd ganddo gyfraniad. Dywedodd iddo sefyll yng nghefn y llwyfan, gyda'i law yn ei boced, ac adrodd ei englyn – englyn sydd wedi'i adrodd gan genedlaethau o blant o'r ardal hon ers hynny.'- *Llŷn Mewn Llinellau*, Myrddin ap Dafydd (ar lein).

ROBIN DDU ERYRI: [Aberdaron, Hen]
Robert Parry, 1804-1892. Bardd. Ganwyd yng Nghaernarfon, ei dad yn deiliwr, yn feddyg esgyrn ac yn dipyn o brydydd. Ni afaelodd y mab o ddifrif mewn unrhyw alwedigaeth. Dywedodd John Davies (argraffydd a newyddiadurwr ym Mangor) amdano: 'gan nad oedd wedi dysgu crefft ac nad oedd ganddo foddion gweledig at ei gynhaliaeth, aeth o amgylch y wlad i glera'. Bu'n cadw ysgol mewn gwahanol fannau, yn darlithio ac yn pregethu, yn siarad dros y Mormoniaid, yn glerc mewn swyddfa cyfreithiwr, a.y.b. Bu yn America yn darlithio a daeth i gryn amlygrwydd yng Nghymru fel areithiwr ar ddirwest. Cyhoeddodd gyfrol o'i waith, *Teithiau a Barddoniaeth Robyn Ddu* yn 1857. Bu farw yn 88 mlwydd oed yn Llwydlo a chladdwyd ef ym mynwent Ludford.

Roger Jones: [Rhoshirwaun]
1903-1982. Gweinidog a bardd. Ganwyd yn Nhŷ Mawr, Rhoshirwaun a bu'n gweinidogaethu gyda'r Bedyddwyr. Câi ei adnabod fel 'Roger Jones Talybont' (Aberystwyth) am gyfnod. Ymddeolodd i Lanengan gan ddod yn aelod blaenllaw o Dîm Talwrn y Beirdd y pentref. Awdur tair cyfrol o farddoniaeth: *Awelon Llŷn, Haenau Cynghanedd* ac *Ysgubau Medi*.

R.W.J.: [Chwilog]
R. W. Jones, Bryn Dewin, Chwilog.

SARPEDON: [Ceidio; Edern, Capel]
Capt. William Parry, 1835-1876. Ganwyd yn Terfyn, Morfa Nefyn, yn fab i William a Jane Parry, a chladdwyd ef ym mynwent gyhoeddus Nefyn. Yn ôl David Thomas yn *Hen Longau Sir Gaernarfon* 'Enillodd ... wobrwyon am farddoniaeth mewn eisteddfodau droeon, a cheir cryn lawer o'i ganiadau a'i englynion wedi eu cyhoeddi yn y cylchgronau Cymraeg.'

Cafodd Capten Parry ei lysenw yn yr *Iliad* gan Homer, lle mae Sarpedon yn arwr.

T.B.J.: [Llanaelhaearn]
Tom Bowen Jones, Gwydir Bach, Trefor.

T.G.J.: [Morfa Nefyn]
Y Prifardd T. Gwynn Jones.

TREBOR MAI: [Bryncroes]
Robert Williams, 1830-1877. Ganwyd yn Llanrhychwyn yn fab i deiliwr ac addysgwyd ef am ysbaid yn ysgol rad Llanrwst. Pan oedd yn 13 oed symudodd ei deulu i fyw yn y dref honno a dechreuodd yntau ddilyn crefft ei dad. Wedi priodi yn 1854 agorodd ei fusnes ei hun fel teiliwr yn yr un dref ac yno y treuliodd weddill ei oes. Enillodd glod mawr fel englynwr ac yn y casgliad o'i waith barddonol a gyhoeddwyd yn 1883 ceir dros fil o englynion. Ymhlith ei gyfeillion llenyddol roedd Dewi Arfon.

Y mae Thomas Parry yn *Hanes Llenyddiaeth Gymraeg hyd 1900* yn dweud: 'Dau englynwr gorau'r ganrif oedd Trebor Mai a Dewi Havhesp.' Dyma enghraifft arall o feddargraff gwraig gan Trebor Mai:

Arafa! Mae goreuferch – is dy droed,
Astud wraig, lawn traserch
Rho dithau rosynnau serch,
Ddarllenydd, ar y llannerch.

Tarddiad llysenw Trebor Mai yw ei enw cywir ['I am Robert'] y tu ôl ymlaen ac mae'n enghraifft o'i synnwyr digrifwch, mae'n debyg.

TRYFANWY: [Llangwnnadl, Eglwys; Tudweiliog]
John Richard Williams, 1867-1924. Mab i Owen a Mary Williams, y ddau o Lŷn yn wreiddiol. Fe'i magwyd yn Tan y Manod, y cartref teuluol ym mhentre chwarel Rhosgadfan. Pan oedd yn fachgen amharwyd ar ei olwg a'i glyw, dau aflwydd a'i gwnaeth yn ddall ac yn fyddar weddill ei oes. Yn 1880 symudodd y teulu i fyw yn y Tyddyn Difyr ar lethr Moeltryfan. Collwyd y tad trwy ddamwain ymhen ychydig flynyddoedd a daeth y fam a'r bachgen yn ôl i Dan y Manod. Yn fuan ar ôl hynny bu farw'r fam a gadael y mab yn analluog i'w amddiffyn ei hun. Cymerwyd ef at fodryb a drigai ym Mhorthmadog, ac yno y bu hyd ei farw. Dangosodd yn ieuanc duedd at farddoniaeth ac er gwaethaf ei ddallineb meistrolodd reolau barddas a chanodd liaws mawr o bryddestau, awdlau, telynegion, englynion ac yn y blaen. Enillodd ddeg o gadeiriau. Cyhoeddwyd dwy gyfrol o'i gerddi, sef *Lloffion yr Amddifad* (1892) ac *Ar Fin Traeth* (1910).

TUDWAL: [Aber-erch]
Hugh Tudwal Davies, 1847-1915. Amaethwr a bardd. Ganwyd yn Mynachdy, Clynnog, nai i Robert Hughes, Uwchlaw'r Ffynnon (pregethwr enwog a enillodd yn eisteddfod Llannerch-y-medd yn 1835 gyda'i gywydd 'Dinystr Sodom a Gomorrah'. Enillodd fel bardd yn eisteddfodau Pwllheli (1875), Caernarfon (1880) a Chaernarfon (1894). Canodd lu o englynion a rhai cywyddau. Treuliodd ddiwedd ei oes yn Llwyn'rhudol, Aber-erch. Claddwyd ef ym mynwent Penrhos.

Cyhoeddodd ei fab, H. Emyr Davies, gyfrol o'i farddoniaeth yn 1907, sef *Llwynhudol*.

'Gŵyr gwlad am ei lafur cariad gyda'r Cyfarfod Llenyddol, o'r dechreu, ymron; am ei lenorwaith i'n cylchgronau, ac am ei lwydd ar faes cystadleuaeth. Cipiodd amryw wobrau yn yr Eisteddfod Genedlaethol. Feallai mai un o'i gampweithiau yw ei Gadwyn Englynion i "St. Tydwal's". (*Beirdd Gwerin Eifionydd*, Cybi.)

W. HEFIN WILLIAMS: [Llangybi, Helyg]
Penlon Llŷn, Pwllheli ond o Drefor yn wreiddiol.

W. H. ROBERTS: [Carnguwch]
Gweler ISEIFION.

W.J.W.: [Penrhos, Bethel]
William John Williams, Y Fron, Efailnewydd, 1866-1935. Brawd R.F.W*

W.M.: [Capel Edern; Rhydycladfy]
William Morris 1889-1979, mae'n debyg (gweler Rhydyclafdy, rhif 737). Yn frodor o Flaenau Ffestiniog, roedd yn gyfaill i Hedd Wyn. Enillodd y gadair yn Eisteddfod Castell-nedd yn 1934 am ei awdl 'Ogof Arthur'. Roedd William Morris yn Archdderwydd pan fu farw Tom Nefyn. Cyhoeddodd ei ferch, Glennys Roberts, gasgliad o'i farddoniaeth, *Canu Oes* yn 1981.

W. RHYS NICHOLAS: [Morfa Nefyn; Trefor]
1914-1996, gweinidog, bardd ac emynydd. Ganwyd yn Nhegryn, Sir Benfro. Graddiodd yn y Gymraeg yn Abertawe, lle bu'n Llywydd Undeb y Myfyrwyr, 1941-2. Bu'n weinidog gyda'r Annibynwyr ar hyd ei oes gan weinidogaethau ym Mhorthcawl tan ei ymddeoliad yn 1983.

Mewn ysgrif goffa a gyhoeddwyd yn *The Independent* (5/10/1996) dywedodd D. Ben Rees: *'His most well-known hymn,* 'Pantyfedwen', *has an unusual history. It was inspired by a competition at the annual Pantyfedwen Eisteddfod in Lampeter, one of the three Cardiganshire Eisteddfodau supported by the wealth of the London Welsh millionaire Sir David James, who made his fortune in West End cinemas. A then large prize of £300 was offered for the best hymn of the 1967 Eisteddfod and it was won by W. Rhys Nicholas. The following year there was a competition to compose a tune for the winning hymn which was won by a Liverpool Welsh composer, Eddie Evans. The marriage was a brilliant success...'*

W.W.: [Llangïan]
William Williams, Pandy Saethon, Mynytho.

Y PLANT: [Penrhos]
h.y. **Charles Jones*** a'r Prifardd Moses Glyn Jones.*

Y TIR MAWR: [Nefyn]
Un o dimau'r rhaglen radio boblogaidd *Talwrn y Beirdd* ar Radio Cymru.